LES BABY-BOOMERS

## Du même auteur

*Les Intellectuels en France, de l'affaire Dreyfus à nos jours*, en collaboration avec Pascal Ory, Paris, Armand Colin, 1986, nouv. éd., 2002.

*Génération intellectuelle. Khâgneux et normaliens dans l'entre-deux-guerres,* Paris, Fayard, 1988, rééd., Paris, PUF, « Quadrige », 1994.

*Intellectuels et passions françaises. Manifestes et pétitions au xx$^e$ siècle*, Paris, Fayard, 1990, rééd., Paris, Gallimard, « Folio », 1996.

*Histoire des droites en France* (dir.), 3 vol., Paris, Gallimard, 1992.

*La France de 1914 à nos jours*, en collaboration avec Robert Vandenbussche et Jean Vavasseur-Desperriers, Paris, PUF, 1993, nouv. éd., 1995.

*Sartre et Aron, deux intellectuels dans le siècle*, Paris, Fayard, 1995, rééd., Hachette, « Pluriel », 1999.

*Dictionnaire historique de la vie politique française au xx$^e$ siècle*, Paris, PUF, 1995, rééd. Paris, PUF, « Quadrige », 2003.

*Pour une histoire culturelle*, en codirection avec Jean-Pierre Rioux, Paris, Le Seuil, 1997.

*Le Temps des masses*, tome IV de l'*Histoire culturelle de la France*, en collaboration avec Jean-Pierre Rioux, Paris, Le Seuil, 1998.

*La France et les Français*, en codirection avec Daniel Couty, Paris, SGED-Bordas, 4 vol., 1999, nouv. éd., Paris, Armand Colin, 2 t., 1999.

*Culture et Action chez Georges Pompidou*, en codirection avec Jean-Claude Groshens, Paris, PUF, 2000.

*La France d'un siècle à l'autre*, en codirection avec Jean-Pierre Rioux, Paris, Hachette Littératures, 1999, rééd. Paris, Hachette, « Pluriel », 2002.

*Aux marges de la République*, Paris, PUF, « Le nœud gordien », 2001.

*La Culture de masse en France de la Belle Époque à aujourd'hui*, en codirection avec Jean-Pierre Rioux, Paris, Fayard, 2002.

*L'Histoire des intellectuels aujourd'hui*, en codirection avec Michel Leymarie, Paris, PUF, 2003.

Jean-François Sirinelli

# LES BABY-BOOMERS

Une génération
1945-1969

Fayard

À ma mère,
qui donna le jour à trois *baby-boomers*

# Mutins ou mutants ?

Au commencement, il y eut le nombre. On a maintes fois cité ce diagnostic-pronostic qu'Alfred Sauvy formulait en 1959 dans les dernières pages de *La Montée des jeunes* : « Ces jeunes sont là. Les classes pleines arrivent maintenant dans le groupe qu'on appelait les J3 au moment de leur naissance. Ces enfants vont faire parler d'eux non seulement par leurs besoins, mais bientôt par leurs idées, leurs actes[1]. » De fait, moins d'une décennie plus tard, en 1968, un tiers des Français – 33,8 % exactement – ont moins de vingt ans et, surtout, les seize/vingt-quatre ans représentent à eux seuls plus de huit millions d'individus, soit 16,1 % de la population. Ce coup de jeune a-t-il alors débouché pour autant sur un coup de force générationnel, ce tiers de France devenant le tiers état d'une « révolution juvénile » ? Certes, les observateurs auront beau jeu d'invoquer une telle « révolution » ou une « révolte de la jeunesse » et de proposer la vision d'une classe d'âge d'abord politiquement assoupie au rythme du « yé-yé » – en 1963 et 1964, l'émission « Salut les copains » est écoutée par 52 % des

---

1. Alfred Sauvy, *La Montée des jeunes,* Paris, Calmann-Lévy, 1959, p. 250. Les « J3 » constituent l'une des catégories des cartes de ravitaillement, qui existeront encore pendant plusieurs années après la Libération.

« scolaires » et environ deux tiers des 14-20 ans lisent le mensuel du même nom[1] – puis soudain réveillée et révélée à elle-même par les vertiges de la rupture. Bien plus, trente-cinq ans après, un *topos* a fait son chemin dans le débat civique : les jeunes des années 1960, nés dans l'après-guerre, auraient inséminé, pour le meilleur ou pour le pire selon les plumes, un « esprit de 1968 » dans la société française. Les bébés du *baby-boom* seraient devenus des « bo-bo » jouisseurs et irresponsables ou, au contraire, des gardiens sourcilleux d'une « révolution démocratique » dont ils auraient été les acteurs puis dont ils seraient devenus les dépositaires.

À l'examen, les choses apparaissent bien plus compliquées. Assurément, le rajeunissement que connut à cette date le pays est une réalité démographique indéniable et massive, d'autant que s'y ajouta un coup de boutoir socioculturel : dans la France des années 1960, l'ampleur de la métamorphose en cours accuse les contrastes entre classes d'âge et ceux-ci engendrent bientôt des incompréhensions réciproques et l'apparence d'un conflit de générations, les « idées » et les « actes » des cadets étant, de fait, souvent bien éloignés de ceux des aînés. Mais cette France s'est-elle trouvée réellement confrontée à une jeunesse en dissidence ? Si la diversité de cette jeunesse interdit, de toute façon, une réponse univoque, le rôle de la génération de l'après-guerre apparaît essentiel, mais à la suite d'un processus qui tient bien moins de la dissidence ou de la rébellion que de mécanismes démographiques, sociaux et culturels singulièrement plus complexes. L'empreinte de cette génération sur la société française s'exerça en effet à deux reprises, dont la succession transforma cette empreinte en emprise.

---

1. D'après deux enquêtes évoquées par Anne-Marie Sohn, *Âge tendre et tête de bois. Histoire des jeunes des années 1960,* Hachette Littératures, 2001, pp. 82 et 92.

Tout d'abord, les enfants du *baby-boom* furent les adolescents puis les jeunes gens de la France du cœur des Trente Glorieuses, à l'époque en pleine mutation : jamais avant eux aucune génération dans ce pays n'avait été la contemporaine d'une métamorphose aussi rapide. Certes, les parents et les grands-parents des *baby-boomers* furent eux aussi les acteurs et les témoins d'une telle mue, mais ils avaient pour leur part été formés et socialisés auparavant. L'apparition et l'éveil de ces *baby-boomers* furent, au contraire, concomitants de cette mutation française et, par là même, ils devinrent sinon des mutins en rupture radicale, en tout cas des mutants, c'est-à-dire les produits d'une société en train de connaître un changement accéléré. Bien plus, une autre forme de concomitance leur conféra un second aspect essentiel de leur identité historique : l'évolution sociologique du monde industrialisé, en ces mêmes années, fit sortir ces mutants de la coulisse où les usages sociaux et les héritages culturels avaient maintenu les jeunes jusqu'à cette date et elle les promut en bonne place sur l'agora comme protagonistes à part entière, dotés d'une capacité d'expression et d'intervention.

À cette première empreinte, ainsi dessinée en quelque sorte à chaud par la génération du *baby-boom* dans l'effervescence des contestations multiformes de cette fin de décennie, s'en ajouta bientôt une autre, chronologiquement décalée mais probablement plus prégnante encore. Si bien des thèmes de la contre-culture adolescente – qui étaient, en fait, sous-tendus par la prospérité verbalement contestée – ont vite vieilli avec l'apparition de la crise économique et le dérèglement sociologique provoqué par elle, d'autres ont, au contraire, fait entre-temps leur chemin et ont ainsi contribué à remodeler la société française. Un tel processus s'opéra par imprégnation diffuse du corps social – qui manifesta en l'occurrence une grande capacité d'absorption –, mais aussi par relève de génération : les jeunes gens des années 1965-1970 étaient devenus les jeunes adultes du premier versant de la décennie suivante et avaient commencé à occuper le devant de la scène. Plus que d'une ordinaire relève de génération, il s'est donc alors agi d'une classe d'âge glissant sur son erre à l'intérieur de la société française, de la scène des contestations de la fin des *sixties* à l'avant-scène d'un pays digérant ces contestations au cours des années suivantes, et les jeunes *baby-boomers* ont pu ainsi marquer à deux reprises cette société et ce pays, avant même de devenir, au fil des décennies suivantes, cette fois à la suite des classiques passations de relais entre classes d'âge, la génération quinquagénaire solidement implantée en ce début de siècle. Bien avant une telle consécration, la période 1965-1975 a donc vu, d'empreinte initiale en trace réactivée, une emprise croissante de cette génération.

## La génération-palimpseste

Pour tenter d'analyser un tel processus, l'approche choisie ici sera celle d'un historien. Revendiquer ainsi, d'entrée, ce statut peut paraître incongru ou inutile. Le rappel est pourtant nécessaire car, outre le fait que d'autres disciplines peuvent et doivent contribuer à cette analyse, une question surgit forcément : pour une période si proche, et pour un tel sujet, le temps de l'Histoire est-il venu ? La première objection possible à une réponse positive n'en est plus une, dans l'état actuel de l'historiographie française : la discipline historique, à travers la pratique de l'histoire dite du temps présent, est en effet habilitée intellectuellement et scientifiquement à travailler sur le temps proche des dernières décennies, même si un certain recul s'impose pour que puissent se dessiner les véritables perspectives et s'évaluer les réelles proportions des événements et des destins individuels et collectifs étudiés.

Bien plus complexe, en revanche, est la question de l'objet étudié : le chercheur peut-il tenter de dégager les grands traits

12

de l'histoire d'une génération qui, certes, a déjà fortement marqué la vie de la communauté nationale à laquelle elle appartient – c'est du reste l'un des objets de ce livre –, mais qui n'est pour l'heure que quinquagénaire et qui doit encore parcourir le reste de sa route? En d'autres termes, peut-on faire l'histoire d'un objet dont l'histoire n'est pas finie? Après tout, les *baby-boomers* ne sont pas encore parvenus en France à la magistrature suprême – mais seulement au poste de Premier ministre avec Jean-Pierre Raffarin et déjà, avant lui, Laurent Fabius et Alain Juppé – et, dans les lieux de pouvoir intellectuel, ils doivent composer avec les sexagénaires de la génération de la guerre d'Algérie.

Sans trancher ici sur une question qui, au bout du compte, est davantage épistémologique que méthodologique, on se bornera à constater la réelle densité historique de cet objet : même si elle n'a pas investi toutes les forteresses, cette génération a déjà largement pesé sur l'histoire française récente, politique autant qu'intellectuelle mais plus encore socioculturelle. À tel point, du reste, que l'on voit de plus en plus souvent affleurer un procès en responsabilité historique à son encontre. Et si l'historien, dans l'exercice de son métier, n'a pas à émettre un jugement dans ce type de procès, force est pour lui de constater que celui-ci est tout à la fois un symptôme et un indice : symptôme que, de fait, cette génération a eu un rapport particulier avec l'histoire française puisqu'elle est de plus en plus souvent reconnue comme ayant eu – et ayant encore – un fort pouvoir d'influence, propice ou néfaste ; indice que, davantage que sur le registre proprement idéologique, c'est bien dans le domaine de l'évolution socioculturelle que ce pouvoir d'influence s'est exercé.

Et c'est là que la discipline historique reprend ses droits et peut faire valoir des états de service. L'école historique française, en effet, a été notamment marquée, au cours de ces quinze dernières années, par le retour en puissance d'une histoire politique revigorée et par le développement d'une jeune histoire culturelle. Se plaçant à la confluence de ces deux courants, l'historien constate que, de fait, la génération du *baby-boom* a laissé une empreinte précoce, dès les années 1960, sur la morphologie de la société française et sur les comportements collectifs en son sein. La remarque, à tout prendre, resterait banale si l'on ne l'assortissait pas d'un second constat : les membres de cette génération ont été porteurs moins d'une subversion idéologique, vite retombée, que d'une sorte de destinée historique, celle d'être les contemporains de la grande métamorphose française des années 1960, au moment même où leur propre statut de mutants les rendait aptes à accompagner, voire à incarner ce bouleversement : pas seulement contemporains, donc, mais acteurs d'une phase essentielle de notre histoire. Certes, depuis, d'autres générations ont accompagné d'autres mutations accélérées mais sans avoir cette même capacité d'incarnation.

Une telle étude relève donc de l'histoire politique mais plus largement encore de l'histoire culturelle. Avec, de ce fait, plusieurs difficultés quasi structurelles. La première est récurrente : dès que l'on touche au registre de la vie privée – et l'étude de pratiques socioculturelles est constituée, en fait, d'un agrégat de vies privées –, l'objet a tendance à se dérober, tant il renvoie à des notions aussi complexes à saisir par le chercheur que les affects ou, collectivement, les normes. Bien plus, de telles notions sont directement reliées aux structures mentales d'une époque, zone que l'historien revendique aussi comme territoire mais qui lui reste généralement moins accessible que d'autres vestiges de la vie des sociétés. Et cet accès est encore compliqué par des questions de légitimité : si cet objet est historiquement dense, est-il historiographiquement noble pour autant ? La vague « yé-yé », les Beatles et Woodstock, qui seront forcément rencontrés en chemin, valent-ils une démarche d'historien? En d'autres termes, ces thèmes ont-ils non seulement une légitimité scientifique mais, à supposer que tel soit le cas, un sens[1]? Ne sommes-nous pas, au contraire, en face d'une insoutenable légèreté de tels objets, sans réelle signification pour l'historien?

Tout ce qui suit, on l'aura compris, est fondé sur la conviction de l'auteur que ces objets présentent, au contraire, une réelle densité. Ils ne constituent pas seulement, en effet, pour cette génération, des rides de la mémoire, qu'elles soient imprimées – les *Bob Morane* –, tactiles – les *Dinky Toys* et les figurines *Starlux* – ou sonores – les refrains « yé-yé », les slows des années 1960 ou l'arrière-fond musical des guitares électriques. Car ils furent, plus qu'un air du temps – et donc, en retour, un objet de nostalgie –, un élément d'identité générationnelle : ils étaient bien le produit d'une culture juvénile de masse transcendant les milieux et brassant les appartenances sociales et culturelles. À tel point, du reste, que les historiens investissant ce champ d'études, s'ils appartiennent eux-mêmes à la génération du *baby-boom,* doivent être vigilants face à un éventuel effet Rosebud : s'ils n'y prennent garde, cette culture juvénile des années 1960, loin de demeurer un objet de recherche comme les autres, risque de devenir pour eux une façon, consciente ou inconsciente, de retrouver le vert paradis des ferveurs adolescentes, tout comme la luge-Rosebud du *Citizen Kane* d'Orson Welles renvoyait à l'enfance.

En plus de leur densité propre, l'analyse de tels objets révèle, en toile de fond, des évolutions socioculturelles majeures, elles-mêmes à replacer dans des mutations struc-

---

1. Car cette question de légitimité est, en elle-même, en partie artificielle : on lira, à ce propos, les fines remarques du politologue Erik Neveu, observant chez les historiens français une sorte de « tendresse » pour « le légitime de l'illégitime » (Erik Neveu, « La ligne Paris-Londres des cultural Studies : une voie à sens unique? », *Bulletin de l'Association pour le développement de l'histoire culturelle,* n° 2, juillet 2002, pp. 19-34, p. 31).

turelles de plus grande amplitude encore. À partir de faits apparemment sans grande consistance historique, il est donc possible de démêler l'écheveau ou, pour filer une autre métaphore, de se servir de ces faits et des évolutions qu'ils reflètent comme loupe permettant de saisir des phénomènes structurels moins directement perceptibles. Ce qui débouche sur une démarche à chronologie variable, réinsérant les objets étudiés dans plusieurs temporalités imbriquées, depuis le temps court de l'événement – y compris dans sa variante culturelle – jusqu'à la respiration beaucoup plus lente des mutations structurelles, en passant par les évolutions plus ou moins accélérées – ici, un rythme globalement décennal – de la sphère socio-culturelle. Il ne s'agit certes pas de tenter de plaquer une sorte de démarche braudélienne sur les objets culturels, mais de souligner que, dans ce domaine culturel comme dans d'autres, l'insertion des communautés humaines dans la durée s'opère selon des rythmes différents et imbriqués[1]. Par-delà un phénomène qui s'inscrit dans une dimension décennale, celui de l'arrivée à l'adolescence, au fil des années 1960[2], des *baby-boomers,* on peut percevoir, en effet, des processus de bien plus longue durée, parfois séculaires. Il est donc possible, on le verra, d'analyser ce phénomène à la croisée de plusieurs temporalités entremêlées, qui sont toutes déterminantes pour l'étude de l'histoire de cette génération : la croissance économique conquérante des Trente Glorieuses, la montée en puissance d'une culture de masse fondée sur le son et

---

1. Je me permets, sur ce point, de renvoyer à mes remarques dans « Éloge de la complexité » (conclusion de *Pour une histoire culturelle,* sous la direction de Jean-Pierre Rioux et Jean-François Sirinelli, Paris, Le Seuil, 1997, pp. 433 *sqq.*) et dans « De la demeure à l'agora. Pour une histoire culturelle du politique » (dans Serge Berstein et Pierre Milza, *Axes et méthodes de l'histoire politique,* Paris, PUF, 1998, pp. 381 *sqq.*).
2. On saisira mieux, à la lecture, le choix de l'année 1969 comme date butoir de ce premier volume.

l'image, le temps de la paix qui succède à près d'un siècle de cycle belliqueux.

De fait, et il faut le préciser dès le seuil de cet ouvrage, les cohortes annuelles de *baby-boomers* n'ont pas acquis une identité et une densité historiques du seul fait de leur masse démographique. Si le poids du nombre est assurément nécessaire pour expliquer une empreinte collective sur une société, il n'est pas pour autant suffisant. Malgré une natalité en baisse, la France de la Belle Époque comptait 34 % de moins de vingt ans, soit pratiquement le même pourcentage qu'en 1968. Si cet exemple est probablement mal choisi, le coup de faux de 1914-1918 émondant tragiquement quelques années plus tard le haut de cette tranche démographique, on pourrait multiplier les exemples d'autres phases où celle-ci fut encore plus épaisse, jusqu'à hauteur de 42,8 % en 1776 ou encore 35,8 % en 1861[1]. Au commencement, on l'a dit, est bien le nombre, mais celui-ci ne peut constituer l'unique composante d'une génération à destinée historique. Et c'est précisément l'un des objets de ce livre que de tenter de retrouver les autres composantes qui conférèrent aux enfants du *baby-boom* nés entre 1945 et 1953[2] – ces dates, on le verra, constituent déjà un premier élément d'identité, et donc de réponse – une réelle importance dans l'histoire de la communauté nationale à laquelle ils appartiennent.

L'une des clés en est probablement que les *baby-boomers* appartiennent à une génération-palimpseste. Si toutes les générations sont, d'une certaine façon, des parchemins sur lesquels se lisent les traces et une partie des expériences des

---

1. Cf. André Burguière, « Mai 68 : génération en crise ou crise des rapports entre générations ? », *La Revue Tocqueville,* vol. XXII, 2, 2001, p. 43.

2. Ainsi, le personnage principal des *Particules élémentaires* de Michel Houellebecq, souvent présenté comme l'archétype du *baby-boomer,* appartient déjà, en fait, à la strate démographique suivante : il a quarante ans en 1998, et son frère quarante-deux ans.

17

générations qui les ont précédées, l'empreinte originelle des classes d'âge aînées a été largement effacée, chez ces *baby-boomers*, par la grande mutation française dont ils furent les contemporains. Cet effacement a transformé cette génération, sinon en page blanche – ce qui n'existe jamais en histoire –, en tout cas en palimpseste où ont été grattés bien des héritages venus des aînés. Les mécanismes d'un tel brouillage, tout compte fait, comptèrent probablement plus que le poids du nombre. Mais ils opérèrent d'autant plus profondément qu'ils s'exerçaient sur une véritable génération.

Certes, il y a toujours dans une génération une part de construction – ou plutôt de reconstruction – sociale, mais certaines classes d'âge acquièrent suffisamment de densité et d'identité pour que l'étiquette générationnelle puisse leur être accolée[1]. L'un des autres objets de ce livre est bien de plaider pour un tel usage en ce qui concerne la strate démographique apparue en France entre 1945 et 1953, qui présente assurément une réelle identité différentielle : ses membres ont eu une histoire commune différente de celle de leurs aînés, même immédiats, aussi bien que de celle de leurs cadets, même proches. Cette donnée, plus historique que démographique, confirme, du reste, cette observation maintes fois faite par les sciences sociales : une génération n'existe que lorsque la

---

1. Cet ouvrage ne prétend pas revenir sur tout le débat, toujours en cours dans les sciences sociales, sur la légitimité, ou pas, de l'usage de la notion de génération. Pour ce qui est des analyses de l'auteur en ce domaine, on se permettra de renvoyer le lecteur à : « Générations intellectuelles. Effets d'âge et phénomènes de génération dans le milieu intellectuel français », *Les Cahiers de l'IHTP*, 6, novembre 1987 ; *Génération intellectuelle. Khâgneux et normaliens dans l'entre-deux-guerres,* Paris, Fayard, 1988, rééd., PUF, coll. « Quadrige », 1994 ; « Génération et histoire politique », *Vingtième Siècle. Revue d'histoire,* 22, avril-juin 1989 ; « La génération », *Périodes. La construction du temps historique,* Paris, Éditions de l'EHESS-Histoire au présent, 1991 ; « The concept of an intellectual generation », dans *Mandarins and Samurais. Intellectuals in twentieth century,* Londres, Macmillan, 1993, J. Jennings ed.

classe d'âge qui la constitue est devenue un alliage forgé par l'Histoire[1].

## « Esprit de 1968 », es-tu là ?

Reste, il est vrai, à préciser quelle fut l'intensité de cette Histoire dans laquelle baigna la cohorte des *baby-boomers* au temps de leur éventuel éveil politique et autour de quel(s) événement(s) elle s'articula. L'historien, en tout cas, ne peut invoquer une simple alchimie changeant les « copains » du début des années 1960 en « camarades » de la fin de la même décennie. La jeunesse française, même si elle a été alors parcourue par de puissants courants d'homogénéisation, n'en resta pas moins diverse sociologiquement et culturellement, ce qui affaiblit d'emblée l'hypothèse de la métamorphose d'une classe d'âge tout entière, paisible Doctor Jekyll au temps de *Salut les copains* devenu Mister Hyde sous l'effet des filtres contestataires apparus dans la seconde partie de la décennie. Cette Histoire fut singulièrement plus riche et les marqueurs de cette génération assurément bien plus complexes. Pour autant, sans tomber dans une chronique attendrie de *Salut les copains* ni dans un plaidoyer ou, inversement, un procès en sorcellerie de Mai 68, force est de constater que ces deux faits, de nature au demeurant bien différente, furent deux des marqueurs importants. Remis en perspective, ils peuvent enrichir la compréhension de l'histoire de cette génération : il y eut bien un « moment SLC » et Mai 68 fut indéniablement tout à la fois un révélateur, un catalyseur et un accélérateur.

---

1. Ainsi nantie d'une majuscule, l'Histoire, tout au long de ce livre, est entendue au sens de l'histoire-se-faisant, en d'autres termes celle dans le cours de laquelle baignèrent les *baby-boomers*. Ce qui ne signifie pas, bien sûr, que son cours ait été uniforme et encore moins que chaque membre de cette classe d'âge en ait eu la même perception et ait donc entretenu avec elle les mêmes rapports.

Du reste, à ce stade de l'analyse, on ne peut faire l'impasse ici sur ces événements du printemps 1968. La mémoire collective, on l'a déjà souligné, a assimilé cette jeunesse des années 1960 à l'événement qui fut comme le point d'orgue de cette décennie, à tel point que la notion de « génération de 68 » s'est progressivement imposée sans réel examen. Sous bien des plumes, en effet, la cause semble entendue : les enfants de l'après-guerre auraient été les artificiers de l'explosion de Mai. Or, si les *baby-boomers* ont joué un rôle essentiel – et qu'il conviendra de préciser – dans la déflagration, il est difficile pour autant de poser en équation *baby-boomers* = Mai 68. Certes, ce livre entend conserver à ceux-ci leurs droits historiques : par leur nombre, ces « piétons de mai » ont conféré au mouvement un indéniable caractère de masse, même si les leaders étaient souvent un peu plus âgés qu'eux. À cet égard, le livre d'Hervé Hamon et Patrick Rotman parle, à travers son titre, d'une *Génération*[1] différente des *baby-boomers,* celle forgée dans le feu de l'opposition à la guerre d'Algérie puis dans l'action des luttes internes – puis des sécessions et exclusions – au sein de l'Union des étudiants communistes (UEC).

Mais l'équation, en fait, est en partie erronée pour d'autres raisons également. Tout comme les anciens de l'UEC ne représentaient qu'une partie du monde étudiant, lui-même simple îlot statistique dans l'archipel des jeunesses françaises de la fin des années 1950, les engagements « gauchistes » de leurs cadets nés après la guerre n'ont concerné qu'un segment de la génération du *baby-boom.* La remise en proportions s'impose donc, sauf à fausser la perspective historique. Pour autant – et ce n'est contradictoire qu'en apparence –, Mai 68 demeure une donnée essentielle de l'identité prêtée à cette

---

1. Hervé Hamon et Patrick Rotman, *Génération*, 2 vol., Paris, Le Seuil, 1987 et 1988.

génération et parfois autoproclamée. Celle-ci, de ce fait, beaucoup plus que la cohorte de ses aînés, se retrouve régulièrement au cœur d'un débat qui a pris peu à peu de l'ampleur,
celui sur l'existence éventuelle d'un « esprit de 1968 » aux
effets discutés : tandis que les uns estiment que cet esprit
aurait réactivé la démocratie – au point de parler, rétrospectivement, d'une « révolution démocratique »[1] –, d'autres
considèrent qu'il aurait, au contraire, sapé les fondements du
modèle républicain français.

Assurément, cet ouvrage n'entend pas être une nouvelle
contribution à un tel débat. En revanche, il n'est pas indifférent pour notre sujet d'observer que « l'esprit de 1968 »
vient de plus en plus souvent hanter les polémiques contemporaines. En fait, les procès intentés à Mai 68 sont passés de la
sphère des méfaits idéologiques présumés de « la pensée 68 »
– nommée et sondée par Luc Ferry et Alain Renaut en 1985[2]
– à celle des effets supposés d'un « esprit de 1968 », terme
beaucoup plus large et concernant moins l'idéologique que le
culturel, car touchant les valeurs et les normes qui sous-
tendent et balisent les comportements collectifs. S'il ne s'agit
pas, dans les chapitres qui suivent, de trancher sur l'existence

---

1. Le choix, pour le terme de ce volume, de la date de 1969 ne placera
donc pas cette question de l'héritage de Mai 68 au cœur de l'analyse. Elle
occupera, en revanche, sa place légitime dans un ouvrage ultérieur. Il est
pourtant nécessaire de rappeler d'emblée que « les soixante-huitards ont
déjà beaucoup écrit » et sont parfois « devenus les meilleurs artisans de la
muséification de l'événement » (André Burguière, art. cit., p. 40). Bien plus,
il est possible de distinguer des jalons dans l'émergence d'un discours d'auto-
célébration : Jean-Pierre Le Goff a bien montré le rôle, à cet égard, des
ouvrages publiés autour de 1988, à l'occasion du vingtième anniversaire de
l'ébranlement du printemps 1968 (outre son livre, *Mai 68, l'héritage impossible,* Paris, La Découverte, 1998, on se reportera, sur ce point, à sa topique
mise au point, « Mai 68, trente ans après : anniversaires et autocélébrations »,
*Le Débat,* n° 111, septembre-octobre 2000, pp. 184-192).
2. Luc Ferry, Alain Renaut, *La Pensée 68 : essai sur l'anti-humanisme
contemporain,* Paris, Gallimard, 1985.

et les effets de cet « esprit », l'importance prise récemment par les débats à leurs propos constitue assurément un symptôme. D'autant que la génération du *baby-boom,* mère porteuse putatrice de cet « esprit », a pris du poids et de la place : avant de bientôt commencer à céder cette place, pour ce qui concerne les plus âgés de ses membres – ceux qui frôlent la soixantaine –, elle est pour l'heure constituée de quinquagénaires à la fois dans la force de l'âge et déjà sommés de rendre des comptes, dans tous les sens du terme.

D'abord, et surtout, ces comptes sont demandés sur le monde légué, c'est-à-dire sur la France contemporaine que les porte-parole les plus en vue de cette génération ont souvent proclamé avoir bouleversée dans l'euphorie d'un mois de mai lyrique et au fil des années qui suivirent. Les reproches qui se multiplient se nourrissent donc de ces autoproclamations et en constituent comme l'envers. Si cette multiplication des critiques a pu revêtir plusieurs formes et, par là même, se révéler au bout du compte approximative, elle n'en imprègne pas moins, progressivement, le débat civique : les analyses sur les « bo-bo », par exemple, débouchent souvent sur le constat d'un brouillage politique – des « bourgeois » supposés qui voteraient massivement à gauche, au point de faire basculer les majorités électorales de certaines grandes villes –, mais aussi sur la dénonciation d'un individualisme dévastateur. Outre que, dans ce cas précis, l'adéquation générationnelle n'est pas réellement probante, le phénomène est à relier à des mutations des années 1990 beaucoup plus qu'à la grande métamorphose des *sixties.* Il ne touche donc notre sujet que latéralement, à travers les polémiques contemporaines. Mais, précisément, qu'il y ait ainsi rencontre entre cet intérêt pour les « bo-bo » et les débats sur « l'esprit de 1968 » montre que ceux-ci sont désormais en position centrale comme élément d'explication de l'état de la France contemporaine.

Encore plus importantes, à cet égard, ont été l'apparition à la fin des années 1990 d'une critique de la « permissivité », charge venue parfois des rangs mêmes de la gauche[1], voire du sein même de la génération du *baby-boom,* et la polémique, au seuil de la nouvelle décennie, autour des écrits anciens de Daniel Cohn-Bendit. Cette polémique, en focalisant momentanément le débat sur l'une des figures de proue du mouvement de mai 1968, connectait explicitement les deux séries de faits et établissait une généalogie : la « permissivité », fille de Mai 68, a induit ce relâchement généralisé dont souffrirait l'organisme France. Bien plus, ce procès en révision historique de Mai 68 a connu une nouvelle poussée au fil de l'année 2002. Au printemps, la promotion à un poste ministériel – et, de surcroît, celui de l'Éducation nationale – de l'un des deux contempteurs de « la pensée 1968 » a parfois été interprétée comme le signe avant-coureur d'un retour à l'ordre ancien dans les enceintes scolaires[2]. Surtout, à l'automne 2002, le débat autour du pamphlet de Daniel Lindenberg contre les « nouveaux réactionnaires[3] », en dépit de son caractère passablement confus, s'est en partie cristallisé autour de l'effet de traîne de Mai 68 : l'auteur, en effet, accusait notamment d'autres intellectuels souvent issus d'une matrice soixante-huitarde d'avoir connu leur chemin de Damas et d'être donc devenus, à ses yeux, renégats par rapport aux idéaux de leur jeunesse.

Mais les comptes demandés à cette génération peuvent aussi revêtir aujourd'hui d'autres formes. Derrière elle, en effet, d'autres classes d'âge ont eu à parcourir les premières

---

1. Cf., par exemple, Jean-Claude Guillebaud, *La Tyrannie du plaisir,* Paris, Le Seuil, 1998.

2. Cf. l'analyse nuancée, faite à chaud, par Thomas Ferenczi des questions qui ont alors fusé parmi les intellectuels (« Faut-il rompre avec "l'esprit de 1968"? », *Le Monde,* 19-20 mai 2002, pp. 1 et 21).

3. Daniel Lindenberg, *Le Rappel à l'ordre. Enquête sur les nouveaux réactionnaires,* Paris, Le Seuil-La République des idées, 2002.

étapes de leur existence dans un monde et une société que le changement de conjoncture du milieu des années 1970 a rendus brusquement bien moins accueillants, notamment en matière d'emploi. La génération du *baby-boom* qui fut, au temps de son insertion professionnelle, celle de la croissance conquérante – plus de 5 % l'an au début de la même décennie – et du plein emploi s'achemine peu à peu vers la retraite. Le financement de celle-ci risque d'être tout à la fois le révélateur et le facteur aggravant de déséquilibres générationnels devenus structurels. Et ce sont bien, au bout du compte, ces déséquilibres socio-économiques entre générations qui sont les plus lourds de contentieux à venir. Car si les débats sur « l'esprit de 1968 » restent, somme toute, cantonnés pour l'heure à des cénacles relativement étroits, le contraste économique entre les *baby-boomers,* choyés par l'Histoire, au moins au moment de leur envol, et les générations suivantes, touchées de plein fouet par la crise et la dégradation du marché du travail qui s'ensuivit, ne peut que rejouer, au sens tectonique du terme, puisqu'il correspond à une grande faille de la société française.

Des travaux universitaires ont, en effet, établi les retombées indéniables de la conjoncture économique sur les générations : les premières cohortes du *baby-boom* – globalement celles apparues jusqu'en 1950 – ont non seulement bénéficié de l'expansion, qui leur fut contemporaine, du système scolaire et universitaire[1], mais aussi d'une demande sans précédent en emplois hautement qualifiés qui se sont ainsi multipliés durant cette « décade dorée » entre le cœur des années 1960 et le milieu de la décennie suivante où pointent les premiers symptômes de la crise[2]. Si les cohortes nées entre 1950 et 1954,

---

1. Louis Chauvel, « La seconde explosion scolaire : diffusion des diplômes, structure sociale et valeur des titres », *Revue de l'OFCE,* n° 66, 1998, pp. 5-36.
2. Louis Chauvel, *Le Destin des générations. Structure sociale et cohortes*

sans être autant sur la crête montante que leurs aînées immédiates, ont pu encore bénéficier d'une conjoncture favorable, le tournant de 1974-1975 frappa frontalement les cohortes suivantes, et fit apparaître la faille.

De cette faille, assurément, d'autre rejeux interviendront, quand apparaîtra, en termes de coût, la facture des retraites. Mais le propos, on l'a dit, ne sera pas ici de recenser les éléments, et de caractériser la nature, du contentieux socio-économique, désormais bien établi. Et il s'agira encore moins d'instruire à charge ou à décharge. Certes, l'avenir tranchera et dira si les *baby-boomers* ont été non seulement choyés par l'Histoire – ce qui, on le verra, est indéniable[1] –, mais de surcroît gâtés par elle et si leur écosystème s'est transformé progressivement en égosystème imposé à la société française : économistes et sociologues, on l'a dit, sont déjà à l'œuvre pour dresser un premier état des lieux[2]. L'historien, qui a notamment pour vocation de replacer les phénomènes analysés dans des temporalités à géométrie variable, aura tendance à considérer une classe d'âge comme un organisme vivant et donc, tout en étudiant son métabolisme, à tenter d'y percevoir des données, innées ou acquises – en d'autres termes, issues des conditions de son apparition ou dérivant de sa confrontation avec l'Histoire –, susceptibles d'expliquer moins son

---

*en France au XXe siècle,* Paris, PUF, 1998. Déjà, les frères aînés des *baby-boomers* ont bénéficié à l'époque de cette demande : cf., sur ce point, Christian Baudelot et Roger Establet, *Avoir 30 ans en 1968 et en 1998,* Paris, Le Seuil, 2000.

1. On lira, à ce propos, la très fine analyse de Jacqueline Remy, *Nous sommes irrésistibles. (Auto)critique d'une génération abusive,* Paris, Le Seuil, 1990. Cf. également le topique étalonnage des générations du XXe siècle, dans Bernard Préel, *Le Choc des générations,* Paris, La Découverte, 2000.

2. Pour les économistes, les travaux se multiplient, stimulés par la vague montante du *papy-boom*; pour les sociologues, outre leur production précieuse sur les jeunes ou les phénomènes générationnels, les recherches de Louis Chauvel sur le « destin » différent et différentiel des générations sont irremplaçables.

« destin » économique et social – au demeurant, essentiel – que sa *destinée historique,* c'est-à-dire son insertion dans le devenir de la communauté humaine à laquelle elle appartient et son influence sur ce devenir. Tant il est vrai que, si les générations sont des organismes vivants, elles ne naissent pas égales en droits : certaines auront bien plus de pouvoir d'irradiation sur la société qui les porte et l'historien doit déchiffrer le sens de ces destinées différentielles.

À cet égard, on mesure bien à quel point l'approche par l'étude des générations permet de réfléchir sur la dynamique des sociétés et sur les représentations collectives, et donc constitue une autre façon de faire de l'histoire sociale. Histoire politique, histoire culturelle, histoire sociale : au bout du compte, l'approche par les générations permet de varier les angles d'attaque, dans une démarche d'histoire globale qui transcende les cloisonnements induits par les spécialités thématiques[1]. Ainsi explorée sous plusieurs angles[2], la spécifi-

---

1. Cet ouvrage ne se veut pas pour autant un *essai*, genre qui ne relève pas *stricto sensu* de la recherche historique, mais plutôt une *lecture,* dans une telle perspective, de l'histoire française du second demi-siècle. Compte tenu de l'ampleur d'un tel sujet, il ne peut s'agir, dans les chapitres qui suivent, d'une *somme* – entendons une étude exhaustive de ce sujet, pour l'heure largement en friche. Et, précisément, ce livre aura au moins atteint l'un de ses objectifs s'il suscite ou stimule des recherches sur ce demi-siècle français fraîchement dégagé par l'écoulement du temps et que la discipline historique doit désormais « poldériser ». Aussi bien pour la période traitée que pour les domaines explorés, l'historien passe actuellement des friches au champ de fouilles. De ce fait, dans nombre des analyses qui suivent, on évoquera des pistes à explorer plus qu'on ne refermera des dossiers considérés comme totalement instruits.

2. La multiplication des angles d'attaque ne doit pas pour autant diluer la part de l'histoire culturelle dans une telle démarche. Le rappeler n'est pas seulement réaffirmer la conviction de l'auteur qu'une partie du renouvellement et de l'innovation de la démarche historienne – dans ses projets comme dans son écriture – passe actuellement par l'histoire culturelle, ce qui, à tout prendre, pourrait apparaître comme une simple pétition de principe, mais également observer que la clé des faits ici étudiés est largement culturelle. Cette lecture de l'histoire du second xx^e siècle français, autant qu'une

cité de la génération du *baby-boom* est éclatante. L'espace et le temps dans lesquels cette génération s'est mue ont, en effet, changé d'échelles au moment de son adolescence. Celle-ci se passa, on le verra, à l'ère du temps accéléré et de l'espace dilaté. Les mutants ne grandirent pas seulement dans une France en pleine mue, dont ils étaient tout à la fois le produit et le reflet. Leur socialisation politique et socioculturelle s'opéra dans un monde où les jeux d'échelles étaient en train de se modifier avec une vitesse et une intensité jusqu'ici inédites. Analyser ces jeux d'échelles peut ainsi contribuer à favoriser une double réflexion : celle des *baby-boomers*, pour reconstituer la configuration historique dont ils sont très largement le produit, et celle des autres générations, pour mieux saisir l'identité de cette classe d'âge si présente dans la France d'aujourd'hui.

_____

réflexion sur les conditions historiques de l'émergence d'une génération et sur le rôle que celle-ci tint ensuite, se veut donc sinon un plaidoyer, en tout cas une incitation à aborder ces nouveaux objets et une invitation à investir cette partie de l'histoire proche.

# PREMIÈRE PARTIE

# Le coup de jeune

Le coup de jeune qui toucha alors la France ne fut pas une sorte de donnée génétiquement inscrite dans le devenir de ce pays en raison d'une brusque croissance démographique au cours des années qui suivirent la Libération. Il emprunta, au contraire, des canaux multiformes qui transformèrent la dernière génération née dans un monde en train de disparaître en actrice primordiale d'une nouvelle configuration historique, celle engendrée tout à la fois par les Trente Glorieuses et par la modification de l'état des relations internationales au début des années 1960.

# La montée de sève

Quand Alfred Sauvy publie *La Montée des jeunes* en 1959, le constat qu'il dresse frappe d'autant plus les esprits que le phénomène décrit est alors inédit, à l'échelle du xx<sup>e</sup> siècle en tout cas : la France, en effet, avait d'abord connu, au fil des premières années de ce xx<sup>e</sup> siècle et dans le prolongement de la fin du siècle précédent, une natalité fléchissante qui faisait contraste avec la plupart des autres pays de l'Europe occidentale et l'entre-deux-guerres et ses « classes creuses » découlant du premier conflit mondial n'avaient certes pas redressé la tendance initiale. Ainsi remise en perspective, cette **montée** en puissance des jeunes à partir des années d'après guerre prenait donc plus de relief encore.

## *La France des « classes creuses »*

Pour autant, la France du premier demi-siècle fut-elle une France sans jeunes et la jeunesse, dans ce pays, serait-elle une invention du second xx<sup>e</sup> siècle ? La réponse est complexe et cette difficulté à répondre porte moins sur l'aspect statistique que sur la place de ces jeunes au miroir social. Pour le nombre proprement dit, en effet, le contraste est saisissant. D'un

31

après-guerre à l'autre, par exemple, les chiffres parlent d'eux-mêmes : les 5-14 ans ne représentent que 16,5 % de la population française en 1921 (6 420 000 personnes) et leur nombre a encore reculé en 1926 (5 832 000)[1] ; en 1953, huit ans après la fin du second conflit mondial, les enfants de 5 à 9 ans représentent au contraire, à eux seuls, plus de 4 millions de personnes. De longues décennies durant, en fait, ce fut en France « le temps de l'enfant rare[2] », ainsi que de l'adolescent statistiquement diaphane, et en ce domaine l'opposition est donc indéniable avec le début des années 1950.

Pour l'existence d'une jeunesse en tant que groupe reflété par le miroir social, en revanche, l'effet de contraste s'impose moins directement au regard. Il existe pourtant. Certes, toutes les sociétés, à toutes les époques, ont été confrontées à la question de l'existence d'une tranche d'âge plus ou moins épaisse lovée entre le monde de l'enfance et celui des adultes. Mais une tranche d'âge ne débouche pas forcément sur un âge de la vie dûment estampillé comme tel par une société. En d'autres termes, un fait biologique n'engendre pas une réalité sociale directement décalquée : l'organisation des strates démographiques varie avec les moments, les lieux et les milieux, et les jeunes n'y constituent pas automatiquement une catégorie autonome ayant son identité propre. Ainsi, quand en 1912 Alfred de Tarde et Henri Massis, sous le pseudonyme d'Agathon, publient leur enquête sur « les jeunes gens d'aujourd'hui », celle-ci, en fait, ne met pas en lumière une réalité sociologique étendue. Les deux auteurs, en effet, s'en tiennent explicitement à la « jeune élite intellectuelle », se

---

1. *Annuaire statistique de la France, résumé rétrospectif*, INSEE, 1966, 72e volume, p. 43.

2. Catherine Rollet, « L'enfant », dans Jean-Pierre Rioux et Jean-François Sirinelli (dir.), *La France d'un siècle à l'autre. 1914-2000. Dictionnaire critique*, Paris, Hachette Littératures, 1999, rééd. coll. « Pluriel », 2002, t. II, p. 59.

cantonnant aux dernières classes de l'enseignement secondaire, aux facultés et aux grandes écoles. Certes, il y a bien dès ce moment, pour cette jeunesse étudiante, une existence autonome, liée aux années d'études qui créent une sorte d'entre-deux séparant l'adolescence[1] de l'entrée dans la vie active, d'autant que le nombre de ces étudiants a quadruplé depuis les débuts de la IIIe République, passant de 9 963 en 1875 à 42 037 en 1914. Mais, ces chiffres le montrent, il ne s'agit là, à cette date, que d'un très mince segment de génération. L'enquête, déjà partielle et partiale politiquement, puisqu'elle entend présenter l'image d'une jeunesse française qui serait largement orientée à droite, ne représente de surcroît, quantitativement, qu'un petit monde à part. En même temps, il est vrai, celui-ci est le seul à constituer alors un ensemble autonome par rapport à la société des adultes : comme l'a souligné Philippe Bénéton pour cet immédiat avant-guerre, « hors le milieu étudiant, il n'est pas de jeunes hommes, il n'est que des hommes jeunes[2] ». Et ceux-ci, en outre, constituent alors des milieux très divers, des « jeunesses » aux modes de vie très cloisonnés.

La Grande Guerre et ses tranchées vont, certes, jouer un rôle de creuset, mais en même temps elles introduisent un coin au sein de ces milieux, séparant ceux qui sont mobilisés en 1914 ou au cours des années suivantes de ceux, un peu plus jeunes, qui échapperont à l'appel sous les drapeaux, parfois à quelques mois près. La principale ligne de clivage parmi les

---

1. Adolescence qui, elle, a commencé à acquérir une identité propre dans la société française du second XIXe siècle : cf. Agnès Thiercé, *Histoire de l'adolescence (1850-1914)*, Paris, Belin, 1999.
2. Philippe Bénéton, « La génération de 1912-1914 : image, mythe et réalité ? », *Revue française de science politique*, vol. XXI, 5 octobre 1971, p. 1 005. Sur cette « enquête d'Agathon », voir aussi la présentation de Jean-Jacques Becker à la réédition de texte par l'Imprimerie nationale (Paris, coll. « Acteurs de l'histoire », 1995).

jeunes Français, durant quatre années, a donc changé de nature : a-t-on, ou non, appartenu alors à la « génération du feu » ? Les cadets, trop jeunes pour aller combattre en 1914, seront l'objet d'une sorte de mobilisation spirituelle en attendant une éventuelle mobilisation effective : en 1915, par exemple, les candidats à « l'Agro » sont conviés à méditer sur « l'idée de patrie », tandis que, l'année suivante, les apprentis bacheliers sont appelés à disserter sur le célèbre sonnet de Du Bellay évoquant la « France, mère des arts, des armes et des lois »[1]. Un très jeune Français, durant cette période, est devenu *de facto* un fils ou un frère cadet de soldat, tandis qu'un jeune Français est lui-même, quatre années durant, un soldat en puissance, mobilisable à un moment ou un autre selon sa date de naissance.

Au bout du compte, le conflit n'a donc pas engendré une sorte de bio-classe autonome mais a introduit une césure entre jeunes et légèrement moins jeunes. De fait, au cours des deux décennies qui suivent, c'est bien la diversité des jeunes Français qui continue à prévaloir. Pour le plus grand nombre, à treize ans l'école est finie et commence cette phase socialement floue où le jeune travaille dans les champs, à l'établi ou à l'usine, mais où, n'étant pas marié, il vit encore le plus souvent chez ses parents. C'est, dans ce cas, après le service militaire qu'intervient la véritable coupure, avec le mariage, la « vie de garçon » enterrée et le départ du toit familial. Et parallèlement, pour les jeunes filles, les amarres sont ainsi également larguées après les noces. Entre-temps, de la sortie de l'école à celle de la caserne, les jeunes gens, dans leur diversité, n'ont pas forcément constitué une catégorie sociale cimentée ni même un segment de la population ayant une réelle identité.

---

1. Cf. *Sujets de compositions proposés aux concours d'admission aux écoles (1905-1918)*, Bibliothèque nationale, recueil, 1922 ; et Jean Guitton, *Écrire comme on se souvient*, Paris, Fayard, 1974, p. 108.

Bien plus, leur intégration socio-professionnelle, au fil des décennies, les a mithridatisés contre une revendication d'autonomie, le milieu de travail l'emportant souvent sur les solidarités d'âge. Et cette intégration est d'autant plus forte que l'école primaire de la III$^e$ République a inculqué à ces jeunes le respect des aînés et que la guerre a sacralisé la génération des pères et renforcé *de facto* ce respect. Là encore, comme avant 1914, seule la jeunesse étudiante, essentiellement bourgeoise, constitue une catégorie jouissant d'une sorte d'autonomie entre adolescence et âge adulte. Mais si leur nombre a encore augmenté, « qu'est-ce que 80 000 étudiants, quand chaque classe d'âge voit arriver à la jeunesse environ 600 000 individus ? » (Antoine Prost)[1].

Deux nouveautés, pourtant, se font jour au fil de cet entre-deux-guerres, qui engagent l'une et l'autre l'avenir en ce domaine. D'une part, l'époque est à la multiplication des mouvements de jeunesse. Certes, au moment même où les régimes totalitaires tout à la fois exaltent et encadrent la jeunesse, symbole de force et de régénération, les démocraties occidentales ne les suivront pas dans cette voie. Mais, en leur sein, à la croisée d'initiatives très diverses, des processus associatifs sont à l'œuvre, qui brassent avant tout des jeunes gens. Et ces processus sont d'autant plus sensibles que, d'autre part, l'enseignement secondaire commence alors à changer d'échelle. Jusque-là, en effet, la plus grande partie des jeunes Français ne continuait pas ses études au-delà de l'enseignement primaire – et, parfois, primaire supérieur – et n'atteignait jamais le « tout-puissant empire du milieu », ainsi que Lucien Febvre nommait cet enseignement secondaire. Après la Grande Guerre, une telle tendance semble d'abord se perpétuer : le

---

1. Antoine Prost, « Jeunesse et société dans la France de l'entre-deux-guerres », *Vingtième Siècle. Revue d'histoire*, n° 13, janvier-mars 1987, p. 41. Cet article pionnier est fondamental.

secondaire public ne gagne que 2 000 élèves entre 1921 et 1930. En revanche, sa gratuité, instaurée à ce moment, entraîne au cours de la décennie suivante un quasi-doublement des effectifs, qui passent de 77 000 à 140 000 élèves. Assurément, il n'y a pas encore là de quoi socialiser et homogénéiser toute une classe d'âge, mais, dès cette date, un mécanisme est enclenché. Ou, pour le moins, des rouages sont installés.

En même temps, il est vrai, de tels ferments d'évolution apparaissent dans une France dont les structures démographiques demeurent vieillissantes, d'autant que les « classes creuses », ces sillons sanglants laissés au flanc de la pyramide des âges, constituent vingt ans après la Grande Guerre une réalité perceptible dans la vie quotidienne. Pour l'heure, en cette fin des années 1930, rares sont les observateurs qui se hasarderaient à prédire une « poussée des jeunes » ou, *a fortiori*, une « explosion scolaire ». Bien au contraire, un homme comme Jean Giraudoux s'alarme en 1939 : « Le Français devient rare[1]. » La natalité, cette année-là, plafonne à 14,6 ‰, tandis que le taux de mortalité est à 15,5 ‰. Et pourtant, quelques années à peine plus tard, cette même France allait connaître une véritable montée de sève.

## « Des millions de beaux bébés »

L'histoire du *baby-boom* – puisque c'est bien de lui qu'il s'agit – commence par une énigme au cœur des années noires de l'Occupation. Dans un premier temps, les contrecoups du second conflit mondial avaient été, somme toute, banals. La nuptialité ayant baissé en 1940 à 9 ‰, contre 12 ‰ l'année précédente, les naissances s'en ressentirent directement – car

---

1. Phrase extraite, il est vrai, d'un ouvrage contesté de Jean Giraudoux, *Pleins Pouvoirs* (Paris, Gallimard, 1939, p. 56).

le nombre des naissances illégitimes restait alors très bas : 6 %, par exemple en 1939 –, avec un taux de natalité passé de 14,6 ‰ en 1939 à 13 ‰ en 1941. Dès 1942, on en revint au taux – déjà bas – de 1939. Par rapport à ces basses eaux démographiques, dont l'étiage se situe donc en 1941 – avec 523 000 naissances – et pour lesquelles l'année suivante ne constituait certes pas un tournant significatif, 1943 marque une inflexion : à cette date, la natalité française paraît repartir – timidement – à la hausse, avec un taux de 16 ‰ cette année-là – et 616 000 naissances – comme l'année suivante. L'Occupation se termine, de ce fait, dans un contexte démographique légèrement plus favorable qu'en 1939 : 612 000 naissances seulement en cette année d'entrée en guerre, et 627 000 en 1944.

Assurément, bien des analyses ont été proposées pour expliquer cette inflexion de la courbe des naissances, ainsi amorcée alors qu'il était minuit dans le siècle et tandis que, de surcroît, plus d'un million et demi de Français en âge de procréer se trouvaient dans les stalags et les oflags du Reich nazi. Rattrapage des taux de mariage – sauf en 1940 – ou de naissance, perturbés par la grande crise des années 1930, ainsi qu'Alfred Sauvy en a formulé l'hypothèse ? Effets tout à la fois du « Code de la famille » promulgué par Édouard Daladier en 1939 et de la politique nataliste de Vichy ? Repli, par ces temps de malheur, dans le cocon de la famille, qui apparaît alors comme un îlot protecteur ? Il n'y a probablement pas, au bout du compte, une cause unique mais plutôt une alchimie complexe qui a, du reste, varié avec les milieux concernés.

En tout état de cause, l'inflexion constatée est à replacer dans un contexte plus large. Antoine Prost a parlé, pour les deux décennies qui courent de l'avant-guerre à 1958, d'un âge d'or de la politique familiale en France[1]. Cette période prend

_____

1. Antoine Prost, « L'évolution de la politique familiale en France de 1938 à 1981 », *Le Mouvement social*, 129, oct.-déc. 1984, p. 7-28. Sur les

en écharpe trois régimes politiques différents : la IIIe République, Vichy et la IVe République. Le Code de la famille du 29 juillet 1939 entendait notamment favoriser les familles de trois enfants ou plus et la mère au foyer. En pleine tourmente du printemps 1940 apparaît, le 5 juin, dans le cabinet Paul Reynaud, un ministère de la Famille française. Et, dès la constitution du gouvernement Laval le 12 juillet 1940, la Famille française est là encore explicitement mentionnée. L'année suivante, en septembre, apparut un Commissariat général à la famille. Dès le 20 juin 1940, du reste, le maréchal Pétain avait pointé « les causes de notre défaite » et y figurait notamment ce diagnostic sans appel : « Trop peu d'enfants. »

On n'entrera pas ici dans le détail des mesures destinées à favoriser la famille, « cellule initiale de la société » selon le chef de l'État dans son discours du 25 mai 1941 à l'occasion de la première fête des Mères et élément central du triptyque du régime de Vichy : Travail, Famille, Patrie. On notera seulement que c'est, là encore, le seuil du troisième enfant que le dispositif entendait encourager à franchir, par un relèvement du taux des allocations familiales, et que c'est la mère au foyer qu'il s'agissait de promouvoir. Par ailleurs, la répression des avortements fut renforcée par la loi du 15 février 1942 : l'interruption volontaire de grossesse devenait « un crime contre la sûreté de l'État ». De ce qui précède, on retiendra, en tout cas, deux éléments qui engagent l'après-guerre. D'une part, tout autant que les indices de natalité, ce sont ceux de la fécondité qui sont donc à analyser : en ce domaine, l'inflexion avait eu lieu dès 1942, et, après la guerre, la hausse sera nette et aura

jeunes des années 1950, outre les recherches en cours de Ludivine Bantigny, il faut signaler l'apport des travaux – qui dépassent très largement cette décennie – de Françoise Tétard : pour une mise en perspective de ces travaux, cf. Françoise Tétard, « "L'avantage avec la jeunesse, c'est qu'elle ne vieillit pas"... Parcours autobibliographique », dans *Les Jeunes de 1950 à 2000. Un bilan des évolutions*, Marly-Le-Roi, INJEP, 2001, pp. 283-298.

des conséquences sur la morphologie des familles. D'autre part, on l'a vu, le tournant de 1943 est à replacer dans un processus historique plus large. Il n'a pas été un épisode démographique sans lendemain mais il apparaît, tout au contraire, avec le recul, comme le moment où la démographie française vit son *trend* s'inverser.

Pour autant, le *baby-boom* proprement dit lui est postérieur de plusieurs années : 1944, on l'a vu, se bornait à retrouver – ou, plus précisément, à dépasser légèrement – le nombre des naissances de 1939. Bien plus, à la Libération, les difficultés économiques jointes aux ravages de la guerre dans les régions touchées par les combats entraînèrent une hausse spectaculaire de la mortalité infantile : son taux, déjà fort avant la guerre (6,5 %), passa à 11,3 % en 1945, pour retomber, il est vrai, dès 1946. Les réels effets de la reprise de la natalité se feront donc encore attendre quelques mois et c'est 1946 qui marque, cette fois-ci, un vrai tournant, enregistrant 840 000 naissances, soit 33,9 % de plus qu'en 1944 et 37,2 % de plus qu'en 1939. La comparaison avec 1944 est bien la plus parlante : en deux années, et malgré les lourdes difficultés de l'immédiat après-guerre, la cohorte des « nés dans l'année » pesait brusquement un tiers plus lourd. Et, en son sein, les naissances de rang 3 connaissent une nette augmentation, le retour des prisonniers jouant du reste un rôle : dans bien des cas, on y reviendra, les *baby-boomers* auront de fait, des frères ou sœurs aînés.

En 1945, le général de Gaulle, chef du gouvernement, avait appelé de ses vœux la naissance, dans les dix ans à venir, de « 12 millions de beaux bébés ». Certes, il faudra en fait douze années pour parvenir à dix millions de naissances, mais en dépit de cette inversion des termes, il s'agit d'un gain considérable et sans précédent, au moins en termes relatifs. La vague était bien là, qui s'était véritablement creusée en 1946. Assurément, ce *baby-boom* à la française n'est pas spécifique

– comme l'indique, du reste, l'anglicisme qui le désigne – et la plupart des pays de l'occident de l'Europe ainsi que les États-Unis ont connu une hausse de leur natalité[1]! Mais, dans la mesure où la France accusait, pour sa part, un réel déficit en la matière, la forte reprise de l'après-guerre y prit des contours beaucoup plus affirmés. Si le *baby-boom* n'est pas une exception française, il acquit, par contraste, dans ce finistère de l'Europe, une plus grande densité encore. Densité qu'il faudra garder en tête : au bout du compte, les cohortes annuelles françaises nées dans l'après-guerre pesèrent plus lourd qu'ailleurs, en proportion de leurs maigres homologues de l'entre-deux-guerres. D'une certaine façon, il s'agissait, pour cette raison, d'une génération qui se retrouvait d'emblée sur des échasses.

### 49, année prolifique

Le *baby-boom* représenta donc, en cet après-guerre, des cohortes de plus de 800 000 nouveau-nés par an, avec un pic de 869 000 en 1949 et 858 000 l'année suivante. L'effet-retrouvailles opérant moins après 1947, ces naissances sont alors souvent de rang 1, avant que réapparaissent rapidement les rangs 2 et 3. Le taux de natalité français, qui s'était tassé au fil de l'entre-deux-guerres jusqu'à atteindre 15 ‰ en 1938 et 14,6 ‰ en 1939, repasse au-dessus de 20 ‰ au cours de ces années d'après guerre, et assurera jusqu'aux années 1960 l'apparition de cohortes annuelles fournies. Mais, pour deux raisons au

---

1. Cf., par exemple, pour le continent nord-américain, deux études, l'une sur les États-Unis de Landon Y. Jones, *Great expectations. America and the baby-boom generation*, New York, Ballatine Books, 1981 (qui parle d'une « mega-generation »); l'autre, très pénétrante, sur le Canada, de François Ricard, *La Génération lyrique. Essai sur la vie et l'œuvre des premier-nés du baby-boom*, Montréal, Boréal, 1992.

moins, la notion de *baby-boom* ne sera pas, dans ce livre, étendue jusqu'à ces années 1960. Le point est d'autant plus important à souligner que cette notion, par essence, découle de l'observation de la démographie et que, pour les tenants de cette discipline, le *baby-boom* s'étend bien jusqu'à la première décennie de la Ve République[1]. La première de ces raisons relève encore de la démographie, mais analysée en termes relatifs et non plus en chiffres absolus. Progressivement, les cohortes annuelles de plus de 800 000 nouveau-nés n'auront plus le même poids dans la France des années 1950 et *a fortiori* de la décennie suivante, bientôt forte de 50 millions d'habitants, que celui qu'elles pouvaient avoir au sein des 40 millions de Français de l'après-guerre. Du reste, pour cette raison même, en dépit d'un nombre de naissances demeuré élevé, le taux de natalité ne restera pas au-dessus de 20 ‰ tout au long des années 1950 : bien au contraire, dès 1954 ce taux était repassé à 19 ‰.

Si le mouvement de la population française est ainsi très rapide jusqu'au milieu des années 1960 – 1,2 % par an en moyenne de 1945 à 1965 –, la notion de *baby-boom* s'entendra ici par rapport au seul taux de natalité et ne désigne donc *stricto sensu* que la période 1945-1953. Au reste, l'année bissectrice de cette période, 1949, est précisément celle qui enregistra à la fois le maximum de naissances – 869 000, on l'a vu – et le taux de natalité le plus élevé (21 ‰). Il y eut bien, de part et d'autre de cette année 1949, une sorte de point d'orgue démographique durant lequel des nouveau-nés pesèrent un poids particulier, inédit jusqu'à cette date dans la France du XXe siècle. Et ce poids se compta, dix ans plus tard, en jeunes gens parvenus à l'adolescence dans la France de la fin des

---

1. Cf., par exemple, Jacques Dupâquier, *Histoire de la population française*, tome 4, *De 1914 à nos jours*, Paris, PUF, 1988, édition mise à jour, coll. « Quadrige », 1995, pp. 296-299.

années 1950 et du début de la décennie suivante. D'autant que l'importance statistique des familles nombreuses apparues dans l'après-guerre donnait à ces ex-nouveau-nés un poids particulier au sein de leur fratries respectives : avec 2 ou 3 enfants nés en moyenne entre 1945 et 1953, le *baby-boom* emplit l'espace domestique des foyers concernés.

Pour autant, si ce phénomène de pesanteur démographique donne déjà un socle statistique à l'objet de ce livre, il ne confère pas *de facto* à la strate étudiée le statut de génération et encore moins une existence historique. On l'a déjà souligné : une génération n'existe réellement que lorsque la classe d'âge qui la constitue est devenue un alliage forgé par l'Histoire. Dans le cas des *baby-boomers* ainsi chronologiquement définis, cette Histoire, sans être jamais tragique, fut, on va le voir, particulièrement dense et singulière, et elle représente, en fait, le second élément constitutif de cette génération. Charge à l'historien de préciser ces conditions historiques qui lui ont conféré une identité propre, et qui éclairent aussi sur la suite de son parcours.

# CHAPITRE PREMIER

# Les derniers enfants de l'Atlantide

La singularité de la génération du *baby-boom* apparaît dès sa prime enfance. Celle-ci s'éveille, en effet, à la vie au moment où la France des années 1950 se trouve engagée dans un processus de métamorphose accélérée. En quelques années, un monde disparaît, celui dans lequel les parents et les grands-parents des *baby-boomers* avaient déjà parcouru une partie de leur existence. Nés dans ce monde en passe d'être englouti, les *baby-boomers* sont donc la dernière génération née sur l'Atlantide, mais ils grandissent dans une sorte de Nouveau Monde, la France refaçonnée par les Trente Glorieuses : ils seront, de fait, les adolescents de la prospérité[1].

## LE TEMPS DE LA PROSPÉRITÉ

Avant même que cette prospérité des Trente Glorieuses ne produise réellement ses effets tangibles dans la vie quoti-

---

1. Précisons le statut de ce chapitre délibérément bref. Chacun des points qui y sont évoqués – la prospérité des Trente Glorieuses, le pouvoir d'achat des jeunes, l'explosion scolaire – justifierait à lui seul un livre. Ces points sont

dienne, le contraste avec les générations précédentes avait opéré dès l'enfance : d'une certaine façon, les *baby-boomers*, avant d'être les adolescents de la prospérité, ont été les enfants-rois d'une génération de mères attentives. Les fées, ainsi penchées au-dessus du berceau, anticipaient sur le docteur Spock.

### Les mères des enfants-rois

Yvonne Knibiehler[1] a montré que l'on pouvait également parler, dans l'histoire de la maternité, d'une « génération du *baby-boom* » – dans un sens naturellement différent de celui de ce livre, puisque qualifiant la génération précédente. Certes, elle fait aller cette « génération » de mères jusqu'aux premiers tassements démographiques du milieu des années 1960, mais ce sont bien les femmes des années d'après guerre qui ont contribué à lui donner ses traits principaux, façonnés par le contexte de cet après-guerre. Ces mères potentielles viennent alors de connaître une véritable révolution, de nature politique : une ordonnance du GPRF d'Alger, en avril 1944, leur a conféré le droit de vote, qu'elles utiliseront après la Libération dès les élections municipales du printemps 1945. En revanche, à cette même date, la fonction de fécondité que la société attend implicitement d'elles ne s'est pas modifiée du fait des fractures politiques récemment intervenues : de même que la politique de Vichy s'inscrivait, en ce

---

ici ainsi mentionnés comme éléments d'explication, sans que les lignes qui suivent aient une quelconque prétention à la synthèse sur eux. Le lecteur curieux pourra amorcer des lectures complémentaires en se reportant aux ouvrages signalés dans l'appareil critique.

1. Yvonne Knibiehler, *La Révolution maternelle depuis 1945. Femmes, maternité, citoyenneté*, Paris, Perrin, 1997 ; cf. aussi, avec Catherine Marand-Fouquet, *Histoire des mères* (Paris, Hachette, « Pluriel », 1982).

domaine, dans le droit-fil du Code de la famille du gouvernement Daladier, le climat de la Reconstruction, auquel s'ajoute le phénomène classique du « rattrapage » démographique avec l'augmentation du nombre des mariages, pousse à la reprise de la maternité. Et si le coup de tonnerre du *Deuxième Sexe* de Simone de Beauvoir s'inscrit exactement au cœur de cette période de forte natalité, en 1949, ses effets immédiats furent bien limités[1], et ce n'est que la seconde partie de cette « génération du *baby-boom* » qui verra se multiplier en son sein tensions, frustrations et aspirations, faisant ainsi le lit de la « génération du refus » (1965-1985). Pour l'heure, la Reconstruction passe aussi, aux yeux du plus grand nombre, par les « millions de beaux bébés » appelés de ses vœux par le général de Gaulle, en harmonie sur ce plan avec les principales forces politiques et spirituelles. C'est le moment, par exemple, où Robert Debré et Alfred Sauvy publient *Des Français pour la France* et proclament : « L'enfant, cet éternel oublié, doit être l'ami public n° 1[2]. »

Même si c'est au sein de cette génération de mères nées vers 1925-1930 que s'amorceront par la suite bien des combats féministes, celle-ci commença plus prosaïquement par être une génération féconde sur le plan démographique, réel agrégat de mères de familles nombreuses. Mais un tel comportement était en soi une forme de rupture. Il ne faut pas sous-estimer, en effet, l'ampleur de la mutation qui intervenait ainsi, à tel point que le mot « révolution » parfois accolé à cette génération des mères de l'après-guerre apparaît historiquement fondé. Sous une forme ou sous une autre, ces

---

1. D'autant que l'accueil qui lui fut réservé ne fut guère favorable. Cf. Sylvie Chaperon, « Haro sur *Le Deuxième sexe* », dans Christine Bard (dir.), *Un siècle d'antiféminisme*, Paris, Fayard, 1999, pp. 269 *sqq.*

2. Robert Debré et Alfred Sauvy, *Des Français pour la France. Le problème de la population*, Paris, Gallimard, 1946 (en fait, sous presses à l'automne 1945 : cf. p. 233), p. 182.

jeunes mères s'inscrivaient en rupture par rapport à leurs propres mères et grands-mères, de culture et de pratique malthusiennes. Ce n'est pas le lieu ici de tenter de recenser les raisons de ce malthusianisme. Toujours est-il que, chez bien des femmes, celui-ci s'était encore accru sous le choc de la Grande Guerre et que là, précisément, se niche un autre élément de contraste avec les mères du *baby-boom* : il y eut bien, dans l'entre-deux-guerres, comme l'a observé Évelyne Sullerot, un « refus horrifié d'avoir des enfants de la part de certaines femmes qui avaient eu entre 15 et 25 ans pendant la guerre ». Les causes en étaient notamment psychologiques : « L'inquiétude était sourde et permanente. J'ai vécu ces années 30 comme petite fille d'une famille nombreuse, et heureuse. Je n'en étais que plus frappée d'entendre constamment les amies de ma mère lui répéter : "Vous n'avez pas peur d'avoir tant d'enfants par les temps qui courent ?" Et j'entends encore ma mère, le 3 septembre 1939, nous dire, bouleversée : "Pardon de vous avoir mis au monde[1]." »

Dans les années qui suivent la Libération, le fait de mettre au monde s'inscrit au contraire dans un contexte d'espoir dans l'avenir, même si la vie quotidienne, en ces années d'après guerre, reste difficile. Et si, pour ces mamans de l'après-guerre, viendra parfois par la suite le temps du désenchantement, voire du ressentiment – qui préparera la vague revendicatrice des *baby-boomeuses* –, l'heure est alors à l'euphorie. L'horizon d'attente des parents de l'après-guerre est celui du progrès et de ce qu'il induit : à bien des égards, le bonheur est dans le berceau, pour l'enfant comme pour ceux qui l'ont conçu. Là encore, il faudrait bien des pages pour mettre en lumière un tel contexte – fort bien analysé, au demeurant,

---

1. Évelyne Sullerot, dans Alfred Sauvy (dir.), *Histoire économique de la France entre les deux guerres*, t. 3, Paris, Fayard, 1972, repris dans la nouvelle édition, Paris, Economica, t. IV, 1984, p. 206.

dans *La Révolution maternelle*[1]. On retiendra seulement, dans l'optique qui est la nôtre, que la montée de sève de l'après-guerre est indissociable de ce climat et de cet horizon d'attente. Une sorte de mélodie du bonheur accompagne la gestation et les premiers pas de la génération qui vient alors au monde et cette mélodie accompagnera aussi leur enfance et leur adolescence, au point de devenir un air lancinant imprégnant largement le corps social. Une sorte d'hymne à la joie familiale retentit sur les radios des années 1950, dont quelques chansons à succès sont le reflet. Leurs titres mêmes en sont, d'ailleurs, révélateurs. *Ma Maman*, chantée par Mick Micheyl (1950), *Oh, Mon papa*, par Suzy Delair (1952), *Maman la plus belle du monde* par Tino Rossi (1958) et, comme il se doit, *Papa aime maman* par Georges Guétary (1960). L'hymne à la joie retentit donc tout au long de la décennie et il est statistiquement plus représentatif que la petite musique vénéneuse distillée dans les dialogues des *Tricheurs* (1958), dont les personnages sont parfois des enfants de couples désunis. Du reste, la décennie avait commencé par une autre chanson au titre significatif, *Papa, maman, la bonne et moi*, par Robert Lamoureux (1950) : « Des gens comme nous, y'en a des tas » et « Dimanche, on va au cinéma ». Au cinéma pour voir, par exemple, les susdits : un film, en effet, fut tiré, sous le même titre, de la chanson et Robert Lamoureux y côtoyait notamment Nicole Courcel.

Mais la mutation en cours revêt aussi d'autres aspects que ce bonheur familial affiché, tout aussi fondamentaux. Comme

---

1. Yvonne Knibiehler, *op. cit.*, notamment pp. 77 *sqq.* Il y aurait, du reste, un beau livre à écrire sur les parents, et non plus seulement les mères, des *baby-boomers*, dont l'histoire, moins favorisée mais très dense, épouse les plis du xxᵉ siècle et qui ont, somme toute, été les artisans principaux des Trente Glorieuses : génération « singulière » donc, à bien des égards, pour reprendre l'expression de Gérard Noiriel, dans *Les Ouvriers dans la société française, xixᵉ-xxᵉ siècle*, Paris, Le Seuil, 1986.

l'a souligné Yvonne Knibiehler, « le *baby-boom* a définitivement fait sortir l'enfantement du cadre de la vie privée[1] ». Non seulement l'accouchement commence à être désormais bien davantage médicalisé, les règles de l'hôpital ou de la clinique s'imposant progressivement à tous, même si les naissances au sein du monde rural ont souvent encore lieu à domicile, et donc dans l'espace privé, mais, de surcroît, c'est l'éducation du nouveau-né qui sort alors largement de cette sphère privée. Et c'est là aussi que le rôle des mères de l'après-guerre fut essentiel.

Ces mères, en effet, ont porté mais aussi élevé les *baby-boomers* et elles ont donc été les « principales » de leur éducation, contribuant à façonner leur sensibilité et leur rapport au monde. Or, dans ce domaine aussi, l'après-guerre introduit une inflexion nette. Certes, il faudrait, pour en mesurer la portée, lui consacrer un livre entier. On se contentera ici de poser quelques questions et d'indiquer ainsi quelques pistes. Aux États-Unis, les *baby-boomers* peuvent, à certains égards, être surnommés la « *Dr Spock's generation* », du nom du docteur Benjamin Spock, dont le premier ouvrage fut publié en 1946 et qui devint d'une certaine façon, avec son *Common Sense, Book of Baby and Child Care* lu par les jeunes mères, le grand-père de l'Amérique : cinquante millions de ses livres furent vendus depuis cette date. L'exégèse a souvent été faite des thèses de Spock ainsi massivement diffusées. Les relations parents-enfants étaient, on le sait, au cœur de ces thèses, et le « *enjoy your baby* » qui devint le mot d'ordre des mères de la « *Dr Spock's generation* » disait bien ce que devaient être ces relations : les parents devaient profiter de leur bébé sans être dessaisis de leur rôle par les médecins, et les bébés devaient être ainsi élevés dans un climat de liberté, sans réelles

---

1. *Ibid.*, p. 88.

contraintes. Autre enseignement : comme la tendresse et l'attention étaient au cœur de la démarche, la mère se retrouvait l'acteur principal de l'éducation du bébé puis de l'enfant.

L'équivalent du livre de Benjamin Spock n'existant pas à la même date en France, il est difficile de mesurer son influence, même indirecte, sur les mamans du *baby-boom*. Cela étant, le docteur Spock fut traduit dès 1952, sous le titre *Comment soigner et éduquer son enfant*, par les éditions Marabout, dont ce fut le premier best-seller. La queue du *baby-boom* français, au moins, fut donc directement ou indirectement concernée par le livre. D'autant qu'il s'agissait aussi d'« éduquer » et que, la prime enfance étant elle aussi ainsi touchée, même les nouveau-nés d'avant 1952 ont pu être marqués par un ouvrage qui connut des éditions en 1952, 1953, 1957 et 1959, pour les seules années 1950[1].

Les engagements ultérieurs de Benjamin Spock, notamment contre la guerre du Vietnam, ont attisé un débat sur l'effet, bénéfique ou néfaste, de ses principes d'éducation. A-t-il favorisé le règne de l'enfant-roi et nourri ainsi, dans le sein des sociétés industrialisées, une jeunesse qui se révéla, au sortir de l'adolescence, frondeuse, imprévisible et par-dessus tout individualiste ? Et touchons-nous, de ce fait, à la source dans laquelle baigna une génération présumée égoïste car prétendument gâtée dans sa prime enfance par des mères mal conseillées ? Si l'historien mesure bien ce qu'une telle piste peut avoir de hasardeux, il observera tout de même que le livre du docteur Spock eut un écho rapide – la nouvelle édition de 1960 indiquait que son auteur était « le médecin le plus écouté du monde » – et que, de toute façon, les « beaux

---

1. Jacques Dieu, *50 ans de culture Marabout. 1949-1999*, Nostalgia Éditions, Verviers (Bruxelles), 1999, p. 66. Ces éditions eurent d'autant plus d'écho que *J'attends un enfant* de Laurence Pernoud ne fut publié qu'en 1956.

bébés » du général de Gaulle n'ont pas été seulement chéris par leurs mères : ils ont été aussi les enfants-rois d'une société dont ils incarnaient le futur. Une phrase d'Alfred Sauvy résume, d'une certaine façon, le statut privilégié que leur reconnaît alors le pays et reflète, en arrière-fond, les espoirs d'avenir radieux dont ils deviennent les dépositaires : « L'allocation [familiale] se justifie au même titre que la retraite des vieux ; elle représente, en somme, un présalaire, que la société accorde à l'apprenti homme qui la servira à son tour[1]. »

Éduqués ou pas selon les principes du docteur Spock, les « apprentis hommes » ont donc été choyés par « la société », dans le contexte, il est vrai, d'un après-guerre encore économiquement et socialement rugueux[2]. Et leur destinée historique prit forme quand, à cette attention affectueuse de tout un pays, vinrent s'ajouter, quelques années plus tard, au seuil de leur adolescence, les effets de la mutation en cours : la France, en ces années 1950, quittait les eaux de la pénurie et de la précarité de l'après-guerre et se trouvait emportée par la mutation socio-économique la plus rapide de son histoire.

À cette génération, pourtant, tout ne fut pas donné d'avance. Son enfance se déroula, au contraire, dans une France qui pansait ses plaies. Mais, de ce fait, le contraste n'en sera que plus saisissant avec la période suivante. *Newsweek* pouvait observer dans son numéro du 10 février 1964 : « La France est à des années-lumière de ce qu'elle était au début des années 50. » Se trouver ainsi, à un âge de la vie où les personnalités se structurent et où les influences socioculturelles

---

1. Alfred Sauvy, *Théorie générale de la population*, t. II, *Biologie sociale*, Paris, PUF, 1954, p. 375.
2. Ce qui n'empêche pas le chiffre d'affaires de l'industrie du jouet d'être multiplié par 3, 5 entre 1948 et 1955 (cf. J.-P. Rioux, « L'ardent contexte », dans Thierry Crépin et Thierry Groensteen [dir.], « *On tue à chaque page.* » *La loi de 1949 sur les publications destinées à la jeunesse*, Paris, Éditions du Temps, 1999, p. 68).

s'exercent avec une intensité particulière, dans un pays qui change alors à toute vitesse – « la vieille terre des Gaulois se transforme rapidement en une puissante nation industrialisée », ajoutait l'hebdomadaire américain –, avec des effets immédiatement perceptibles dans la vie quotidienne, constitue assurément une réelle spécificité pour cette génération. Celle-ci est bien la première à s'ébrouer dans une France du mieux-être. Pour les parents et les grands-parents, au contraire, la vie n'a pas commencé au seuil des années 1960, et l'embellie que l'on observe succédait pour eux à des décennies de vie plus difficile, dont les adolescents du temps de cette embellie n'ont connu, au pire, que les ultimes effets durant leur enfance. Là encore, comme pour la démographie, l'effet différentiel n'en sera que plus saisissant avec les générations aînées.

## Trente Glorieuses à géométrie variable

On doit à Jean Fourastié l'expression « Trente Glorieuses », titre d'un livre publié en 1979 qui a fait rapidement souche et qui a servi, depuis, à qualifier la période d'une trentaine d'années qui court entre la Libération et 1973, date du premier choc pétrolier. Ces trois décennies de croissance forte et ininterrompue ont refaçonné la société française, ainsi emportée par une mue sans précédent. On l'a dit, les Français ne perçurent guère les dividendes, dans un premier temps, de cette croissance conquérante. Globalement, la première de ces trois « glorieuses » décennies fut avant tout celle du relèvement et de la modernisation. Les bases de la mutation qui suivit furent ainsi jetées, et cette dizaine d'années constitue, à cet égard, le socle sur lequel s'édifia la France enrichie et métamorphosée dans laquelle les *baby-boomers* parvinrent à l'adolescence, mais jusqu'au milieu des années 1950 une telle prospérité ne fut pas encore réellement sensible dans la vie quotidienne des citadins comme des ruraux. En ce domaine, qui était le plus directement perceptible par les intéressés, les fruits de la croissance étaient encore des fruits verts. Il convient de distinguer, pour cette raison, la période 1944-1955 et les vingt années qui suivirent et il faut observer que la prospérité ne fut pas pour ces *baby-boomers* une sorte de liquide amniotique dans lequel ils auraient baigné tout au long de leur prime enfance. Cette période fut au contraire placée, pour les bébés de l'après-guerre, sous le signe des temps difficiles. Ceux-ci furent les enfants d'une France dans laquelle les cris d'alarme de l'abbé Pierre en 1954 témoignaient du problème, encore aigu à cette date, du logement. Et le lait distribué dans les écoles durant l'hiver 1954-1955 par le gouvernement Mendès France montrait même, au moins dans certains milieux, la persistance d'éventuelles carences alimentaires.

En même temps, il est vrai, en ce milieu de décennie, les premiers frémissements de l'entrée dans la consommation de masse sont perceptibles : ainsi l'engouement pour l'automobile, dont Roland Barthes écrit alors dans *Mythologies* qu'un « peuple entier [...] s'approprie en elle un objet parfaitement magique ». Certes, la magie vient alors du phénomène d'attraction mais aussi de l'effet de rareté : le même auteur doit convenir, en s'appuyant sur des chiffres de juillet 1955, que seuls 22 % des ménages possèdent alors une automobile[1]. Et les mêmes données de juillet 1955 indiquent qu'une proportion encore plus faible de ces ménages – 13 % précisément – est équipée d'une salle de bains. Mais tout, ou presque, commence à changer dans les années qui suivent. On ne retiendra ici, brièvement, que quelques indicateurs révélateurs. Autant que l'automobile ou l'équipement sanitaire,

1. Roland Barthes, *Mythologies*, rééd., Paris, Le Seuil, 1970, p. 259.

l'acquisition par les ménages d'appareils électro-ménagers constitue, par exemple, un bon indice de l'ampleur et de la rapidité des bouleversements de la vie quotidienne qui commencent alors à s'effectuer en cette seconde partie de décennie. En 1954, ce taux d'équipement est de 7,5 % pour les réfrigérateurs et de 8,4 % pour les lave-linge. Dès 1960, ces deux pourcentages sont montés respectivement à 25,8 % et 24,4 %. Les demeures familiales des *baby-boomers* changent donc pendant la durée de leurs années d'école primaire. Et leurs années adolescentes auront pour cadre des environnements électro-ménagers qui n'auront plus grand-chose à voir avec ceux de leur enfance : 72,5 % des ménages équipés en réfrigérateurs en 1968, soit un taux qui a pratiquement décuplé depuis 1954, et 49,9 % de lave-linge, soit un taux multiplié par six sur la même période[1].

Plus largement, c'est la structure même de la consommation des ménages qui est alors en train de connaître un bouleversement. Si les postes alimentation et habillement représentaient 56 % de la consommation annuelle des ménages en 1949 – avec respectivement 42 % et 14 % – et encore 51 % en 1959 (38 % et 13 %), le plancher symbolique de 50 % est largement abaissé dix ans plus tard, avec 47 % (37 % et 10 %). Pour la première fois dans l'histoire française, se nourrir et se vêtir mobilisent moins de la moitié des ressources des ménages. L'habitation, en augmentation (de 15 % à 18 %, pour atteindre 28 % en 1979), ne vient pas contredire l'évolution générale : *stricto sensu* ce ne sont pas, dans ce cas, des dépenses de base, mais plus encore des investissements débouchant sur l'amélioration accélérée de l'habitat. Ce taux, du reste, n'avait guère bougé dans un premier temps, passant de 15 à 16 % des dépenses familiales.

---

1. Annuaires rétrospectifs de l'INSEE, par exemple celui de 1990.

Il ne s'agit plus désormais pour les ménages de survivre mais de sur-vivre. La métamorphose qui s'amorce est irréversible : une société longtemps rurale, régie par une économie en partie de subsistance, cède en quelques années la place à une société de consommation et à une civilisation du loisir vite identifiées par les sociologues[1]. Dans cette France à la ruralité longtemps dominante, les vertus qui prévalaient étaient la frugalité et la prévoyance. Peu à peu, les valeurs et les normes qui sous-tendent le comportement individuel comme la vie relationnelle vont se modifier, on le verra : la satisfaction immédiate des besoins matériels devient chose imaginable et bientôt chose aisée. Et pour les adolescents qui s'ébrouent dans cette France en train de changer, il s'agit d'un état naturel : les *baby-boomers* sont d'un pays de la sur-vie comme aspiration et non plus de la survie comme horizon.

### *Le temps de l'argent de poche*

Pour l'heure, en ce début des années 1960, les *baby-boomers* parviennent donc à l'adolescence dans une France urbaine du mieux-être. Et la concomitance entre ces temps économiquement meilleurs et l'avènement d'une nouvelle génération est essentielle pour comprendre l'histoire de cette génération. Au poids de ces jeunes s'ajoute, en effet, le pouvoir d'achat qu'ils vont acquérir du fait de la mutation en cours. Car ce ne sont pas seulement les adultes qui bénéficient de la métamorphose de la société française à partir du milieu des années 1950. Indirectement et directement, les adolescents en perçoivent également les dividendes.

---

1. Joffre Dumazedier, *Vers une civilisation du loisir?*, Paris, Le Seuil, 1962, et Jean Baudrillard, *Le Système des objets*, Paris, Gallimard, 1968, et *La Société de consommation*, Paris, Denoël, 1970.

Le gain indirect est lié à l'amélioration de l'habitat et de l'équipement des ménages. Les demeures familiales des *baby-boomers*, on l'a vu, changent en quelques années et l'enrichissement des ménages s'accompagne d'une modification de la structure de leur consommation. Dans une France où la première décennie des Trente Glorieuses n'avait guère encore modifié la vie quotidienne, la deuxième décennie de l'envol, à partir de 1955, voit au contraire les dépenses se diversifier : si le gîte et surtout le couvert y représentent encore, on l'a dit, les postes principaux du budget des familles, les autres postes connaissent une hausse significative, y compris ceux relevant des pratiques culturelles. Certes, les dépenses de biens et services culturels, dans un premier temps, au fil des années 1950, avaient augmenté moins rapidement que l'ensemble de la consommation des ménages : si celle-ci double globalement, en francs constants, entre 1948 et 1960[1], l'indice « culture et loisirs » calculé, à partir de la comptabilité nationale, par Jean Fourastié passe de 100 en 1949 à 166,6 en 1959. Mais cette augmentation de 66,6 % en une décennie est suivie d'une croissance quasiment double de la précédente (118,1 %) au fil des années 1960 : le même indice passe, en effet, de 166,6 à 363,5 de 1959 à 1970[2]. Longtemps de telles dépenses avaient pu apparaître totalement superflues dans une société marquée par une relative pénurie et par l'insécurité sociale et qui, de ce fait, plaçait la frugalité et l'épargne au rang de vertus cardinales, pour se prémunir contre les risques supposés du lendemain.

Mais cette entrée progressive dans la société de consommation – dont on a seulement ici rappelé les traits principaux –

---

1. Alain Beitone, Maurice Parodi et Bernard Simler, *L'Économie et la société françaises au second XX<sup>e</sup> siècle*, t. I. *Le Mouvement long*, Paris, Armand Colin, 1994, p. 411.

2. Jean Fourastié, *Les Trente Glorieuses ou la révolution invisible de 1946 à 1975*, Paris, Fayard, 1979, p. 131.

ne fait pas que toucher indirectement les jeunes gens, par parents interposés. Elle a aussi des effets directs sur leur propre pouvoir d'achat. Il aurait été, du reste, incongru de parler jusqu'à cette date de pouvoir d'achat des jeunes, tant, là encore, le superflu – ou perçu comme tel – n'avait pas sa place dans les dépenses des familles. Tout change avec cette brusque amélioration du niveau de vie des Français à partir du second versant des années 1950. L'argent de poche devient une pratique de plus en plus courante et, par là même, la jeunesse devient un marché à séduire et à canaliser. La presse professionnelle signale, par exemple, au seuil de l'année 1962, que « la publicité dans la presse enfantine a quadruplé en trois ans[1] ». Dans la terminologie de l'époque, cette presse « enfantine » inclut aussi celle destinée aux adolescents. Si ceux-ci intéressent ainsi les publicitaires, ce n'est pas seulement parce qu'ils peuvent peser sur les choix des parents mais surtout parce qu'ils disposent eux-mêmes, désormais, d'une capacité à consommer.

Il ne s'agit pas uniquement, d'ailleurs, de cet argent de poche que permet une époque devenue plus faste et que les parents allouent à des adolescents qui, de surcroît, poursuivant des études plus longues, restent plus durablement dans le giron familial. Dans le contexte enrichi des Trente Glorieuses, ceux des adolescents qui, au contraire, ont quitté les études à

---

1. *Presse-Actualités*, n° 1, nouvelle série, février-mars 1962, pp. 60-64. Il conviendrait assurément de tenter de chiffrer cet « argent de poche ». Un fait est, à cet égard, révélateur : c'est, de fait, à partir de 1962, que les publicitaires, ainsi qu'en atteste leur presse professionnelle, évoquent explicitement le nouveau marché des jeunes. Sur ce point, cf. Patrick Apiou, « La transformation du marché français de la consommation entre 1962 et 1973 suite à l'avènement de la génération d'après guerre », DEA, Paris-I, 2001, 82 p. dact. Pour la fin de la même décennie, les données sont plus nombreuses : cf., par exemple, les pages du « rapport Missoffe » de 1967 (*Jeunes d'aujourd'hui. Rapport d'enquête sur la jeunesse française*, Paris, La Documentation française, 1967, pp. 42 *sqq.*).

l'âge où se termine l'obligation scolaire arrivent alors dans leur premier emploi à l'usine, à l'échoppe ou au bureau et peuvent, là encore, dégager des sommes pour leurs loisirs. Une enquête a été ainsi menée dans les années 1960 en Grande-Bretagne : les jeunes salariées y consacraient une partie de leur paie à l'achat de vêtements, de produits de beauté et de disques [1]. Même sans étude similaire, il est sociologiquement probable [2] que, au fil de la même décennie, la « copine » française, quand elle appartient déjà à la population active, souhaite elle aussi acquérir les produits de la société juvénile de consommation en cours de formation. « Mademoiselle âge tendre » n'est donc pas un être abstrait, servant de titre à un journal pour adolescentes, mais un agent économique doté d'un pouvoir d'achat.

## LES FILS ET PETITS-FILS DE LA FRANCE DU « CERTIF »

Première génération constituant un véritable marché pour les biens matériels et culturels dès l'adolescence, la classe d'âge née dans l'après-guerre présente d'autres contrastes, de nature culturelle, avec ses parents et grands-parents. Sur ce registre, en effet, la faille est là, béante. Jamais, dans l'histoire française, le clivage scolaire et, par là même, culturel n'avait

---

1. Selon D. Elliston Allen, *British tastes : an enquiry into the likes and dislikes of the regional consumer*, Londres, 1968, cité par Eric J. Hobsbawm, *L'Âge des extrêmes. Le court vingtième siècle, 1914-1991*, Bruxelles-Paris, Complexe-Le Monde diplomatique, 1999, p. 429.
2. Selon une enquête de l'IFOP du milieu de la décennie, 62 % des jeunes de 16 à 24 ans habitant chez leurs parents conservent intégralement leur salaire, quand ils en ont un (d'après Gérard Marin, *Les Nouveaux Français*, Paris, Grasset, 1967, p. 22).

été aussi grand entre une classe d'âge et celles qui l'avaient précédée. En 1921, date moyenne de naissance des parents de cette génération, 1,43 % d'une classe d'âge obtenait le baccalauréat et en 1936, quand ces futurs parents commençaient, pour certains d'entre eux, à accéder au second cycle des lycées, ce taux n'était encore qu'à 2,71 %. Issus, donc, de la France du « Certif », les *baby-boomers* seront, davantage que par le passé, les enfants de l'enseignement secondaire et, pour certains d'entre eux, supérieur.

## Une scolarité allongée

Le 15 mai 1964, inaugurant le lycée technique d'Albi, Georges Pompidou, alors Premier ministre depuis deux ans, consacre son discours aux objectifs de son gouvernement en matière d'Éducation nationale. Par-delà l'émotion personnelle d'un quinquagénaire revenant dans la ville où il fit ses études secondaires et accumula les succès scolaires – notamment un premier prix de version grecque au concours général de 1927 –, un tel discours reflète aussi le contraste que Georges Pompidou perçoit entre l'enseignement secondaire au sein duquel exerçaient « les professeurs [qu'il a] connus ici » et celui de ce milieu des années 1960. Et de citer quelques chiffres : « La population scolaire de la France était en 1939 d'à peine plus de cinq millions ; elle est aujourd'hui de près de 9 millions. L'enseignement secondaire avait, en 1939, 440 000 élèves. Il en a aujourd'hui 1 800 000. L'enseignement technique avait, en 1939, 70 000 élèves. Il en a aujourd'hui 510 000[1]. »

---

1. Texte dactylographié transmis par Paul Camous, ancien préfet, que je tiens à remercier ici.

De fait, les *baby-boomers* arrivèrent à l'adolescence dans une France dans laquelle le rapport aux études avait profondément changé en quelques décennies. Au cœur des années 1950, en effet, une inflexion capitale intervient : jusqu'en 1955, l'âge moyen de fin d'études s'élevait d'un an tous les vingt-cinq ans[1], passant ainsi de moins de 12 ans à la fin du siècle dernier à plus de 14 ans à ce moment. Après 1955, la durée de scolarisation s'accroît désormais à un rythme beaucoup plus rapide. Derrière cette accélération de rythme, la réalité sociologique du pays connaît donc une véritable métamorphose : les classes d'âge seront désormais formées beaucoup plus longuement et, du fait de l'accélération de 1955, l'effet induit sera particulièrement sensible pour les jeunes gens qui arrivent alors dans l'enseignement secondaire, en d'autres termes les générations de la guerre et de l'après-guerre. Pour celles-ci et surtout pour la seconde, le contraste sera grand avec la scolarité – et donc les diplômes – des parents. Si l'âge moyen de fin d'études de la cohorte 1937 sera ainsi de près de 15 ans, celui de la cohorte 1947 atteindra 17 ans[2]. Assurément, on le verra, cette génération du *baby-boom* reste encore globalement très contrastée dans son rapport avec l'institution scolaire, mais l'évolution que sous-tendent ces deux chiffres est tout de même saisissante : un gain de deux ans en une décennie, quand un gain d'un an s'opérait jusque-là en un quart de siècle !

L'allongement de la scolarité obligatoire a, bien sûr, joué un rôle dans cette évolution, mais il convient de ne pas en surestimer l'importance. Le passage de l'obligation d'études de l'âge de 12 à celui de 13 ans date de 1882. Plus d'un demi-siècle plus tard, en 1936, l'âge minimal de fin d'études passe à 14 ans, mais il semble bien qu'il ait alors fallu une quinzaine d'années

---

1. Olivier Marchand et Claude Thélot, *Le Travail en France (1800-2000)*, Paris, Nathan, 1997, pp. 94, 225-227.
2. Louis Chauvel, *Le Destin des générations*, réf. cit., pp. 102 et 104.

avant qu'une telle décision soit pleinement suivie d'effet – ce qui marquait, du reste, un progrès par rapport à l'étape précédente des 13 ans, seulement réalisée dans les années 1920 –, avec les cohortes de la fin des années 1930, adolescentes dans les années 1950. Et le fait que la moyenne de fin d'études ait été de 15 ans pour la cohorte 1937 montre aussi, on y reviendra, que les études longues – second cycle des lycées, universités – ne concernaient encore alors qu'une minorité. Le 6 janvier 1959, la réforme Berthoin portait la scolarité obligatoire à seize ans, pour les cohortes nées après 1953. Si ses délais de mise en pratique furent cette fois plus brefs, cette réforme ne toucha toutefois pleinement que les cohortes nées au fil des années 1960. Placée entre les dispositions de 1936 et celles de 1959, la génération du *baby-boom* a connu seulement les effets des premières, qui ne suffisent donc pas à expliquer son bond en avant dans les statistiques d'allongement de la durée moyenne d'études.

Tout autant, de ce fait, convient-il de prendre en considération les mentalités et les représentations collectives : dans une France dont la situation des ménages s'améliore très rapidement à partir de la seconde partie des années 1950, durant laquelle les fruits de la croissance commencent à être directement sensibles dans la vie quotidienne, les conditions apparaissent meilleures pour entreprendre des études plus longues. D'une part, on l'a vu, la part de la consommation des foyers consacrée à l'alimentation baisse en proportion, libérant des ressources pour d'autres postes, dont éventuellement les frais d'études. D'autre part, pour cette raison même comme pour d'autres plus complexes[1], la demande sociale en matière d'éducation s'accroît à la même époque.

---

1. Antoine Prost, *Histoire de l'enseignement en France, 1800-1967*, Paris, Armand Colin, 1968, p. 440, et *L'École et la famille dans une société en mutation*, Paris, Nouvelle Librairie française, 1981, p. 254.

## Les adolescents de l'explosion scolaire

Quelles que soient, au bout du compte, les raisons de l'allongement de la scolarité au fil des deux décennies d'après guerre, un fait demeure : les jeunes gens nés à cette époque, bien plus nombreux du fait de la reprise de la natalité, seront scolarisés bien plus longuement que précédemment. À la confluence de cette vague démographique et de cet allongement de scolarité, il y a donc un phénomène nouveau, dont la massivité sera résumée par une expression : l'explosion scolaire, en d'autres termes l'arrivée brutale de cohortes denses dans l'enseignement secondaire. La « population scolaire » de l'entre-deux-guerres évoquée par Georges Pompidou ne comptait que 10 % de ses 5 millions de membres au-delà du primaire. Au milieu des années 1960, ils sont près de 2 millions d'élèves à y étudier, sans compter l'enseignement technique. Et l'on ne peut analyser les mutations culturelles qui seront évoquées plus loin sans observer dès maintenant que, beaucoup plus que par le passé, les établissements scolaires deviennent *de facto* le cœur de la vie quotidienne juvénile et, par là, de la sociabilité des jeunes Français.

Le nombre des bacheliers est, à cet égard, un bon indicateur de la mutation en cours. Au moment où la génération du *baby-boom* apparaît, ce nombre est très faible : 32 000, par exemple, en 1950, soit 5,12 % d'une classe d'âge. Vingt ans plus tard, quand les dernières cohortes de ce *baby-boom* arrivent à l'âge éventuel du baccalauréat, les heureux élus ont vu leur nombre quintupler, avec 168 000 bacheliers, représentant 20,17 % de la classe d'âge concernée. Alors qu'en 1946 un Français ou une Française membre de sa classe d'âge sur vingt-trois (4,41 %) devenait bachelier, cette part est passée à un sur cinq pour la queue de la génération du *baby-boom*. Et ce, en quelques années à peine : en 1961 encore, la part des bacheliers n'était que de 10,83 % et en 1966 de 12,25 % !

Toujours est-il qu'à la rentrée de 1966 ce sont 11,6 millions d'enfants, d'adolescents et de jeunes gens qui entrent dans les écoles, collèges, lycées et universités du territoire, soit 1 million de plus qu'en 1962 et 1,5 million de plus qu'en 1960. Et les effectifs des seuls lycées et collèges ont ainsi triplé depuis 1950. Même si, on l'a vu, la réforme Berthoin de 1959 n'a pas encore porté totalement ses fruits, 65 % des jeunes Françaises ou Français sont désormais encore scolarisés après 14 ans[1]. Dès ce moment, c'en est bien fini, pour les nouvelles générations, de la France du « Certif ». Certes, le certificat d'études ne disparaîtra officiellement que vingt-cinq ans plus tard, par un décret en date du 28 août 1989, mais cet examen ne revêt plus guère de signification au moment où s'allongent les études, où s'enracinent les collèges d'enseignement général et où se multiplient, à partir de 1963, les collèges d'enseignement secondaire. En fait, avant son faire-part de décès officiel, dès 1970 le « Certif » disparaît. Et, là encore, la génération du *baby-booom* aura été l'actrice du processus : au moment où elle commençait à s'étoffer, en 1947, une réorganisation de l'examen d'entrée en sixième condamnait le certificat d'études à n'être bientôt que l'objectif de ceux qui ne poursuivraient pas leur scolarité. D'autant qu'en cette même année la commission Langevin-Wallon préconisait un allongement pour tous de la scolarité jusqu'à quinze ans et déclassait aussi, indirectement, le « Certif ». Le temps paraissait loin – en fait, onze ans à peine – où, en 1936, 50 % environ d'une classe d'âge réussissait au certificat d'études[2].

Ces changements intervenus au moment de son apparition et de sa prime enfance individualisaient encore davantage la génération du *baby-boom* : jamais, on l'a déjà souligné, dans

---

1. Gérard Marin, *Les Nouveaux Français,* réf. cit., p. 16.
2. Patrick Cabanel, *La République du certificat d'études*, Paris, Belin, 2002, pp. 56-58.

l'histoire française, le clivage scolaire et par là même culturel n'avait été aussi grand entre une classe d'âge et celles qui l'avaient précédée. Petits-fils et fils de la France du « Certif », cette génération sera bien celle des enfants de l'explosion scolaire vers le secondaire. Le saut quantitatif, très sensible, concerne en priorité les jeunes gens nés à partir de 1947-1948 : le chiffre absolu des bacheliers augmente de 25,9 % en 1967 ! Mais ces chiffres, pour saisissants qu'ils soient, ne rendent compte qu'en partie de l'explosion scolaire. Bien des élèves scolarisés dans le secondaire ne parviennent pas, en effet, jusqu'en classe terminale et, de surcroît, les clivages sociaux demeurent forts au sein de la société française, avec des retombées très visibles dans la jeunesse : en ces années 1960, les jeunes salariés, malgré l'explosion scolaire et l'allongement de la durée des études, demeurent en France plus nombreux que les lycéens avancés et les étudiants[1].

Ce point est, bien sûr, essentiel. Dès maintenant, il convient d'observer qu'une histoire des *baby-boomers* qui sous-estimerait cette diversité et ce poids des jeunes salariés par rapport à celui des jeunes diplômés deviendrait une histoire mythique. Pour autant, et sans que ce soit contradictoire, la vague démographique apparue dans l'après-guerre et l'allongement de la scolarité secondaire se répercutèrent presque mécaniquement sur les effectifs de l'enseignement supérieur. La figure sociale de l'étudiant, comme celle du cadre, devient consubstantielle de la société française du cœur des Trente Glorieuses. D'autant que les mutations en cours au sein de cette société provoquèrent de surcroît, là encore, une forme de demande sociale. Deux chiffres balisent, à cet égard, une telle crois-

---

1. Cf. Chantal Nicole-Drancourt et Laurence Roulleau-Berger, *Les Jeunes et le travail. 1950-2000*, Paris, PUF, 2001, notamment pp. 69-70. En même temps, la comparaison terme à terme n'est pas possible puisque les statistiques sur les « jeunes travailleurs » portent sur la tranche 15-25 ans.

sance : entre 1960 et 1967, les effectifs des facultés doublent, passant de 210 900 étudiants à 440 000. En 1967, il y a autant d'étudiants qu'il y avait d'élèves du secondaire onze ans plus tôt[1]. Et si l'on examine le taux de progression de ces effectifs universitaires, il rend bien compte de l'arrivée de la vague du *baby-boom*, avec 15,3 % en 1962-1963 et 15,6 % en 1963-1964 : les jeunes gens nés en 1944 et 1945 ont dix-huit ans lors des rentrées de l'automne 1962 et 1963[2].

Cela étant, ce n'est pas seulement la société française qui connaît, autour d'eux, une prospérité inconnue jusqu'ici et les structures scolaires et universitaires qui sont emportées par un véritable bouleversement d'échelle[3]. Ils sont aussi la première cohorte démographique à parvenir à l'âge du recensement militaire dans une France en paix.

---

1. Antoine Prost, *op. cit.*, p. 455.
2. Jacques Verger (dir.), *Histoire des universités,* Toulouse, Privat, 1986, p. 397.
3. Pour ce qui est du monde universitaire, cf. Didier Fischer, *L'Histoire des étudiants en France de 1945 à nos jours*, Paris, Flammarion, 2000. Pour le monde lycéen au xxᵉ siècle, des travaux sont en cours : ainsi, ceux de Cécile Hochard sur les lycées parisiens des années 1930 à l'après-guerre ou le colloque, à paraître, consacré aux « Lycées et lycéens en France, 1802-2002 », sous la direction de Pierre Caspard et Jean-Noël Luc.

CHAPITRE II

# La génération de la non-guerre et du monde « fini »

Certes, la vie d'une communauté nationale n'est pas seulement rythmée par les respirations de l'histoire politique, et la date de 1962, si dense historiquement sur ce registre – fin de la guerre d'Algérie et, à travers elle, de la décolonisation française ; amendement notable des institutions instaurant l'élection du président de la République au suffrage universel, au terme d'une bataille politique acharnée –, peut paraître singulièrement anodine dans le domaine socioculturel. À une remarque près, qui change tout dans la mesure où elle touche à l'essentiel de l'histoire française : en 1962, la guerre disparaît de l'horizon et plus rien, de ce fait, ne sera désormais comme avant.

## Avant 1962 : la guerre, toujours recommencée

L'indépendance de l'Algérie ne voit pas seulement, en effet, s'achever un cycle de notre histoire, celui d'une France dilatée à l'échelle du monde par la colonisation puis se rétractant en quelques années aux dimensions de ce qui devient rapide-

65

ment, dans le langage courant, l'Hexagone. De façon encore davantage structurelle, en contraste avec la période 1870-1962 largement placée sous le signe des conflits militaires, c'est l'absence du phénomène guerre qui va caractériser non seulement le reste de la décennie, mais, bien plus largement, la fin du xx$^e$ siècle. La comparaison, à cet égard, avec la fin du siècle précédent est éclairante : le souvenir de la déroute de 1870-1871 et la plaie des provinces perdues taraudent alors la conscience nationale et attisent les passions françaises. Et les décennies qui ont suivi, jusqu'à ce seuil des années 1960, ont connu elles aussi l'empreinte profonde, et régulièrement réactivée, de la guerre : secousse tectonique de la Grande Guerre et de son onde de choc des décennies durant, années noires de l'Occupation nées de la défaite de 1940 et ombre portée de ce traumatisme, guerres coloniales enfin qui, d'Indochine en Algérie, se succèdent de la Libération à 1962. Bien plus, les tensions internationales venant s'ajouter dès 1947 à l'éclair d'Hiroshima deux ans plus tôt, les contemporains n'ont pas connu de véritable rémission et le risque d'holocauste nucléaire est progressivement devenu une hantise. En d'autres termes, l'après-guerre n'a pas eu lieu et la France s'est trouvée rapidement partie prenante aussi bien dans les guerres coloniales que dans la guerre froide.

Durant cette période 1870-1962, la guerre a dessiné en France des sillons profonds dans le paysage, dans l'environnement quotidien donc, et, bien sûr, au flanc des pyramides des âges. Elle a aussi laissé son empreinte sur les valeurs et les croyances. Jusqu'au calendrier qui en porte des traces, touchant ainsi au rythme des travaux et des jours. Et, à travers tous ces éléments, c'est en définitive « l'identité nationale »[1]

---

1. René Rémond, « Mémoire des guerres », dans Pim den Boer, Willem Frijhoff (dir.), *Lieux de mémoire et identités nationales*, Amsterdam University Press, 1993, p. 270.

qui a été atteinte de façon profonde, durable et multiforme par ces guerres en chaîne. Déjà, du reste, la culture républicaine avait été marquée par la guerre de 1870-1871, celle-ci constituant une sorte de terreau nourricier des sensibilités et des fébrilités fin-de-siècle[1].

## Mourir pour la patrie?

Inversement, à partir de 1962, la chaîne des conflits se trouve rompue et l'identité de la France va s'en trouver progressivement modifiée. Le contraste, de part et d'autre de cette date, est d'autant plus saisissant que les générations précédentes, à peine sorties du second conflit mondial, s'étaient, on l'a dit, retrouvées dans un nouveau cycle belliqueux : les guerres coloniales françaises s'enclenchent immédiatement avec l'Indochine et le « grand schisme » Est-Ouest intervient en 1947. Dès l'année suivante, d'ailleurs, le livre éponyme de Raymond Aron prenait la mesure de la fracture géopolitique ainsi ouverte. Ses deux premières parties en analysaient les aspects diplomatiques et idéologiques, que résumait cette formule passée à la postérité : « Paix impossible, guerre improbable. » Et si les deux parties suivantes étaient davantage consacrées aux retombées franco-françaises d'une telle fracture, à la croisée des deux dimensions ainsi mises en lumière la conclusion de Raymond Aron était dépourvue d'ambiguïté : dans un monde coupé en deux, il fallait choisir son camp. En d'autres termes, face au communisme, « qui applique en toute rigueur le principe : qui n'est pas avec moi est contre moi, la seule attitude honorable est l'assentiment total ou le refus

---

1. Cf. Jean El Gammal, « La guerre de 1870-1871 dans la mémoire des droites », dans Jean-François Sirinelli (dir.), *Histoire des droites en France*, tome 2, *Cultures*, Paris, Gallimard, 1992, pp. 471-504.

absolu. Il n'y a pas de demi-mesures[1] ». Et l'auteur d'y revenir notamment dans un article du *Figaro* du 21 décembre 1948 intitulé « Le pacte de l'Atlantique ». Prenant position en faveur de « la grande alliance qui se prépare », il formulait ce pronostic : « Le vieux continent doit se mettre en état de vivre une génération dans un monde divisé. » S'il faut, assurément, faire la part du « spectateur engagé » dans de telles analyses, la prévision se révéla exacte, *a minima*. La génération, probablement utilisée dans cette phrase au sens d'une durée, est couramment entendue comme un tiers de siècle, et la chute du mur de Berlin, en fait, intervint quarante et un ans après une telle prévision.

En revanche, si l'on prend la génération au sens d'une classe d'âge, ce sont plusieurs de ces classes qui vécurent simultanément la division du monde, dont celle des *baby-boomers*. Seulement entre-temps, on l'a vu, le grand schisme, à partir de 1962, sans perdre sa réalité géographique, a perdu de son intensité conflictuelle : « un monde divisé », mais où « la demi-mesure » peut réapparaître. Les jeunes gens de l'après-guerre s'éveillent donc, au fil des années 1960, dans un monde où l'attraction du communisme mais aussi la force de l'anticommunisme ont décliné, au moins en dehors du milieu intellectuel, et où l'on n'est plus forcément sommé de choisir son camp. Le point est essentiel, on le verra : la guerre du Viêtnam et son écho chez les jeunes Français opéreront dans un tel contexte, et sa portée, même si elle sera forte, en a donc été réellement amortie. En fait, si, de « syndrome de Vichy » (Henry Rousso) en rejeux de mémoire sur la guerre d'Algérie, l'empreinte génétique des guerres ne s'est pas totalement estompée après 1962, il ne s'agira plus désormais que d'un

---

1. Raymond Aron, *Le Grand Schisme*, Paris, Gallimard, 1948, p. 8.

effet de traîne et non pas d'une marque directe régulièrement réactivée : la guerre toujours recommencée n'est plus la ligne de plus grande pente de la société française. Jusqu'à la guerre nucléaire qui, après l'acmé de la crise de Cuba à l'automne 1962, semble une menace désormais bridée : de « téléphone rouge » en accords SALT, les années 1960 et 1970 sont placées sous le signe de la coexistence pacifique.

Assurément, cette guerre nucléaire demeure alors l'un des possibles qui subsistent à l'horizon des peuples de la planète, et les fusées soviétiques, quelques années après le *bip bip* du Spoutnik, apparaissent toujours comme un réel danger, qui va affleurer dans les romans et les films de science-fiction et nourrir les thèmes de la politique-fiction. La génération du *baby-boom*, apparue en même temps que l'arme nucléaire – 1945, avec le brasier d'Hiroshima, et 1949, qui voit la première expérimentation de la bombe soviétique –, et dont l'enfance s'est déroulée au cœur de la guerre froide, parvient à l'adolescence au moment où le *Docteur Folamour* de Stanley Kubrick (1963) devient le symbole de l'épée de Damoclès atomique plus que jamais suspendue au-dessus, notamment, de l'Europe occidentale. Et cette adolescence baigne donc dans une sensibilité culturelle où l'hiver nucléaire reste une possibilité, d'autant que le printemps des peuples de l'Est ne sembla guère alors à l'ordre du jour, ni dans leur enfance – Budapest, 1956 –, ni à la fin de leur adolescence – Prague, 1968 –, ni même au début de leur âge mûr – Kaboul, 1979.

Il n'empêche. Après 1962, la France, au fil du reste des années 1960, n'a plus de jeunes soldats en opérations, et la guerre nucléaire, au temps de la détente et de la coexistence pacifique, semble plus une menace virtuelle qu'un danger immédiat. La crise de Cuba a marqué l'apogée de la peur nucléaire mais a stimulé en retour la nécessité de maîtriser le danger atomique. Pour la jeune génération, après 1962, mourir pour la patrie n'apparaît plus comme un possible destin collectif[1]. Et des questions aussi importantes dans le passé proche que celles de la guerre ou de la paix, ou encore du patriotisme, ne se poseront plus dans les mêmes termes qu'auparavant. La génération de l'après-guerre devient, à l'adolescence, la génération de la non-guerre.

Et l'effet de contraste est d'autant plus brusque que, à quelques années à peine de distance, les aînés des *baby-boomers* ont été massivement engagés dans la guerre d'Algérie[2], constituant la « génération du djebel ». Ce ne sont d'ailleurs pas seulement ces frères aînés qui font ainsi contraste avec l'état d'apesanteur dont bénéficieront les *baby-boomers* par rapport à la gravité – dans les deux sens du terme – classique de l'Histoire. À l'échelle du siècle tout entier, leurs parents et surtout leurs grands-parents avaient vu leurs vies marquées par la guerre. Pour ce qui concerne les grands-parents, le sillon sanglant de la Grande Guerre semblera aux jeunes gens des années 1960 relever d'une autre planète ou, en tout cas, d'un autre temps, à tel point que, progressivement, à partir de cette génération, commencera ce que l'on pourrait appeler une véritable « rupture cognitive[3] » dans la transmission de ce que furent la Grande Guerre et les représentations collectives de ses protagonistes. Or à peine quarante et une années séparent le moment où les clairons sonnent l'armistice sur la ligne de front le 11 novembre 1918 et où ce sont alors les pères

---

1. Jusqu'à l'objection de conscience qui, par une sorte de concomitance historique – mais pour des raisons, en fait, beaucoup plus complexes –, reçoit un statut par la loi du 21 décembre 1963.
2. Voir, sur ce point, les travaux de Jean-Charles Jauffret, qui, s'ils révisent à la baisse le nombre d'appelés ayant combattu en Algérie, montrent que l'ampleur en demeura considérable : environ 2 millions d'hommes en armes de 1954 à 1962, dont 1,2 million d'appelés (*Soldats en Algérie 1954-1962*, Paris, Éditions Autrement, 2000, pp. 79-80).
3. Stéphane Audoin-Rouzeau et Annette Becker, *14-18, retrouver la Guerre*, Paris, Gallimard, coll. « Bibliothèque des histoires », 2000, p. 18.

qui massivement enterrent les fils de celui où, en 1959, Alfred Sauvy constate « la montée des jeunes ».

## La génération épargnée

Les jeunes de 1914-1918 furent à la fois densément mobilisés et largement décimés. Mobilisation dont rendent compte, par exemple, les effectifs de l'École libre des sciences politiques : en 1914, l'ancêtre de « Sciences Po » compte 800 élèves; au début de l'année 1915, ce nombre est tombé à 72[1]. D'une manière plus générale, le nombre des étudiants parisiens a diminué de 60 % de 1914 à 1918 : ce sont, en fait, les quelques étudiantes déjà présentes et les étrangers, venus surtout des pays neutres, qui empêchent qu'y survienne un étiage aussi impressionnant qu'à l'École libre des sciences politiques où le nombre des étrangers dépasse à peine une vingtaine en 1915.

Ces jeunes gens mobilisés payèrent un terrible tribut du sang : ainsi, rue d'Ulm, les normaliens en cours d'études au moment où commence la guerre sont au nombre de 211; quatre ans plus tard, 107 d'entre eux ont été tués à l'ennemi – sur un total de 239 normaliens morts au combat –, soit 50,71 % du total. Et sur les 104 survivants de ces promotions alors scolarisées, 6 seulement, selon le directeur de l'établissement, Gustave Lanson, « ont traversé toute la guerre en restant absolument indemnes[2] ». On pourrait, du reste, continuer à égrener de tels chiffres : ainsi, le tiers des étudiants en théologie tombent au combat durant les quatre années[3].

---

1. Pierre Rain, *L'École libre des sciences politiques*, Paris, Fondation nationale des sciences politiques, 1963, p. 65.

2. Rapport de Gustave Lanson, daté du 27 janvier 1922, Archives de l'Académie de Paris (Arch. nat., AJ 16 2895).

3. Gérard Cholvy et Yves-Marie Hilaire, *Histoire religieuse de la France contemporaine*, t. II, *1880-1930*, Toulouse, Privat, 1986, p. 257.

Cette somme de souffrances et de sacrifices, bien sûr, n'a pas concerné seulement l'*Alma Mater*. L'échoppe, l'atelier et les champs furent aussi privés d'une partie de leurs forces vives, et notamment dans la tranche des 20-30 ans. À cet égard, la différence entre le nombre des tués au front – environ 1 300 000 – et celui des veuves – 600 000 – et des orphelins – un million environ[1] – confirme indirectement que ce sont les plus jeunes, non encore mariés ou pas encore pères, qui tombèrent les plus nombreux. Cette classe d'âge devint alors, d'une certaine façon, une génération moignon, amputée par le coup de faux de la guerre. Les plus jeunes appartenaient à la classe 18, dernière classe combattante, et le plancher générationnel de la « génération du feu » était donc constitué par les jeunes gens nés à l'extrême fin du XIX<sup>e</sup> siècle et mobilisés en 1917 et 1918. Et pour cette tranche d'âge composée, plus largement, des jeunes gens nés entre 1885 et 1898, la Grande Guerre représente donc autant de destins individuels broyés mais aussi, en termes macro-historiques, la genèse d'une identité et d'une mémoire propres sans aucun rapport avec celles de leurs petits-enfants, venus au monde au lendemain d'une autre guerre et parvenus à l'adolescence au temps du rapprochement franco-allemand, de la fin des guerres de décolonisation et de la mise en place de la coexistence pacifique.

## LA GUERRE EST-ELLE FINIE ?

Cela étant, la guerre est-elle totalement finie pour ces petits-enfants des soldats de Verdun ? Assurément, à quarante

---

1. Plus précisément, la France compte, en 1929, 1 100 000 pupilles de la nation, soit plus de 2 % de la population française (cf. Olivier Faron, *Les*

72

ans de distance, la société dans laquelle ils s'ébrouent n'est plus empreinte de ces cultures de guerre et de mort qui avaient marqué si profondément la France. Les recherches de Stéphane Audoin-Rouzeau sur le deuil et l'absence après la Grande Guerre ont, par exemple, rappelé l'ampleur du traumatisme alors subi et de la souffrance endurée. Dans cette sorte d'échelle de Richter des ébranlements mentaux que des travaux de psychiatrie américains permettent d'établir, la perte d'un enfant occupe, pour des adultes, le degré maximal, de niveau 6, qualifié de « catastrophique ». Or des études israéliennes ont montré que, dans des sociétés touchées par la guerre, la « perte d'un fils à la guerre » est encore plus traumatisant que celle d'un enfant en temps de paix[1]. Après 1918, la France est à la fois une sorte d'agrégat de destins individuels broyés et un pays tout entier dévasté par cette tempête de force 6 et plus. Historiquement, donc, la génération du *baby-boom* est bien dans une autre configuration, car la Seconde Guerre a entraîné des traumatismes d'une autre nature et avec une chronologie particulière[2], et, parvenue à l'adolescence au moment où les deux ondes de choc belliqueuses – guerre froide et décolonisation – qui parcouraient la planète depuis 1946-1947 perdent de leur intensité, elle apparaît même comme étant préservée par l'Histoire, un peu à la manière de la génération qu'évoque en 1836 Alfred de Musset dans *La Confession d'un enfant du siècle*, classe d'âge venue à l'adolescence après les guerres de la Révolution et de l'Empire.

---

*Enfants du deuil. Orphelins et pupilles de la nation de la Première Guerre mondiale, 1914-1941*, Paris, La Découverte, 2001). Tous les pupilles ne sont pas orphelins, car les enfants des mutilés accédèrent aussi à ce statut.

1. Cf. Stéphane Audoin-Rouzeau et Annette Becker, *op. cit.*, p. 245.

2. Cf., à ce propos, les travaux d'Henry Rousso. Cela étant, il faudra revenir, dans le tome II, sur les rapports complexes, dès les années 1960 – qui ne peuvent donc totalement être assimilées à une décennie de « refoulements » –, entre jeunes générations et mémoire de la Seconde Guerre mondiale.

Mais, tout autant que la réalité objective telle que le chercheur parvient ainsi à la reconstituer après coup, compte la perception qu'en avaient les contemporains. Or celle-ci est assurément plus complexe. Autant que le rapport avec la guerre, en effet, importe celui avec la paix, et, paradoxalement, une partie de la génération de la non-guerre ne fut pas pour autant celle de la paix. Ou, plus précisément, elle entretint des rapports bien différents de ceux de ses parents et grands-parents avec le pacifisme.

### L'absence de souche pacifiste

Si l'on entend ici ce mot davantage comme une aspiration diffuse que comme une théorie ou un combat politique se réclamant de la seule idée de paix, on observera d'abord que, au fil d'un xx$^e$ siècle meurtrier jusqu'aux deux tiers de son cours, la communauté nationale, précisément parce que l'empreinte de la guerre avait été profonde et durable sur elle, avait tissé un lien étroit avec ce pacifisme ainsi défini, au point que celui-ci était devenu ambiant et avait marqué, on l'a vu, jusqu'à l'identité française. Il faut, là encore, revenir à la « génération du feu » : en son sein il y eut, quatre années durant, une terrible hémorragie, avec ces rares garrots que furent, pour quelques corporations, les affectations spéciales à l'arrière. Ce fut avant tout la strate des 20-30 ans qui paya le tribut du sang, et les vides laissés y furent non seulement terribles mais également, par rebond, durables. Quarante ans plus tard, Jean Guéhenno, qui appartint à cette génération, notait à juste titre dans *La Foi difficile* : « Nous ne cessons de payer cette saignée monstrueuse par quoi tout commença. Dans l'occident de l'Europe, le poids des hommes sur la terre en fut changé[1]. » Et, de fait, il aura fallu attendre la fin des années 1950 pour que cet occident de l'Europe, sous l'effet du *baby-boom*, redevienne vraiment une terre de jeunes. Mais la trace laissée par la Grande Guerre n'avait pas été seulement un sillon sanglant et un déficit démographique. Le rapport de la « génération du feu » – devenue entre-temps la population mâle, active et électrice de la France de l'entre-deux-guerres – avec la guerre et la paix s'en trouva durablement modifié. Le mouvement ancien combattant français fut profondément pacifiste. Or, dans la mesure où il incarnait le sacrifice subi et la douleur endurée, le pacifisme fut ainsi non seulement légitimé mais quasiment sacralisé. Ce mouvement, en effet, était soudé par des structures de sociabilité très denses, commémoratives et nourries d'une sorte de piété laïque, visant à entretenir le souvenir des disparus[2]. Il fut donc ainsi un relais essentiel pour l'installation d'un pacifisme profond dans la France des années 1920, d'autant que ces anciens combattants, par leur nombre, constituaient un élément de brassage touchant tous les lieux et milieux de cette France qui se retrouva alors largement imprégnée par l'idée de paix.

Jusqu'aux intellectuels, pourtant souvent en décalage par rapport aux grands mouvements d'opinion, qui contribuèrent eux aussi à cette imprégnation pacifiste. Rares avaient été, durant le conflit, les opposants directs à la guerre. La plupart des clercs avaient au contraire, sous une forme ou sous une autre, payé leur écot au devoir patriotique[3]. Au moment où leurs lecteurs et leurs élèves, parfois aussi leurs enfants, tom-

---

1. Jean Guéhenno, *La Foi difficile*, Paris, Grasset, 1957, p. 143.
2. Antoine Prost, *Les Anciens Combattants et la société française*, Paris, Presses de la FNSP, 1977, 3 vol.
3. Cf. Christophe Prochasson et Anne Rasmussen, *Au nom de la patrie. Les intellectuels et la Première Guerre mondiale (1910-1919)*, Paris, La Découverte, 1996, chap. 5.

baient par rangs entiers, écrivains et professeurs estimèrent, pour la plupart, qu'il leur fallait combattre par la plume et participer ainsi à l'effort de défense nationale. Relue ensuite à la lumière crue des horreurs de la guerre, quand celle-ci, après son terme, apparut comme le grand massacre des peuples européens et comme un naufrage collectif, une telle participation fit naître parmi beaucoup de ces intellectuels, et notamment à gauche, à la fois une mauvaise conscience durablement enracinée et un pacifisme quasi viscéral et, à leur croisée, le « plus jamais ça ! »[1].

La nouveauté, au sein de la société française, n'était pas cette conscience de l'horreur de la guerre, qui est de bon sens et transcende les milieux sociaux et les époques, mais bien le fait qu'un tel rejet s'ancra au cœur de la conscience nationale et, pour un temps, au sein de l'identité française. La secousse que constitua la Grande Guerre pour le pays et l'hémorragie qu'elle y provoqua furent d'une telle ampleur qu'une aspiration pacifiste venue du tréfonds d'une nation saignée à blanc s'imposa au cours des deux décennies suivantes comme un sentiment consensuel. Si le « pas ça » des pacifistes avait rencontré, au moins publiquement, peu d'écho tant que le conflit dura, leur message vint s'amalgamer au « plus jamais ça ! » général qui, dès lors, prévalut.

Telles furent, désormais, les dispositions d'esprit des grands-parents des *baby-boomers*. Peu importe ici combien d'entre eux furent ensuite munichois ou antimunichois en 1938 : la reculade de Munich, ainsi remise en perspective, apparaît bien comme l'acte manqué d'une France saignée à blanc vingt ans plus tôt et qui, par une sorte de réflexe dicté par ses structures démographiques, refuse un nouveau car-

---

1. Cf., par exemple, l'enracinement de tels sentiments chez les jeunes khâgneux et normaliens des années 1920 (Jean-François Sirinelli, *Génération intellectuelle. Khâgneux et normaliens dans l'entre-deux-guerres*, réf. cit.).

nage. En revanche, et pour cette raison même, la génération suivante, celle des parents du *baby-boom*, née dans les années 1920, si elle baigna donc durant son enfance et son adolescence dans un tel pacifisme[1], arriva à l'âge d'homme à un moment où ce pacifisme était touché par un discrédit durable. Par une sorte de chassé-croisé qui n'est paradoxal qu'en apparence, les grands-parents, génération de vainqueurs, furent ensuite pacifistes tandis que les parents, touchés dans l'adolescence ou au début de l'âge adulte par la défaite de 1940, le furent beaucoup moins. À la Libération, en effet, le pacifisme se trouva doublement délégitimé par l'Histoire. Munich n'apparaissait plus seulement alors comme une reculade, voire une lâcheté, mais comme un facteur ayant aggravé le danger de guerre : Hitler, enhardi, aurait multiplié ses initiatives et pris de court les démocraties. Et le pacifisme affiché par certains intellectuels durant l'Occupation sembla, au regard du martyrologe de la Résistance, au mieux avoir consenti aux malheurs du temps, au pis avoir choisi le mauvais camp.

Du coup, l'enfance et l'adolescence des *baby-boomers* dans les années 1950 se déroulèrent dans une configuration historique et un contexte psychologique où eux-mêmes et leurs parents ne baignèrent pas dans le même environnement pacifiste que la génération précédente. D'une part, ne subsista plus, dans un premier temps, qu'un pacifisme résiduel, essentiellement cantonné au microcosme des pacifistes intégraux.

---

1. Sur le rôle de l'école dans l'insémination de ce pacifisme chez les enfants et les adolescents de l'entre-deux-guerres, cf. les analyses d'Olivier Loubes dans la première partie (pp. 13-105) de son livre, *L'École et la patrie. Histoire d'un désenchantement, 1914-1940*, Paris, Belin, 2001. Et pour ceux de ces parents de *baby-boomers* nés plus précisément dans la première partie des années 1920, on pourra consulter, pour ce qui est de l'ombre portée de la Grande Guerre sur eux en leur prime enfance, l'étude de Christophe Gracieux, « L'enfance et le souvenir de la Grande Guerre. Les vecteurs de transmission de la mémoire, 1919-1926 », DEA, dact., Institut d'études politiques de Paris, 2000.

À cet égard, l'opposition aux guerres coloniales, entre 1946 et 1962, fut moins inspirée par une aspiration diffuse à la paix que, le plus souvent, par des considérations d'ordre politique ou idéologique : le « Manifeste des 121 », approuvant l'insoumission, par exemple, puise moins à la source du *Déserteur* de Boris Vian – même si cette chanson connut des difficultés avec les autorités – qu'à celle d'un anticolonialisme de conviction. D'autre part, par une sorte de compensation, une attitude nouvelle de fermeté à l'égard des régimes non démocratiques s'enracina dans la conscience nationale. Le « plus jamais ça ! » qui, après 1918, signifiait : « plus jamais la guerre » revêtit après 1945, au sein du personnel politique comme chez nombre d'intellectuels, un tout autre sens : « Plus jamais Munich », c'est-à-dire plus jamais la faiblesse ou l'impuissance face à un régime non démocratique. Ce syndrome de Munich se retrouva notamment au moment de la crise de Suez en 1956, face à l'Égypte nassérienne, y compris chez nombre d'intellectuels de gauche.

Bien plus, en ces années 1950, la perception de la guerre et de la paix s'opérait aussi en fonction de la configuration géopolitique de l'époque : la guerre froide. Et ce, on l'a dit, dans le monde d'après Hiroshima, marqué désormais par la présence des arsenaux nucléaires : la planète vit alors à l'ombre d'armes de destruction massive, dans un contexte historique d'antagonisme de deux blocs. La crainte de la guerre atomique, si elle imprègne les sensibilités, ne déboucha jamais en France sur un pacifisme puissamment réactivé. Certes, à la fin des années 1940, l'appel de Stockholm condamnant la bombe atomique y connut un fort écho, mais les relais d'un Parti communiste frôlant à l'époque les 30 % de suffrages exprimés y furent pour beaucoup . De surcroît, la parité nucléaire bientôt acquise par les Soviétiques fit vite mesurer les dangers de baisser la garde. Et peut-être, en ce domaine également, le syndrome de Munich joua-t-il un rôle. Au bout du compte, le danger d'holocauste atomique apparaissait certes alors comme une réelle menace, au point de marquer durablement les formes d'expression culturelle, mais le pacifisme ne s'en trouvait pas réinséminé pour autant et n'était donc plus aussi profondément inscrit au sein de la société française. Et la guerre d'Algérie, on l'a dit, ne fut pas non plus, à cet égard, un facteur de réactivation majeur.

La génération du *baby-boom*, de ce fait, ne reçut donc pas dans ses gènes, lors de son apparition au fil des années d'après guerre, un pacifisme inné. Et il n'y eut pas non plus de sentiment pacifiste acquis au cours de son enfance, dans le contexte des années 1950. Dès lors, quand le décor se modifie profondément après 1962, au moment où la dernière guerre française de décolonisation s'achève et où la guerre froide s'apaise, la première génération à s'ébrouer dans une France où l'horizon d'attente – attente subie au fil des décennies, bien sûr, plus que souhaitée – n'est plus la guerre n'est pas brusquement devenue, par une sorte d'alchimie, pacifiste pour autant. En soi, du reste, cette disposition ne la place pas en porte à faux par rapport au site sur lequel elle se trouve et à l'époque durant laquelle elle s'éveille au monde qui l'entoure : elle arrive, en effet, à l'âge des premiers engagements dans un monde occidental sans guerre, au sein d'une Europe que l'Histoire paraît avoir largement désertée, et où le pacifisme n'est pas réellement d'actualité. Il est des moments, en effet, où l'Histoire semble voir son cours s'emballer ou, au contraire, donne l'impression de refluer d'un continent. Quand le jeune Raymond Aron séjourne en Allemagne entre 1930 et 1933 et assiste au naufrage de la République de Weimar et à la montée du nazisme – il est à Berlin en janvier 1933 quand Hitler arrive au pouvoir –, force est pour lui de constater que, selon le mot de Toynbee, « *history is again on the move*[1] ». Pour un jeune homme du début des années 1960, une fois passée l'étape de 1962, force est de constater que le mouvement de l'Histoire paraît, au contraire, dans une phase de ressac. Une telle impression, on le verra, était fausse, car ce mouvement prenait alors d'autres formes, mais la configuration de non-guerre était une indéniable réalité historique.

Cela étant, cette absence de souche pacifiste explique un paradoxe apparent : cette génération de la non-guerre entretint tout de même une relation ambiguë avec la guerre, la faisant parfois par réverbération ou par procuration. Sur ces deux points il faudra assurément revenir, mais il convient d'emblée de souligner ce paradoxe. Réverbération ? L'érection de barricades en 1968 fut une résurgence de mémoire, mélange flamboyant de lyrisme et de romantisme révolutionnaires renvoyant aux grands combats révolutionnaires du XIXe siècle. Certes, on le verra, ces barricades furent ainsi élevées dans une France dont la vie politique n'était plus arbitrée par le tribunal de la rue et de laquelle avait été expurgée une violence d'affrontement initialement constitutive de cette vie politique. Il n'empêche. Dans une configuration historique apaisée comme celle des années 1960, la génération du *baby-boom* – ou tout au moins une partie de ses membres – parut un temps tentée de pratiquer une violence de guerre civile. Mais cette pratique ne fut-elle pas une violence largement mimée ?

De même, la guerre par procuration que menèrent alors d'autres de ses membres – et parfois les mêmes – n'a-t-elle pas été aussi une manière de simulacre ? Encore faut-il préciser ce que signifie ici procuration. Là encore, il faudra y revenir : par les modèles mis en avant – Che Guevara, le Viêtcong –, les tenants, parmi les *baby-boomers*, d'un discours de rupture

---

1. Raymond Aron, *Mémoires. Cinquante ans de réflexion politique*, Paris, Julliard, 1983, p. 55.

crurent partir en guerre contre la société capitaliste, par les masses du tiers-monde interposées. Ils eurent ainsi le sentiment de se retrouver doublement en guerre, mimant la guerre civile à l'intérieur et adoubant des héros révolutionnaires sur les fronts extérieurs de la lutte contre le capitalisme. Car ce sont bien, à cette date, de tels fronts qui paraissent primer. La génération du *baby-boom,* en effet, s'éveille à la politique, pour ses segments engagés, sous le signe de la gauche, mais d'une gauche connaissant alors un double transfert, sémantique et géographique, de sa vision du monde.

Les deux cohortes qui ont précédé cette génération et qui ont contribué tour à tour à donner ses teintes au débat intellectuel penchaient déjà assurément elles aussi à gauche, que ce soit la jeune génération communiste de l'après-guerre ou celle de la guerre d'Algérie[1]. Certes, à partir de 1956, commence une desquamation, écaille après écaille, de la mouvance intellectuelle constituée au fil des années qui suivirent la Libération, mais les partants, au moins dans un premier temps, quittèrent cette mouvance sans pour autant sortir de la gauche. Bien plus, la génération suivante, marquée et parfois formée par le combat politique contre la guerre d'Algérie, en conservait une empreinte profonde quelques années plus tard, en ces *sixties* qui semblaient pourtant avoir si vite expurgé le syndrome algérien. Globalement, donc, la prédominance des gauches intellectuelles, par ces générations successives, s'est poursuivie sans solution de continuité jusqu'au cœur des *sixties.*

---

1. J'avais tenté, à partir de deux exemples concrets, de mettre en perspective ces deux générations successives dans « Les normaliens de la rue d'Ulm après 1945 : une génération communiste ? », *Revue d'histoire moderne et contemporaine*, t. XXXII, octobre-décembre 1986, et « Les intellectuels et Pierre Mendès France : un phénomène de génération ? », dans François Bédarida et Jean-Pierre Rioux (dir.), *Pierre Mendès France et le mendésisme*, Paris, Fayard, 1985. Je n'y reviens pas ici.

Certes, après 1956 – avec le rapport Khrouchtchev puis l'automne hongrois –, le modèle soviétique a subi une lente mais irréversible érosion. Cela étant, en ces années 1960, d'autres modèles de référence ont pris progressivement le relais : avec notamment Cuba et la Chine populaire, en effet, on a alors assisté à un véritable transfert géographique des épicentres idéologiques. Et celui-ci s'est doublé d'un transfert sémantique : au binôme bourgeoisie-prolétariat, qui avait contribué à structurer la vision politique de générations successives de sympathisants de gauche, s'est substitué le couple impérialisme-luttes de libération du tiers-monde. Dans l'Europe occidentale des Trente Glorieuses, en effet, les classes ouvrières bénéficient elles aussi de l'amélioration généralisée – même si elle a pu être différentielle – du niveau de vie et elles incarnent de moins en moins l'espoir révolutionnaire. « L'Europe est foutue », décrète par exemple Jean-Paul Sartre, et les jeunes nations du tiers-monde reprennent ou, plus précisément, se voient confier le flambeau de la révolution, d'autant qu'elles paraissent des proies aisées pour l'« impérialisme » américain ou le « néo-colonialisme » occidental.

Dès lors, il n'est guère surprenant, à la lumière de ce double transfert, que la guerre du Viêtnam, on le verra, au moment même où la génération du *baby-boom* s'éveillait à la politique, apparût à certains comme l'illustration presque chimiquement pure de cette nouvelle lutte de classes dilatée à l'échelle mondiale. Tout, idéologiquement aussi bien qu'affectivement, incitait à percevoir ce conflit à travers cette vision binaire qui, à gauche, avait pris le relais de la précédente.

*Une exterritorialité historique ?*

L'érection de barricades n'était-elle qu'une réminiscence historique et les combats tiers-mondistes par procuration ne furent-ils que le reflet d'un mimétisme idéologique renvoyant à d'autres contextes que la France des Trente Glorieuses ? Là encore, il faudra y revenir, tant il est vrai que ces pages sur le rapport à la paix et à la guerre n'ont d'autre objet que de pointer des questions essentielles et souvent paradoxales que seule la suite de l'analyse permettra d'éclairer. Réminiscence, mimétisme, ces deux constats, en tout cas, s'ils sont confirmés par l'analyse, induisent une autre question essentielle : la guerre des *baby-boomers* d'extrême gauche n'apparaît-elle pas, avec le recul, comme hors du temps de ces Trente Glorieuses et hors de l'espace des pays industrialisés de l'occident de l'Europe ? Si observer que la vague pacifiste des premières décennies du siècle ne parvint pas jusqu'à eux, et ne joua donc pas le rôle d'antidote, ne suffit pas à étayer la réponse, toujours est-il qu'une partie de cette génération apparemment sans Histoire et surgie dans une France de la non-guerre entretint, plusieurs années durant, un rapport complexe avec la guerre, certes disparue à cette date du continent européen, mais présente en d'autres contrées et alimentant une forme de messiannisme révolutionnaire.

En même temps, ce constat ne doit pas nous faire oublier l'essentiel, cet état d'exterritorialité historique d'une génération non menacée par l'Histoire au moment où elle parvient à l'adolescence et s'ébroue dans la France en paix des années 1960. Les *baby-boomers*, tout compte fait, ont constitué la première génération de l'époque récente à s'éveiller à la vie sans que rien à l'horizon, au moment de cet éveil, ne semble se profiler qui présage pour elle un destin de jeune classe immolée sur l'autel de la patrie. Et qui se retrouva, de ce fait, à la fin du XXᵉ siècle, trois ou quatre décennie plus tard, la première génération de ce siècle sans anciens combattants en son sein, sauf ceux... de mai 1968 et des combats idéologiques de l'après-mai. Et les dates de son adolescence eurent de tout autres résonances. Ainsi, on le verra, celle, bien plus pacifique, du 22 juin 1963. Il est donc possible d'observer, sans solliciter les faits, que, là encore, comme dans le domaine socio-économique, cette génération est une classe d'âge privilégiée, tant il est vrai que « les générations ont, toutes, à peu près la même somme de vitalité et de génie, mais qu'il en est, nombreuses au $XX^e$ siècle, que « les circonstances [ont contraintes] à l'user dès le départ[1] ».

## LE TEMPS DU MONDE « FINI »

Si, de fait, ces guerres mimées ou vécues par procuration n'entraînèrent pas d'abrasion sur la génération du *baby-boom*, qui n'eut jamais à payer le moindre prix du sang pour ses combats proclamés, celles-ci sont aussi à replacer dans un autre bouleversement du décor dans lequel s'ébrouait cette génération : la dilatation aux dimensions du monde, au fil des années 1960, des émotions collectives et des pratiques culturelles. Cette Europe désertée par l'Histoire était, en même temps, en train de devenir une Europe ouverte aux quatre vents d'une mondialisation avant la lettre.

---

1. Jean Guéhenno, *La Mort des autres*, Paris, Grasset, 1968, p. 183.

## Le rapetissement du monde

Là encore, ce changement des échelles est une mutation considérable : les jeunes classes montantes s'éveillèrent ainsi dans un monde qui rapetissait. Assurément, un tel phénomène était le résultat d'une évolution multidécennale. Tout le xx<sup>e</sup> siècle a été marqué par la diminution progressive de la distance chronologique entre un événement et sa relation et par l'irruption, dans cette relation, de l'image et du son. On pourrait ainsi multiplier les exemples, depuis les photographies de presse que la « bélino » permet de transmettre à distance et donc de publier en quelques heures jusqu'à l'image animée et sonorisée permettant de vivre simultanément à l'échelle de la planète des émotions qui deviennent ainsi collectives. Quand le roi Alexandre de Yougoslavie fut assassiné à Marseille le 9 octobre 1934, la presse imprimée nationale put illustrer photographiquement l'attentat dans les heures qui suivirent et, près de quarante ans plus tard, en avril 1961, les postes à transistor répercutant l'allocution du général de Gaulle stigmatisant le « pronunciamento militaire » d'un « quarteron de généraux en retraite » jouèrent un rôle dans le dénouement du putsch des généraux, tout comme, du reste, la télédiffusion de cette même allocution.

Mais l'équation qui explique le rapetissement du monde associe cette instantanéité permise par le progrès technique à la dilatation géographique également induite par lui. Là encore, le xx<sup>e</sup> siècle a enregistré une accélération du phénomène. Alors que, à la fin du xviii<sup>e</sup> siècle, les nouvelles de la révolution américaine arrivaient en France avec les quelques semaines de retard que prend la parole humaine transportée par bateau et que, au xix<sup>e</sup> siècle encore, l'effet différé des événements resta grand de part et d'autre de l'Atlantique[1], les

---

1. Cf. René Rémond, *Les États-Unis devant l'opinion française de 1815 à 1852*, Paris, Armand Colin, 1962.

choses vont changer avec le câble sous-marin. Et, bientôt, la radio sera, sur les deux rives, un haut-parleur pour les nouvelles ainsi transmises. C'est le cas, par exemple, du *knock-out* du boxeur français Georges Carpentier, survenu le 2 juillet 1921. Le coup de poing victorieux de Jack Dempsey, dès la quatrième reprise, est non seulement aperçu par les cent vingt mille spectateurs de l'arène de Jersey City, mais il est aussi retransmis en direct aux auditeurs américains, avec un micro d'ambiance qui leur permet même d'entendre les réactions du public[1]. Bien plus, la nouvelle franchira l'Atlantique en quelques dizaines de secondes et la foule parisienne massée sur les Grands Boulevards et place de la Concorde en prendra ainsi connaissance sur des écrans défilants. Le journal *L'Intransigeant* du lendemain, tout en déplorant la défaite de Georges Carpentier, observera que le combat « a permis de fêter une gloire française incontestable [...], Branly. Quand le résultat du match Carpentier-Dempsey a mis un peu moins de 120 secondes à voler entre New Jersey et Paris, nous avons réalisé pour la première fois l'admirable invention qu'Édouard Branly a créée et que Marconi a mise au point ».

Moins de 120 secondes ! Désormais, plus rien ne sera comme avant en ce qui concerne le son porté à distance. D'autant que l'entre-deux-guerres voit le brusque développement de la radio : 500 000 postes seulement en France à la fin des années 1920, dix fois plus à peine une décennie plus tard, à l'orée du second conflit mondial. Les discours des dictateurs feront désormais partie de l'univers sonore des Européens tout comme, une fois ce conflit déclenché, une « guerre des

---

1. Cf. André Rauch, « L'oreille et l'œil sur le sport. De la radio à la télévision (1920-1995) », *Communication*, 67, 1998, pp. 193-210, mentionné p. 195, et, du même, *Boxe, violence du xxᵉ siècle*, Paris, Aubier, 1992, notamment pp. 123-124.

ondes » se livrera entre les puissances belligérantes[1]. Dès l'entre-deux-guerres, du reste, un certain nombre d'observateurs avaient perçu l'enclenchement de cette sonorisation du monde. On connaît la formule de Paul Valéry, constatant en 1931 qu'advenait « le temps du monde fini[2] ». « Fini », sous sa plume, signifiait achevé, au sens de quadrillé, cadastré – au moment où aucune parcelle du globe n'échappait plus sinon aux pas de l'homme, en tout cas à sa connaissance et à sa géodésie. Mais s'il songeait donc ainsi à la disparition de *terrae incognitae*, son attention était aussi attirée par un processus chronologiquement corollaire, qui contribuait lui aussi au parachèvement de ce monde fini, celui des « connexions[3] » qu'établissaient alors à la surface de la planète des moyens de communication toujours plus denses. Et Valéry de prédire : « Désormais, quand une bataille se livrera en quelque lieu du monde, rien ne sera plus simple que d'en faire entendre le canon à toute la terre. Les tonnerres de Verdun seraient reçus aux antipodes[4]. »

### De l'« économie-monde » à la culture-monde

Cet écho « aux antipodes » est assurément un fait historique : « toute la terre », désormais, deviendra progressivement un vaste parvis. Et Jean-Richard Bloch ne dira pas autre chose, quelques années plus tard, observant à quel point la « téhesscf » contribuait non seulement à homogénéiser les espaces nationaux – « elle élargit à la taille des nations le [*sic*] petit agora athénien » –, mais déjà, aussi, à dilater sur une plus

---

1. Hélène Eck (dir.), *La Guerre des ondes. Histoire des radios de langue française pendant la Deuxième Guerre mondiale*, Paris, Armand Colin, 1985.
2. Paul Valéry, *Regards sur le monde actuel*, Paris, Stock, 1931, p. 35.
3. *Ibid.*, p. 39.
4. *Ibid.*, p. 81.

grande échelle encore les émotions reçues et vécues en commun : « Ce que le génie comique de Charlie Chaplin a réalisé, au cinéma, en créant la complicité simultanée des hommes de toutes les races par le rire, le sarcasme et la pitié, la téhessef le produira à son tour, sur une gamme extrêmement étendue de sentiments et d'altérations[1]. »

En toile de fond, c'est bien l'avènement d'une culture-monde qui s'amorçait en ces décennies d'entre-deux-guerres. Un tel processus donne ainsi une partie de sa signification historique au xxe siècle. Celui-ci marque assurément une deuxième étape dans la planétarisation – on préférera ici ce terme, en raison du caractère connoté de celui de mondialisation. La première étape, enclenchée à la fin du Moyen Âge, avait déjà été à la fois économique et culturelle. D'une part, univers d'abord géographiquement autocentré et intellectuellement expliqué par les enseignements de l'Église, l'Europe du xvie siècle est devenue un continent élargi – mais pas encore « fini » – et au sein duquel les lézardes introduites par la Renaissance ont accéléré une quête de savoir et d'ouverture culturelle[2]. D'autre part, et parallèlement, il est possible, notamment depuis les travaux de Fernand Braudel[3] ou d'Immanuel Wallerstein[4], de relire l'histoire universelle depuis la fin du Moyen Âge comme celle du développement d'une « économie-monde ». De même, le xxe siècle a bien été celui d'un nouvel élargissement et, à travers lui, d'une nou-

---

1. Extrait de l'allocution prononcée pour l'ouverture de la première assemblée générale de l'Association Radio-Liberté (1er mars 1936) et reprise par Jean-Richard Bloch, *Naissance d'une culture*, Paris, Rieder, 1936, pp. 165 et 168.

2. Cf. Claude-Gilbert Dubois, *Le Bel Aujourd'hui de la Renaissance. Que reste-t-il du xvie siècle?*, Paris, Le Seuil, 2001, *passim*.

3. Ainsi *Le Temps du monde*, tome III de la *Civilisation matérielle. Économie et capitalisme, xve-xviiie siècle*, Paris, Armand Colin, 1979.

4. Par exemple, *Le Système du monde du xve siècle à nos jours*, 2 vol., Paris, Flammarion, 1980 et 1984 pour la traduction française.

velle étape. Le temps du monde fini trouva, du reste, une tragique illustration dans le second conflit mondial, où la guerre se livra des îles Célèbes aux pays nordiques, et de l'Atlantique au Pacifique. Bien plus, tout au long du second demi-siècle, au temps des *baby-boomers*, la culture de masse va connaître un double mouvement de dilatation et de prolifération, débouchant sur la progressive cristallisation de la culture de masse en culture-monde.

Deux événements des années 1960 ont symbolisé cette cristallisation : d'une part, l'écho audiovisuel presque immédiat de l'assassinat du président Kennedy le 22 novembre 1963, qui demeure pour cette raison un puissant marqueur intergénérationnel, plusieurs classes d'âge ayant vécu de concert l'annonce de l'événement assortie du choc des images ; d'autre part, et plus encore, les premiers pas de Neil Armstrong sur la Lune en 1969. Non seulement cet alunissage fut retransmis à la télévision en direct, mais, de surcroît, cette instantanéité fédéra quelques heures durant l'immense majorité des nations, puisque seule, parmi les grandes puissances, la Chine s'était exclue de la retransmission. C'est bien « l'humanité » – qu'évoquait Neil Armstrong dans les premiers mots prononcés au moment de fouler le sol lunaire – qui était ici concernée et une telle retransmission apparaît bien avec le recul, pardelà le caractère historique de l'alunissage lui-même, comme un événement lui aussi doté d'une réelle importance à l'échelle de l'histoire universelle. Avec la Lune foulée, c'était certes une nouvelle dilatation vers l'espace infini qui avait lieu, mais aussi, de façon plus tangible, une nouvelle étape de l'histoire de la planète Terre, monde d'autant plus « fini » désormais que pouvaient s'y donner les mêmes spectacles instantanés. À partir de 1969, un événement pouvait être instantané pour le plus grand nombre. « Nous approchons d'une culture mondiale », notait, du reste, quelques mois plus tard, l'anthropologue Margaret Mead[1].

## Le temps accéléré

Dilatation de l'espace, donc, mais aussi accélération du temps. Le constat d'une configuration historique de non-guerre, en effet, ne doit pas induire en erreur : celle-ci n'est pas synonyme de temps suspendu. Bien au contraire, l'ampleur des mutations en cours est telle, durant ces années 1960, que l'on doit parler de temps accéléré. La même Marga-ret Mead notait, au sortir de cette décennie, qu'« aujourd'hui, tout individu né et élevé avant la seconde guerre mondiale est un immigrant – un immigrant qui se déplace dans le temps comme ses ancêtres s'étaient déplacés dans l'espace[2] ».

Cette prégnance de la rapidité de l'écoulement du temps sur les représentations individuelles et collectives est bien alors une réalité, à tel point qu'il est possible de parler d'une phase d'accélération de l'Histoire. Certes, une telle notion est à manier avec précaution[3], d'autant que toutes les données – économiques, sociales, politiques, culturelles – d'une commu-nauté humaine n'évoluent pas au même rythme. Elle rend pourtant compte, par-delà son caractère flou et scientifique-ment peu satisfaisant, d'une décennie qui pesa lourd. Et pour la génération du *baby-boom* une telle accélération fut, d'une certaine façon, au carré : l'amplification de l'écoulement du temps au fil des années 1960, moment de sa socialisation et de

---

1. Margaret Mead, *Le Fossé des générations*, Paris, Denoël-Gonthier, 1971 (1970 pour l'édition américaine), p. 11.

2. *Ibid.*, p. 116.

3. Cf., à ce propos, les remarques de Jean-Noël Jeanneney dans *L'His-toire va-t-elle plus vite ? Variations sur un vertige*, Paris, Gallimard, 2001.

son éventuel éveil politique, avait été précédée par un premier
à-coup historique au cours de l'après-guerre, moment de sa
naissance. Un observateur comme Daniel Halévy avait, du
reste, publié en 1948 un ouvrage intitulé *Essai sur l'accélération de l'Histoire*, tant il apparaissait que ce xxᵉ siècle, au
mitan de son cours, avait déjà été gros d'événements majeurs
qui influaient sur le rythme de ce cours.

Cette double accélération marque bien une autre singularité
de ces *baby-boomers*. Le xxᵉ siècle, dans sa première partie, a
été parcouru par deux secousses belliqueuses majeures qui
l'ont géographiquement et idéologiquement refaçonné et par
deux tragédies que furent ces secousses pour le destin des
peuples concernés. Au sortir du second de ces deux ébranlements massifs, la génération du *baby-boom* se trouva
comme emportée par l'onde de choc créée et l'accélération
entraînée. Mais le xxᵉ siècle n'a pas été seulement marqué par
de telles secousses belliqueuses. Mesuré à l'aune de la respiration plus lente et davantage souterraine de l'évolution des
comportements collectifs et des normes qui les balise, le changement le plus rapide s'opéra bien dans les années 1960 et non
au fil des six premières décennies : l'ampleur des changements
socioculturels, et notamment l'eau de jouvence alors distillée
par la culture de masse juvénile, va rapidement bouleverser la
morphologie et les sensibilités des sociétés occidentales. Et de
cette seconde accélération historique d'une autre nature la
génération du *baby-boom* fut bien l'actrice principale, beaucoup plus que ne le furent ses aînés de la « nouvelle vague ».

# CHAPITRE III

# Au miroir des aînés
# de la « nouvelle vague »

L'histoire dite du temps présent intègre peu à peu les décennies proches dans son champ d'études, et ce phénomène de « poldérisation » du second XX$^e$ siècle par la discipline historique touche progressivement les années 1960. L'élargissement du territoire de l'historien à cette période est essentiel en raison de la densité historique de cette décennie. En même temps, il est vrai, sa mise en œuvre est singulièrement délicate car deux jeunes générations s'y sont succédé, avec, dans l'empreinte acquise au moment de leurs apprentissages culturels et éventuellement politiques respectifs, des traits caractéristiques forts différents. Et c'est bien l'étude de cette différence qui permet de préciser encore davantage l'identité historique de la génération du *baby-boom*.

Celui-ci, on l'a vu, s'amorce dès 1943 et se prolonge au-delà de 1953. Et pourtant c'est bien la période 1945-1953 qui est, à cet égard, gestatrice. Car ceux nés avant 1945 ou apparus après 1953 n'auront pas le même environnement historique. Pour les cadets, on l'a vu, le plafond de 1953 trouve sa justification dans le constat d'une arrivée sur le marché du travail s'opérant dans une France ébranlée par le premier choc pétrolier. Pour les aînés, la ligne de clivage est d'une autre nature :

les enfants de la guerre[1] et, *a fortiori,* de l'avant-guerre parviennent à l'adolescence dans la France de l'après-guerre ou de la fin des années 1940 encore profondément touchée par les malheurs et les difficultés du temps. Leur adolescence dans les années 1950 n'est pas encore réellement sous le signe de la prospérité ; en revanche, quelques années plus tard, c'est en jeunes adultes qu'ils traverseront la mutation accélérée de la France des années 1960. Avec, du reste, un regard parfois perplexe sur les cadets qui s'ébrouent à la même date.

## Deux générations « courtes »...

Car, il faut y insister, le fort contraste entre les *baby-boomers* et leurs aînés ne concerne pas seulement, parmi ceux-ci, la génération de leurs parents. Avec celle de leurs aînés de quelques années à peine, également, un réel fossé est perceptible. À tel point qu'il y a là une sorte de paradoxe : le plus souvent, une génération acquiert une réelle existence par l'identité différentielle que lui confère une réelle différence d'âge avec la couche démographique précédente, l'écart pouvant parfois atteindre plusieurs décennies. Or, dans ce cas précis, la génération née entre le milieu des années 1930 et la Libération est séparée de celle de ses cadets par moins d'une décennie – en tout cas à sa zone de contact.

### La « nouvelle vague »

Mais cette zone de contact est en même temps une cloison. Il y a bien de part et d'autre de cette cloison deux générations

---

1. Gilles Ragache, *Les Enfants de la guerre : vivre, survivre, lire et jouer en France, 1939-1949*, Paris, Perrin, 1997.

distinctes. Le paradoxe, du reste, n'est qu'apparent. Une génération est indissociable du cours de l'Histoire, dont l'empreinte lui donne existence et identité. Or un tel cours n'est assurément pas uniforme et n'engendre donc pas des générations harmonieusement disposées dans une sorte de jardin à la française. Celles-ci, en effet, ne sont jamais tirées au cordeau : il existe des générations « longues » – entendons davantage dilatées dans le temps – et d'autres « courtes »[1], et toute tentative par l'historien de stratification générationnelle débouche forcément sur une histoire en accordéon.

Les *baby-boomers* et leurs aînés ont donc constitué deux générations « courtes » successives et le constat d'une telle succession permet de mieux localiser la génération du *baby-boom* sur une échelle du temps. Les observations des contemporains y avaient, du reste, déjà contribué, et ce dès le second versant des années 1950. Ainsi, en 1959, quand Alfred Sauvy avait identifié la « montée des jeunes » comme « le fait le plus lourd de notre histoire[2] », explicitement placé par lui, en termes d'amplitude historique, devant le 13 mai 1958 ou la guerre d'Algérie, son analyse prenait certes en considération le flot montant des *baby-boomers,* mais aussi, tout autant, leurs aînés des cohortes précédentes. Ce sont ceux-ci, d'ailleurs, qui avaient déjà fait l'objet, deux ans plus tôt, d'une enquête restée célèbre, intitulée « La nouvelle vague ». Le 3 octobre 1957, en effet, *L'Express* avait publié sous ce titre la première livraison d'une série d'articles dont Françoise Giroud, l'année suivante, avait fait un livre remarqué. Bien plus, en cette fin des années 1950, parallèlement à ces études savantes ou aux imposantes investigations de presse, les médias prêtaient une attention un peu tapageuse aux efflorescences les plus visibles de la montée de sève, les « blousons noirs », tandis que le cinéma contribuait lui aussi à nourrir des

---

1. Pour reprendre une formulation proposée par Marc Bloch, *Apologie pour l'histoire,* Paris, Armand Colin, 1974 (rééd.), p. 151.
2. *Op. cit.,* p. 10.

clichés et à forger des stéréotypes, avec notamment l'écho rencontré par *Les Tricheurs* de Marcel Carné[1]. S'il convient de ne pas surdéterminer l'importance réelle de ces phénomènes de délinquance, l'historien doit prendre en compte le registre des représentations collectives qu'ils suscitèrent. Plus que la réalité des « blousons noirs », indéniable mais localisée, c'est, en effet, la résonance de cette réalité qui avait créé, par amalgame et amplification, un problème social. Tout comme les stéréotypes des *Tricheurs* avaient bientôt peuplé l'imaginaire collectif.

## Hurons plus qu'Apaches

De ce fait, quelques années plus tard, la vague somme toute paisible des « copains », ces *baby-boomers* devenus *teenagers,* apparut aux adultes bien moins inquiétante que celle des aînés. Certes, on le verra, des amalgames eurent d'abord lieu, au début des années 1960, entre les uns et les autres, mais le climat fut bientôt à l'apaisement et le regard des adultes se fit plus serein. Ce n'est que dans la seconde partie des années 1960 que le théorème classe jeune = classe dangereuse réapparaîtra et prendra d'autant plus d'ampleur qu'il fera contraste avec ce début de décennie. La rapidité de la mue socioculturelle alors à l'œuvre et le développement concomitant d'une culture adolescente creusèrent toutefois un réel fossé entre le monde des jeunes gens et celui des adultes, y compris les jeunes adultes. Plusieurs générations se côtoyaient alors, dont la socialisation s'était opérée dans deux

---

1. Cf., sur ce point, Ludivine Bantigny, « Jeunesse et cinéma : pour une contribution à l'histoire de la jeunesse. Les représentations de la jeunesse dans le cinéma français et leurs répercussions dans la réflexion sur les jeunes (1958-1962) », dact., DEA, Institut d'études politiques de Paris, 1999.

France successives, entre lesquelles les Trente Glorieuses avaient accusé les contrastes. Bien plus, de tels contrastes produiront des incompréhensions réciproques et l'apparence d'un conflit de générations. Pour autant, il convient de ne pas relire l'ensemble de la décennie à la lueur de l'ébranlement de 1968. Si c'est au sein de la génération du *baby-boom* que les observateurs crurent alors distinguer une « révolution juvénile », les jeunes gens qui la composaient furent tout d'abord considérés par les adultes comme bien plus amènes que leurs aînés les « blousons noirs » qui avaient défrayé bien souvent la chronique quelques années plus tôt. Ces jeunes gens pouvaient constituer une génération déconcertante, voire irritante, mais perçue, au bout du compte, comme peu inquiétante et sans dangerosité d'aucune sorte. Les Hurons, donc, plus que les Apaches !

Les adultes déjà dans la force de l'âge ne seront pas, au demeurant, les seuls à être ainsi déconcertés par les « copains » adolescents. Les frères aînés de la « nouvelle vague » éprouvèrent apparemment les mêmes sentiments. C'est, du reste, sur ce registre que l'effet de contraste est réel et permet un étalonnage plus précis des générations.

### ... MAIS BIEN DISTINCTES

Un détour par la littérature illustre bien le processus de différenciation culturelle rapide qui introduit comme un coin entre deux classes d'âge pourtant très proches. Dès 1965, Georges Perec proposait, avec *Les Choses*, « une histoire des années soixante » : tel était, en effet, le sous-titre du livre. Mais ses personnages, Jérôme et Sylvie, ont à peu près le même âge que leur auteur, qui a projeté une part de lui-même dans son roman. Et Georges Perec est né en 1936 et s'inscrit plutôt, comme eux, dans la postérité de la « nouvelle vague », les jeunes étudiants de la seconde partie des années 1950 radiographiés par *L'Express* en 1957. Jérôme et Sylvie ont déjà fini leurs études supérieures, au terme, il est vrai, d'un cursus resté bien imprécis de psychosociologie, et gagnent leur vie dans ce domaine, après une brève recherche existentielle ou spirituelle en Tunisie. Adultes emportés dans leur « quête éperdue du bonheur[1] », leur jeunesse étudiante avait été vaguement militante dans les dernières années de la guerre d'Algérie. Écrit entre 1961 et 1965 et s'inscrivant chrono-logiquement dans cet intervalle, ce livre est bien le récit d'un « monde d'une douceur létale[2] ». Et il prolonge, de ce fait, la période évoquée dans *Je me souviens,* publié treize ans plus tard, mais dont les matériaux « s'échelonnent pour la plupart entre [sa] 10ᵉ et [sa] 25ᵉ année, c'est-à-dire entre 1946 et 1961[3] ». Les références culturelles de l'adolescence de Jérôme et Sylvie renvoient donc à cette période et plus précisément aux années 1950 : défilent ainsi Martine Carol et Sacha Distel, Zappy Max et, comme il se doit, la « nouvelle vague », avec, en toile de fond, René Coty ou « Ramadier et sa barbiche[4] ».

## Le monde des « choses »

Le talent de Georges Perec rend bien compte, en fait, de l'arrivée dans le monde des « choses », en ce début des

---

1. Georges Perec, *Les Choses. Une histoire des années soixante*, Paris, Julliard, 1965, p. 94.
2. Delphine Bouffartigue, « Histoire et mémoire. Georges Perec écrivain de sa génération », dact., DEA, Institut d'études politiques de Paris, 1991, p. 34.
3. Georges Perec, *Je me souviens. Les choses communes,* 1, Paris, Hachette, p. 119.
4. *Ibid.*, pp. 24, 37, 39, 48, 85, 93.

années 1960, d'une génération qui en fut d'abord largement privée. L'enquête sur la « nouvelle vague » fournit, à cet égard, de précieux jalons. Certes, son utilisation par l'historien est délicate. L'objectif – légitime – de radiographier la strate montante de la population française conduit, en effet, l'hebdomadaire à inclure sous le vocable « jeunesse » l'ensemble des « 18-30 ans » de 1957, c'est-à-dire les Français et Françaises nés entre 1927 et 1939[1]. Or quoi de commun à cette date entre le jeune étudiant né en 1938, fils des « classes creuses » de l'avant-guerre et de l'enfance maigre de l'Occupation, et l'épouse de 30 ans, éventuellement déjà mère de plusieurs *baby-boomers,* même si, pour l'un comme pour l'autre, « le problème national n° 1 » peut être l'Algérie – première réponse donnée, par 28 % des personnes interrogées – ? Le spectre couvert ne constitue pas une catégorie homogène, recevable telle quelle par les sciences sociales. En même temps, il est vrai, à travers le portrait de groupe qu'elle brosse, l'enquête fournit un réel état des insatisfactions et des aspirations des catégories fraîchement arrivées à l'âge adulte ou en passe d'y parvenir et la photographie ainsi restituée, loin de tomber dans le cliché d'un pays cueillant déjà pleinement à cette date les fruits de la croissance, montre au contraire les attentes attisées et les impatiences désormais mal réfrénées. « Les choses » dont ces strates démographiques montantes, qui doivent faire la France de demain, se sentent « privées », « sur le plan matériel », et dont *L'Express* fait l'inventaire, dessinent nettement le fossé croissant entre une France déjà bien engagée économiquement dans les Trente Glorieuses et les dividendes d'un tel élan, qui tardent encore à venir et

---

1. L'enquête culmine les 5 et 12 décembre avec le « rapport national sur la jeunesse », nourri par une grande enquête de l'IFOP. Cette enquête sera publiée quelques mois plus tard par Françoise Giroud sous le titre *La Nouvelle Vague. Portraits de la jeunesse* (Paris, Gallimard, 1958).

paraissent donc comme autant de fruits verts, agaçant notamment les dents des plus jeunes, encore peu dotés. Si cette « jeunesse » se dit « très heureuse » à 24 % et « assez heureuse » à 61 %, elle formule, en effet, en réponse à la question : « Sur le plan matériel, y a-t-il des choses dont vous vous sentez privés ? », une litanie impressionnante de frustrations [1].

| | |
|---|---|
| Vacances | 42 % |
| Moyen personnel de transport | 39 % |
| Distraction | 35 % |
| Appareils ménagers | 33 % |
| Logement | 27 % |
| Mobilier | 22 % |
| Vêtements | 18 % |
| Nourriture | 2 % |
| Autre chose | 10 % |
| Rien | 10 % |

« La Nouvelle Vague arrive », titrait *L'Express* du 3 octobre 1957 avec, en exergue, une citation de Péguy : « C'est nous

---

1. F. Giroud, *op. cit.*, p. 332.

qui sommes le centre et le cœur. L'axe passe par nous. C'est à notre montre qu'il faudra lire l'heure. » Le cadran, pour l'instant, n'inclut pas les *baby-boomers,* encore largement dans leur prime enfance, mais seulement la « génération » qui, « dans dix ans, aura pris la France en main » : c'est en ces termes que Françoise Giroud avait annoncé, dans un éditorial du 23 août précédent, l'enquête à venir. D'une certaine façon, il s'agissait d'un état des lieux avant l'arrivée de la véritable vague, celle qui, précisément, dans dix ans, se sera installée, dès l'adolescence, au cœur de cette France entre-temps investie par les enfants des classes creuses devenus adultes et sortis de la guerre d'Algérie.

Plus jeunes d'un ou deux lustres seulement, les membres de la génération du *baby-boom* seront les adolescents de l'orée des années 1960. Mais les écarts de génération comptent double ici, en raison de l'évolution de la société française, qui s'accélère entre les deux décennies. Les *baby-boomers* s'ébrouent dans une France brassée par une culture de masse bien plus prégnante qu'auparavant et, en outre, progressivement davantage réceptive à des ferments venus précisément de ces couches démographiques les plus jeunes, l'ensemble du processus s'opérant de surcroît dans un contexte de dilatation culturelle à l'échelle de la planète. Le temps est venu du Teppaz et de *Salut les copains,* puis des Beatles et enfin de Woodstock : une culture juvénile se développe alors, qui colore en profondeur cette culture de masse, lui conférant de nouveaux traits et modifiant non seulement sa tonalité mais aussi sa teneur.

Ce processus accroît les clivages générationnels classiques et donne ainsi, indirectement, une identité encore plus forte à la génération du *baby-boom.* Non seulement, celle-ci acquiert des traits culturels spécifiques, mais cette spécificité est perçue comme telle par les jeunes aînés de la « nouvelle vague » qui furent tour à tour les adolescents de la France de l'après-guerre, puis les jeunes gens de la guerre d'Algérie, « génération du djebel » ou étudiants dont la conscience politique s'est parfois forgée au feu du combat contre cette guerre. Jeunes adultes dans les années 1960, ceux-ci poseront souvent un regard quelque peu perplexe sur leurs cadets. Cette perplexité, parfois muée en incompréhension, est sensible à bien des symptômes. Ainsi Serge July, pourtant né en 1942, est-il plus proche de ses aînés nés entre 1935 et 1940, avec lesquels il a en commun un militantisme politique, au demeurant multiforme, durant la guerre d'Algérie, que des cadets du Golf-Drouot qu'il observe pour *Clarté* d'un œil d'entomologiste à l'automne 1963[1]. La même année, *France Observateur,* posant la question : « La "jeunesse" est-ce que ça existe ? », jette un regard bienveillant mais là encore perplexe, sous la plume de Walter Lewino, sur la jeunesse « touiste[2] ». De la même façon, en 1965, dans le même hebdomadaire devenu *Le Nouvel Observateur,* un article vante le succès devant un public étudiant d'une musique jugée de bien meilleure qualité que celle des « idoles », lors d'un concert à la Mutualité de Jean Ferrat et Anne Sylvestre[3].

La Mutualité, un public étudiant : à nouveau les références renvoient légèrement en arrière, juste avant la vague « yéyé ». Et les jeunes intellectuels d'*Esprit* ne sont pas en reste, qui participent au dossier consacré par la revue en février 1964 au « Temps des copains ». Sous le pseudonyme de Christophe Calmy, Michel Winock, jeune agrégé d'histoire, perçoit par exemple, dans les chansons alors en vogue, « l'idéal radical-socialiste ressuscité avec en plus une petite pointe populationniste[4] ». La génération de « la nouvelle vague », à cette date,

---

1. Hervé Hamon et Patrick Rotman, *Génération,* I, *Les Années de rêve,* Paris, Le Seuil, 1987, p. 129-131.
2. *France Observateur,* n° 679, 9 mai 1963, p. 14-15.
3. *Le Nouvel Observateur,* n° 27, 20 mai 1965, p. 32.
4. *Esprit,* février 1964, p. 253.

est devenue adulte et, pour ce qui concerne les anciens étudiants des disciplines littéraires, elle est parfois composée de jeunes professeurs. La génération du *baby-boom* est donc déjà pour elle doublement de l'autre côté de la barrière, culturellement et par ces quelques années qui font d'un enseigné à son tour un enseignant. De surcroît, ces jeunes aînés, lecteurs du *Monde*, de *France Observateur* et de *L'Express*, première et seconde manière, ont un regard déjà d'autant plus distancié qu'ils ont alors tous lu et médité les articles d'Edgar Morin publiés dans *Le Monde* en juillet 1963, peu après la fameuse nuit de la Nation.

### *27 octobre 1960* versus *22 juin 1963*

Quelques années à peine de différence d'âge suffisent donc à élever une sorte de cloison étanche, quant à la perception à chaud de ces années 1960, entre la « nouvelle vague » déjà entrée dans l'âge adulte et le raz-de-marée démographique du *baby-boom* qui balaie la société française des années 1960. Un tel constat peut paraître banal, tant les classes d'âge, précisément, se différencient par des perceptions dissemblables du même événement ou de la même séquence chronologique. Mais, dans ce cas précis, d'une part, l'accélération de l'Histoire et le changement rapide de configuration socio-économique et culturelle de la France ont accusé le contraste, d'autre part, trente ans après, ce sont souvent des historiens appartenant à l'une ou l'autre génération qui, l'histoire du temps présent aidant, se sont saisis du sujet.

Avec, de ce fait, des angles d'attaque dissemblables et, pour cette raison, des précautions méthodologiques différentes à observer. Les historiens appartenant à la génération du *baby-boom* – en d'autres termes, ceux dont l'âge tourne aujourd'hui autour de la cinquantaine – ont à gérer, on l'a déjà souligné, l'écueil éventuel d'un effet Rosebud, la « culture jeune » des années 1960 renvoyant à l'adolescence, à l'instar de la luge-Rosebud du *Citizen Kane* d'Orson Welles renvoyant à l'enfance. Plus que pour d'autres périodes, les effets de réverbération sur l'historien, précisément parce qu'ils reflètent une culture de masse qui s'insémina en quelques années sur une génération tout entière, peuvent être puissants. Par rapport à de fortes expériences historiques qui touchèrent les générations précédentes au point de les marquer parfois d'une empreinte identitaire – ainsi la guerre d'Algérie pour les aînés de la « nouvelle vague » –, la culture sonore de « SLC, Salut les copains » réverbérée ne doit pas transformer le chercheur en simple « ex-*fan* des sixties », même mâtiné d'un éventuel « piéton de mai ». Il y aurait, en pareil cas, le péril de déboucher sur une situation de vision double, du type « manif » de l'UNEF contre la guerre d'Algérie du 27 octobre 1960 à la Mutualité *versus* la fête des « copains » le 22 juin 1963 place de la Nation, ou *vice versa*. Plus largement, du reste, la vigilance méthodologique doit conduire à une défiance initiale face à l'objet lui-même : le bouillonnement socioculturel des années 1960 est-il un phénomène significatif ou est-il amplifié – et donc surévalué – par une réverbération excessive ? Cette question préalable a sa raison d'être, mais il convient d'emblée d'y répondre de façon négative : ces années 1960 ont une réelle densité historique et le danger d'amplification envisagé constitue déjà par lui-même un indice, la réverbération existant parce qu'il y eut alors intense rayonnement.

Moins que cette réverbération, les historiens de la génération précédente – parvenus, pour leur part, aux alentours de la soixantaine – ont, eux, à gérer intellectuellement des rejeux, par rapport à une analyse qu'ils menèrent à chaud ou vis-à-vis d'enquêtes ou d'études qui les marquèrent alors. En 1986, Michel Winock avait ainsi consacré un feuilleton estival de quarante articles du *Monde* aux « années soixante », devenu l'année suivante un livre aux Éditions du Seuil. Commençant par « la fin d'une guerre » – celle d'Algérie – et précédé d'une épigraphe de... Georges Perec, l'ouvrage accordait une place importante aux faits de culture et de société, avec cette précision liminaire : « C'est en prenant de l'âge qu'on éprouve un jour le sentiment d'appartenir à une génération : quand celle qui suit débarque dans le paysage. » Après une allusion à l'article d'*Esprit* de 1964, suivait aussi cette observation : « L'important, que je ne savais pas voir, était évidemment ailleurs... Elles arrivaient sur la place, en rangs serrés, les cohortes du *baby-boom* ! Elles allaient tout changer ; elles allaient *nous* changer[1]. »

Sept ans plus tard, à l'automne 1994, *L'Histoire* et le Festival international du film d'histoire de Pessac organisaient une rencontre autour de « Nos années soixante ». À cette occasion, Jean-Pierre Rioux consacrait dans *L'Histoire* de novembre un article à « La France yé-yé des années 60[2] ». Le premier paragraphe évoquait *L'Esprit du temps* d'Edgar Morin (1962) et la première note mentionnait ses articles dans *Le Monde* des 6 et 7 juillet 1963, tandis que la bibliographie mettait en bonne place le dossier d'*Esprit* de février 1964. Là encore, le phénomène de rejeu de curiosité intellectuelle était manifeste. Il a peut-être contribué, aux côtés des premières investigations rétrospectives des historiens de la génération suivante[3], à éviter un rejet de la greffe des années 1960 au

---

1. Michel Winock, *Chronique des années soixante,* Paris, Le Seuil, 1987, p. 95 et 97. Déjà auparavant, à plusieurs reprises, dans *L'Histoire,* Michel Winock avait évoqué ce sujet de la montée des jeunes.

2. Art. cit., *L'Histoire,* n° 182, novembre 1994, p. 16-25.

3. J'ai, pour ma part, planté quelques courts jalons dans mon article de *Vingtième Siècle. Revue d'histoire,* n° 22, d'avril-juin 1989 (« Génération et histoire politique », p. 67-80) et dans le chapitre, « L'ère culturelle des masses ? », de *Notre siècle* de René Rémond (Fayard, 1988). J'y suis revenu un peu plus longuement dans *Le Temps des masses,* réf. cit., chapitres 14 et 15, et dans certaines de mes contributions à *La France d'un siècle à l'autre.*

domaine d'investigation de la recherche historique, greffe qu'une trop grande proximité chronologique aurait, pour le domaine socioculturel, différée ou pour le moins retardée. Mais, entre les ex-*baby-boomers* et les anciens lecteurs de Morin, la perspective initiale n'était probablement pas la même.

Sur les années 1960, il est vrai, l'existence de ces regards générationnels potentiellement différents est précieuse, car cette différence en fait des regards croisés qui donnent à cette décennie plus de densité encore : années insouciantes, voire désinvoltes après les grands engagements de la guerre d'Algérie aux yeux de certains, années cardinales de l'apprentissage politique sous le signe de l'extrême gauche pour d'autres, années bouillonnantes et contestataires doublées d'une douceur de vivre pour d'autres encore, le kaléidoscope, à bien l'observer, ne renvoie pas des images forcément contradictoires. Au contraire, l'écoulement, entre-temps, d'un tiers de siècle et les évolutions historiographiques apparues dans l'intervalle, et notamment depuis une quinzaine d'années, ont fait rétrospectivement apparaître pour ces années 1960 ainsi revisitées quelques contours nets et une densité exceptionnelle.

---

*Dictionnaire critique* que j'ai dirigé, avec Jean-Pierre Rioux, chez Hachette Littératures (1999, 984 p., rééd., 2 vol., coll. « Pluriel », 2002).

# *Une* génération ou *la* jeunesse?

Si la France est ainsi touchée de plein fouet par le *baby-boom* au cours des années d'après guerre, la vague apparue prend plus de visibilité encore dans le paysage national une décennie plus tard, au moment où les « beaux bébés » souhaités par le général de Gaulle parviennent à l'adolescence. Quand Alfred Sauvy publie en 1959 *La Montée des jeunes*, le constat s'impose à tous : une classe d'âge très dense peuple les écoles, et bientôt les collèges et les lycées, tout comme quelques années plus tôt bien des landaus avaient parcouru les squares et les parcs. Mais le diagnostic d'Alfred Sauvy et le titre donné à son livre ne se contentent pas de prendre acte du fait que la montée de sève a commencé à produire ses effets sur le corps social et que celui-ci a rajeuni massivement, en contraste avec la dépression démographique antérieure. Ils formulent déjà implicitement une question appelée à devenir récurrente : tout autant qu'à l'apparition quasi mécanique d'une nouvelle classe d'âge, n'assiste-t-on pas à l'émergence d'un nouveau groupe social, la jeunesse? Et, si tel est le cas, n'observe-t-on pas une sorte d'identification entre cette jeunesse supposée émergente en tant qu'entité désormais largement autonome et cette génération du *baby-boom,* qui serait donc à la fois l'actrice et l'incarnation de ce processus?

La réponse apparaît, à l'examen, positive à condition de préciser aussitôt que si les jeunes deviennent alors un élément visible et autonome du paysage social, ce n'est pas seulement parce qu'ils y surgissent brusquement comme une sorte d'aérolithe venu d'ailleurs. C'est bien également, par-delà le poids que prend alors leur classe d'âge, parce qu'ils vont être perçus comme un phénomène sociologique nouveau par la société qui les porte et qu'eux-mêmes, de surcroît, se percevront ainsi. À la croisée de la perception de soi et de la vision des autres, une mue a bien lieu à la charnière des années 50 et de la décennie suivante. C'est, du reste, à ce titre également que les *baby-boomers* sont le produit d'une mutation.

Et c'est là, aussi, que l'apport de la discipline historique peut être précieux. Si la démographie, la sociologie, voire l'ethnographie se sont penchées depuis longtemps sur le sujet, les nouvelles orientations de cette discipline, notamment dans ses branches culturelle et politique, peuvent contribuer à explorer d'autres pistes relevant de l'étude des processus de représentations collectives et donc à éclairer cette mutation. Mais une approche historique de ce type permet également de mieux replacer les phénomènes analysés en perspective et de constater ainsi qu'avant même l'arrivée massive des jeunes gens du *baby-boom* sur le devant de la scène, la strate d'âge précédente, bien que constituée par les « classes creuses » des années 1930 et du début de l'Occupation, était déjà devenue plus visible dans la France de la IV^e République. Un tel constat, là encore, n'est paradoxal qu'en apparence. Car cette émergence remarquée d'une strate pourtant démographiquement maigre relève déjà de mécanismes qui permettront « la montée des jeunes » et de phénomènes de perception collective qui commencent à placer cette montée au cœur des débats de société. Dans les deux cas, de fait, c'est bien de représentations collectives qu'il s'agit, endogènes et exogènes, et le processus, autant que démographique, est donc culturel.

CONCLUSION DE LA PREMIÈRE PARTIE

C'est, de fait, ce registre qu'il convient d'explorer pour tenter de mieux établir la carte d'identité – et les signes particuliers – de la classe d'âge du *baby-boom*. D'autant que les traits essentiels de celle-ci sont, de fait, de nature culturelle.

# DEUXIÈME PARTIE

# Les Petits Princes
# de la planète des jeunes

Il était une fois une génération qui vint à la vie au moment où les tickets de rationnement n'avaient pas encore disparu de la France de l'après-guerre mais qui parvint à l'adolescence dans un pays en train de changer à vitesse accélérée : l'image, à tout prendre, n'est pas fausse, mais elle reste incomplète. Autant qu'une classe d'âge de la mutation sociologique, cette génération fut celle de la transition culturelle : elle sera la première, en effet, à baigner pleinement dès l'enfance dans l'image et le son, en restant cependant, à bien des égards, profondément marquée par la civilisation de l'imprimé.

# Le podium du 22 juin

Chaque génération a les événements fondateurs qu'elle peut. Pour les *baby-boomers*, il est classique d'écrire que celui-ci eut lieu autour d'un podium : l'historien à la recherche de dates clés et d'épisodes saillants débouche forcément, à un moment de son investigation, sur cette sorte de prise de la Bastille qu'aurait été l'investissement de la place de la Nation par la jeunesse française le 22 juin 1963. Le passage est devenu obligé, puisque les observateurs, à chaud, conclurent à l'importance de l'épisode que Pierre Viansson-Ponté baptisa quelques années plus tard « Marignan des yéyés, Austerlitz des twisteurs[1] ».

Tous les ingrédients étaient réunis pour que l'épisode se transforme en fait sociologique. Et, tout d'abord, l'effet de masse, parce qu'il était inattendu, se transforma en effet de surprise. Le décor, campé place de la Nation, est aisé à décrire : le « podium électronique » d'Europe n° 1, qui va à partir du lendemain suivre les étapes du Tour de France, accueille ce soir-là un grand concert gratuit pour fêter le premier anniversaire du mensuel *Salut les copains*. Depuis plu-

---

1. Pierre Viansson-Ponté, *Histoire de la République gaullienne*, Paris, Fayard, 1971, p. 113.

sieurs jours, l'émission du même nom a annoncé l'événement, avec la présence de plusieurs vedettes de la chanson « yé-yé », notamment Richard Anthony, Eddy Mitchell et « l'idole des jeunes » en personne, Johnny Hallyday. Rétrospectivement, il apparaît que les organisateurs, Daniel Filipacchi en tête, ont vite été débordés par un flot qu'ils n'attendaient pas : les « copains », dont on prévoyait trente mille représentants, se retrouvèrent au moins cent cinquante mille[1] en arrivant place de la Nation. Si le concert a tout de même lieu, dans un climat d'allégresse proche du délire, la masse ainsi rassemblée transforme bientôt la communion « yé-yé » en bateau ivre, à tel point qu'il faudra écourter le spectacle prévu. Et si les appels à la dispersion des organisateurs ont évité le pire, la foule s'écoulant globalement en bon ordre, le petit matin livre le spectacle non pas tant d'un lendemain d'émeute que des conséquences matérielles d'une liesse mal contrôlée : voitures endommagées, magasins et cafés aux vitrines sinistrées, arbres ayant souffert de la tempête jeune.

Si la logistique avait été ainsi dépassée par les événements, les faits, globalement, ne revêtaient pas une gravité extrême, alors qu'ils auraient pu être tragiques à la suite d'un mouvement de foule incontrôlé. C'est, en fait, surtout l'effet d'écho qui joua le rôle de catalyseur. La presse, en effet, leur donna une large place et joua ainsi le rôle de caisse de résonance. Les quotidiens y consacrèrent à chaud bien des titres accrocheurs, parlant d'un « festival du twist » qui aurait « mal tourné » (*La Croix* du 25 juin), d'une « folle nuit » (*France-Soir* du même jour), d'un « incroyable chahut » (*L'Aurore* du 24 juin). Mais, surtout, les éditorialistes vinrent bientôt en faire l'exégèse, car pour eux, comme l'écrira un peu plus tard *Candide* (25 juillet),

---

1. Maurice Siegel, l'un des responsables de la soirée, parlera même de 250 000 personnes (Maurice Siegel, *Vingt ans ça suffit!*, Paris, Plon, 1975, p. 179).

il s'est bien agi d'une « nuit révélatrice ». Et le même numéro de cet hebdomadaire décrivait les « transes vibrantes d'un invraisemblable culte de la nullité ».

Ce sont moins, au bout du compte, de tels jugements de valeur qui comptèrent que la mise en place d'une vulgate s'interrogeant sur cette houle causée par la lame de fond constituée par les dernières rides de la « nouvelle vague », pour les plus âgés, et les premiers rangs du *baby-boom*, pour les plus jeunes des participants. Et si l'on cite toujours, depuis, le « salut les voyous » de Pierre Charpy dans *Paris-Presse* (25 juin) ou les anathèmes de Philippe Bouvard dans *Le Figaro* (24 juin) – « Quelle différence entre le twist de Vincennes et le discours d'Hitler au Reichstag, si ce n'est un certain parti pris de musicalité ? » –, le clivage droite-gauche n'est pas réellement opératoire pour rendre compte d'éventuelles différences de ton dans l'appréciation et l'analyse de l'épisode : *Libération* du 24 juin, par exemple, lui consacre un regard sans aménité, tout comme *Rivarol* du 4 juillet. Et, quelques jours plus tard, les articles d'Edgar Morin allaient stimuler et vertébrer intellectuellement toute une réflexion multiforme sur la montée de sève dans cette France du début des années 1960. La prise, un soir durant, de la place de la Nation par les auditeurs de « SLC » constitua moins un électrochoc qu'une nouvelle piqûre de rappel. Depuis les articles sur la « nouvelle vague » en 1957 et les avertissements d'Alfred Sauvy en 1959 dans *La Montée des jeunes*, la question était devenue récurrente. La phrase, souvent citée depuis, de François Nourissier dans *Les Nouvelles littéraires* du 26 septembre 1963 – « Voici que se lève, immense, bien nourrie, ignorante en histoire, opulente, réaliste, la cohorte dépolitisée et dédramatisée des Français de moins de vingt ans... » – était déjà dans l'air du temps depuis plusieurs années.

Si l'épisode fit ainsi couler beaucoup d'encre, ce n'est pas seulement parce qu'il confirmait ainsi, par une sorte de geyser, la puissance de la montée de sève. S'y perçoit aussi l'autre dimension de la métamorphose en cours : la montée d'une culture de masse, qui est en même temps, largement, une culture juvénile. Moins qu'un événement fondateur, la soirée du 22 juin 1963 est donc plutôt un épisode révélateur de l'entrée des jeunes nés dans l'après-guerre dans le monde de l'image et du son. Autant que les adolescents de la prospérité, ces *baby-boomers* sont bien, d'emblée et de plain-pied, les Petits Princes d'une planète en train de passer de Gutenberg à McLuhan. Ils vont se trouver emportés par l'autre dimension de la métamorphose française : la montée d'une culture de masse dont le fondement n'est plus, comme par le passé, le livre et, plus largement, l'imprimé, mais l'image et le son. Là encore, ces *baby-boomers* sont, au sens propre, des mutants, d'autant qu'ils ne se contentent pas de subir cette mutation, ils vont en devenir bientôt les acteurs principaux : la vague démographique montante imprègne cette culture de masse en plein développement mais encore malléable et dont les supports principaux, l'image et surtout, dans un premier temps, le son vont servir de conduits à une sorte d'eau de jouvence imprégnant la société française.

# CHAPITRE IV

# De Gutenberg à McLuhan

En même temps, il est vrai, le substrat culturel de cette génération resta largement, à cette date, le monde de l'imprimé. Si la diversité sociologique demeure forte en son sein, elle est dotée, on l'a vu, d'un capital scolaire beaucoup plus important que celui de ses aînés et elle est, de surcroît, la première dans l'histoire française à atteindre un tel degré de formation culturelle initiale. Et cette formation reste fondée sur le livre et le périodique. En ses années d'éveil et d'apprentissage, la génération du *baby-boom* demeura largement une génération de l'imprimé. À tel point, du reste, que les mécanismes de surveillance mis en place pour veiller à son édification et à sa bonne tenue civique portèrent la plus grande partie de leur attention sur la production issue des rotatives. Avec, on le verra, d'indéniables effets sur l'environnement socioculturel et, plus largement, mental de cette génération.

## Le livre en tête

La culture des *baby-boomers* n'est assurément pas uniforme. Même si les clivages sociologiques au sein de la génération montante y sont globalement moins aigus que dans les générations précédentes en raison de l'amélioration générale de la vie quotidienne et par l'effet mécanique de l'allongement de la scolarité, ils demeurent pourtant forts entre ces jeunes, en filigrane des écarts sociaux qui continuent alors à parcourir la société française[1]. Il n'empêche. L'évolution globale, on l'a dit, est saisissante, tant par son ampleur que par sa rapidité, et la génération montante est dotée d'un capital scolaire sans précédent. Ce qui, du reste, explique que cette génération demeure encore une génération de l'imprimé.

### La force de l'écrit

En 1960, les livres pour l'enseignement représentent en France 27 % de la production imprimée – contre 21 % aux États-Unis – et les livres explicitement destinés à la jeunesse 20, 5 % (19,5 % outre-Atlantique) : les ouvrages pour les jeunes constituent donc à cette date près de la moitié (47,5 %) de la production nationale[2]. Certes, une enquête de la même époque du Syndicat national des éditeurs indique que plus de la moitié des Français (58 %) ne lisent jamais de livres, dont cinq agriculteurs sur six et deux ouvriers sur trois, mais un tel

---

1. Les jeunes salariés, on l'a déjà souligné, y demeurent alors plus nombreux que les lycéens et les étudiants.
2. Joffre Dumazedier et Jean Hassenforder, « Éléments pour une sociologie comparée de la production, de la diffusion et de l'utilisation du livre », *Bibliographie de la France,* 2ᵉ partie, 5ᵉ série, nº 24-27, 15 juin-6 juillet 1962, p. 19.

contexte, même s'il conduit à relativiser la densité de la culture imprimée des jeunes, ne vient pas altérer le constat : dans une France marquée alors par la montée en puissance de l'image et du son, la génération qui devrait y être le plus sensible, car vierge de toute empreinte antérieure, conserve au contraire une forte armature fondée sur l'imprimé. Et la progression au même moment de l'encadrement scolaire secondaire joue bien un rôle dans cette résistance du livre : seuls 28 % des Français possédant une formation primaire lisent des livres[1].

L'existence d'une telle armature imprimée est, du reste, confirmée par d'autres indices. La même enquête du Syndicat national des éditeurs révèle, par exemple, que 233 des 300 enfants et adolescents interrogés, soit 77,5 %, déclarent avoir reçu des livres en cadeau. À tel point que le sociologue Joffre Dumazedier peut observer à cette occasion que « le cadeau de livres aux jeunes est en train de devenir une coutume qui amène des adultes non lecteurs à pénétrer chez les libraires et à se familiariser ainsi avec le monde du livre[2] ». Si l'on ajoute que le phénomène du livre de poche, qui a atteint rapidement sa vitesse de croisière après la création de la collection du même nom en 1953, semble particulièrement toucher les très jeunes adultes – en ce début des années 1960, 55 % des jeunes de 20 à 27 ans qui achètent des livres acquièrent notamment des livres de poche, contre 29, 5 % des lecteurs de plus de 58 ans[3] –, l'armature imprimée apparaît singulièrement solide. Et les années 1950 avaient déjà creusé le sillon. Le cas Marabout est, à cet égard, révélateur.

---

1. *Ibid.*, p. 24 et 67.
2. *Ibid.*, p. 26.
3. *Ibid.*, p. 32. Sans compter les « scolaires » : cf., à leur propos, Aurélie Pagnier, « Le Livre de poche : histoire des premières années d'une collection (1953-1961) », dact., DEA, IEP de Paris, 2000, notamment pp. 128-129.

## Les juniors de Marabout

En mai 1953, l'éditeur belge Marabout annonce la naissance de la collection Marabout Junior[1]. C'est le public adolescent qui est visé et les attendus déclinés à la fin de chaque volume le disent explicitement : « Nous les jeunes sommes trop souvent les incompris, les délaissés. [...] Il n'y a rien qui nous permette de constituer notre propre bibliothèque, moderne, bien présentée et – surtout ! – peu coûteuse. » Chaque volume sera donc vendu 120 francs français – ou 15 francs belges – pour 160 pages. Surtout, le 16 décembre, un héros des *baby-boomers* y naît : ce jour-là est publié le premier volume de la série des « Bob Morane ». L'ancien *flying commander* de la Royal Air Force avait achevé ses études d'ingénieur dans la France libérée puis « s'était senti repris par la nostalgie des vastes horizons » : c'est ainsi, en tout cas, qu'il apparaît dans *La Vallée infernale* qui sort en ce mois de décembre 1953. « Sa large poitrine gonflée par une sourde allégresse », il pilote un bimoteur en Nouvelle-Guinée, au-dessus d'une forêt peuplée de « Papous coupeurs de têtes ».

Cinq ans plus tard, à la page 190 du Marabout Junior n° 134, *Les Dents du tigre,* « Bob Morane » de 320 pages sorti en novembre 1958 à l'occasion des fêtes de fin d'année, l'âge du héros éponyme est indiqué : « Peut-être ne suis-je plus ce que j'étais en 1942 quand, à seize ans, m'étant échappé de la France occupée, je m'engageai dans la Royal Air Force. » Les adolescents de 1958 peuvent presque s'identifier à un personnage qui fut un héros à leur âge, ou presque, et qui vient à peine de franchir le cap de la trentaine après déjà bien des aventures au fil des années 1950. Et leurs cadets pourront faire de même : le compteur du temps sera implicitement blo-

1. Jacques Dieu, *50 ans de culture Marabout, 1949-1999,* Verviers, Éditions Nostalgia, 1999, p. 79.

qué après *Les Dents du tigre* et plus jamais l'auteur, Henri Vernes, ne mentionnera d'indication d'âge directe ou indirecte; bien plus, ce n'est que dans la première édition de ce livre que figura une telle indication, qui disparut des éditions suivantes[1].

En cette même fin d'année 1958, deux disques Bob Morane sont aussi mis en vente : *Mission pour Thulé* et le premier titre de la série, *La Vallée infernale*. À cette date, les plus âgés des membres de la génération du *baby-boom* arrivent à l'adolescence et deviennent à leur tour lecteurs et parfois auditeurs des aventures d'un Bob Morane déjà devenu une véritable institution éditoriale, traduite dans plusieurs langues. Au cours des années suivantes, plusieurs albums des aventures de Bob Morane en bandes dessinées seront aussi publiés. Puis viendra le temps des adaptations télévisées. Mais la production initiale en livres fut celle dont l'empreinte fut, au bout du compte, la plus profonde. La production imprimée de Marabout avait, en effet, touché massivement le lectorat français dès les années 1950 : à la fin de cette décennie, le nombre d'ouvrages diffusés par cet éditeur frôle déjà les cinq millions d'exemplaires dont les trois cinquièmes sont exportés, avant tout vers la France[2].

Le même éditeur a aussi introduit un autre objet culturel dans l'univers mental des *baby-boomers* : le « Marabout-Flash ». Celui-ci, il est vrai, à la différence du Marabout Junior destiné, comme son nom l'indiquait, à la jeunesse, n'était pas générationnellement typé. Bien plus, les six premiers titres publiés en mai 1959 sont plutôt destinés à des adultes : *Nous recevons, Mon jardin d'agrément, Je cuisine vite, Vacances en Italie, Dansons!* et *Je peins ma maison*. Et l'esprit de la collection, auquel renvoient ces six petits volumes, est, lui aussi, plu-

1. *Ibid.,* p. 145.
2. Joffre Dumazedier et Jean Hassenforder, *op. cit.,* p. 31.

tôt celui d'un monde d'adultes : il s'agit, en effet, de créer une
« encyclopédie permanente de la vie quotidienne ». Le public
visé, incarné par Monsieur et Madame Flash, souvent présents
en couverture, est plutôt celui des jeunes couples. En même
temps, il est vrai, un tel programme pouvait aussi accueillir des
livres destinés à un public d'adolescents. D'autant que le prix
très modique joua forcément un rôle attractif pour une collection née quand la génération du *baby-boom* avait dix-douze
ans et se retrouvait, au seuil de l'adolescence, dotée d'un
argent de poche souvent modeste mais réel. Le résultat, en
tout cas, est patent. La série, dont la publication se stabilise à
trois nouveaux titres par mois, réserve certains de ses titres –
rares, il est vrai – à un public sinon adolescent, en tout cas
jeune : le Marabout-Flash n° 14, en 1959, porte sur « Mon
scooter ». Surtout, dès l'année précédente, le n° 7 inaugurait,
avec *Les Avions européens,* la série « Les flottes aériennes
mondiales », bientôt suivie par « L'histoire de l'aviation »,
explicitement mise en parallèle avec certains titres de Marabout Junior consacrés à l'aviation. Parallèlement à certaines
pages techniques de *Spirou* et, surtout, à la série Buck Danny
dans le même hebdomadaire, ces ouvrages contribuèrent à
entretenir chez bien des jeunes garçons de la génération du
*baby-boom* une réelle sensibilité aéronautique. Certes, le
temps des Mermoz – premier volume de Marabout Junior ! –
était passé mais les batailles aériennes de la Seconde Guerre
mondiale trouvaient encore ainsi un écho très fort chez les
*baby-boomers,* contemporains de surcroît du passage de
l'aviation civile des moteurs à piston à celle des réacteurs. Le
numéro 29 des « Marabout-Flash », sorti en 1960, portait en
couverture la photographie d'un Boeing 707 de la Sabena. La
version « intercontinentale » de cet appareil (707-320) avait
volé pour la première fois en janvier 1959. Au seuil de la
décennie suivante, les Boeing 707 d'Air France et les Douglas
DC-8 d'UAT et de TAI apparaissent ainsi dans les compa-

gnies françaises. Auparavant, les jeunes lecteurs de *Spirou* avaient déjà vibré pour la Caravelle de Sud-Aviation, dont le prototype avait volé pour la première fois en mai 1955 et dont la version de série était entrée en service en 1959.

## L'IMAGE, TOUT AUTANT QUE LE TEXTE

Le « Marabout-Flash », en fait, se situait dans un entre-deux, produit hybride de la civilisation de l'imprimé et de la montée en puissance de la photographie, à l'emprise déjà ancienne mais phagocytant désormais les pages des livres. Cela étant, l'image, « reine de notre temps » comme l'avait proclamé dès 1932 Jean Prouvost, s'insinue surtout dans ce monde de l'enfance et de l'adolescence par le vecteur de la bande dessinée. Ce n'est pas le lieu ici d'en retracer l'histoire. En revanche, il faut souligner la concomitance entre le succès de l'« école belge » et la présence chaque jour plus massive des *baby-boomers* au sein de la société française. Certes, l'ascension de cette « école belge » s'amorce à une date où ceux-ci sont encore, pour le plus grand nombre, dans les limbes ou, pour le moins, dans leur plus jeune âge – *Spirou* et *Tintin* apparaissent en France respectivement en 1946 et 1948 –, mais la concomitance des deux phénomènes n'en est, à cet égard, que plus frappante : apparus en même temps que les futurs jeunes lecteurs ces deux titres tireront leur succès, au fil des années 1950, de l'adhésion de ceux-ci à l'un ou à l'autre, au point de devenir des titres éponymes.

## *Tintin* ou *Spirou*

Car les *baby-boomers,* ou pour le moins nombre d'entre eux, auront été en leurs jeunes années une génération *Tintin* ou *Spirou.* Assurément, on le verra, l'examen des tirages conduit à nuancer la réalité d'une telle assimilation, mais un fait demeure : cet écho rencontré par l'« école belge » parmi les cohortes de l'après-guerre et surtout l'empreinte profonde laissée ensuite sur leur mémoire collective constituent bien un symptôme de cette place tenue sur le moment même par la bande dessinée. L'un des fleurons de celle-ci, *Spirou,* né en 1938 dans la banlieue de Charleroi, a eu de 1946 à 1948 une édition française. Puis, de part et d'autre de la frontière, adolescents belges et français liront le même journal. Quant au *Journal de Tintin,* apparu à Tournai en 1946 et porté par le succès à la même époque des albums désormais en couleurs des aventures du héros principal, il possède à partir de 1948 une édition française, portée sur les fonts baptismaux le 28 octobre et destinée dès le départ à des lecteurs de « 7 à 77 ans » : la préadolescence en est d'emblée explicitement écartée.

La geste de cette « école belge » a été maintes fois narrée. Dès cette période d'extension vers la France, bien des traits distinctifs sont déjà en place. À *Spirou,* André Franquin dessine le groom qui donne son nom à l'hebdomadaire à partir de juin 1946, tandis que l'édition française de *Tintin* aligne dès son premier numéro quatre des héros appelés à faire souche : Tintin, bien sûr, mais aussi Alix, dessiné par Jacques Martin, et Blake et Mortimer conçus par Edgar P. Jacobs. On a souvent souligné également comment, par l'intermédiaire de ces deux titres, fonctionna alors une sorte de « centrale culturelle catholique » (Pascal Ory)[1], qui fit circuler ses valeurs

---

1. Cf., notamment, « Mickey Go home ! La désaméricanisation de la

parmi les adolescents francophones sans pour autant tenter de saisir ce public « comme explicitement confessionnel ». Mais l'essentiel, sur le registre proprement culturel, était probablement ailleurs. Dans cette « école belge », à la différence de la presse française pour la jeunesse de l'entre-deux-guerres, l'image était reine : dans *Spirou,* la bande dessinée occupe 55 % de la surface totale en 1947 et 70 % en 1952[1]. Et cette bande dessinée de plus en plus présente va aligner des héros exactement contemporains, par leur date de naissance, de la génération du *baby-boom* : Lucky Luke et Buck Danny apparaissent dès 1947 et les autres suivront en rangs serrés, constituant en quelques années une galerie des portraits qui deviendra rétrospectivement une galerie des glaces pour cette génération : celle-ci, en s'y mirant, y trouve des signes de reconnaissance, sortes d'images rétiniennes parlant à l'oreille – tant il est vrai que l'œil écoute – de ses membres par-delà le cours des décennies : ainsi le « *poor lonesome cow-boy* » Lucky Luke, auquel répond en écho l'obsédante question récurrente d'Averell : « Quand est-ce qu'on mange ? », ou encore le « M'enfin ! » de Gaston Lagaffe. Avant même l'irruption du son dans l'image quotidienne – par la télévision –, s'incrustèrent ainsi dans la culture sensible d'une génération autant d'éléments d'un code partagé. D'autant que les souvenirs sonores issus de la télévision des années 1960, s'ils demeurent eux aussi profondément ancrés dans la mémoire collective des jeunes du *baby-boom,* qui les perçurent au temps de leurs quinze ans, n'en sont pas la propriété exclusive et donc pas la marque distinctive : les autres générations baignèrent dans le même torrent télévisuel et son écume sonore trente-cinq ans plus tard – ainsi « Je ne suis pas un numéro »

---

bande dessinée (1945-1950) », *Vingtième Siècle. Revue d'histoire,* octobre 1984, pp. 77-88.
  1. *Ibid.*

régulièrement proféré par « Le Prisonnier », ou encore « Cette mission, si toutefois vous l'acceptez... », rituellement confiée à l'équipe de « Mission impossible » – n'avait pas été déposée à l'époque sur une seule génération.

## Des personnages en quête de jeunes lecteurs

L'empreinte de *Tintin* et *Spirou* fut d'autant plus marquante pour cette génération qu'elle dessinait, au propre comme au figuré, une structure binaire. Avant de s'opposer dix ans plus tard sur les mérites comparés des Beatles et des Rolling Stones, les jeunes gens du *baby-boom* se divisèrent parfois, au temps de leur prime adolescence, entre tenants de *Spirou* et partisans de *Tintin*. Deux héros l'un et l'autre masculins : le point est à souligner d'emblée, tant cette génération du *baby-boom,* dans ses héros comme, nous le verrons, dans ses stéréotypes, restait profondément sexuée et masculine. À l'image, du reste, de la diffusion des publications pour la jeunesse : la commission issue de la loi de juillet 1949 et chargée de son contrôle recensait, à la date du 31 décembre 1950, 93 périodiques pour les garçons, contre 19 seulement pour les filles et 15 mixtes. Héros sexués, donc, dans un univers asexué. On prête, à cet égard, au père d'Achille Talon, Greg, arrivé à la tête de *Tintin* en 1966, le constat suivant : « J'en avais marre d'un journal où la seule femme était la Castafiore[1]. »

*Tintin* et *Spirou* ne seront, de fait, jamais réellement inquiétés, au temps de leur grandeur, par la commission *ad hoc.* Quand, le jeudi 26 septembre 1946, paraît le n° 1 de *Tintin,* est signalé en exergue du journal qu'il s'agit d'« offrir des pages de lecture saines et passionnantes » et le registre de « l'aventure » est explicitement annoncé en couverture, avec « les

---

1. *Le Monde,* 29-30 septembre 1996, p. 12.

nouvelles aventures de Tintin et de Milou » qui les conduiront au *Temple du soleil*. Et quand est publiée, deux ans plus tard, le premier numéro de l'édition française, c'est « le colonel Leclerc pendant la bataille du Fezzan » qui est représenté en pleine page de couverture. Rapidement, la diffusion totale de l'hebdomadaire atteindra 350 000 exemplaires, popularisant des héros et leurs auteurs : Tintin, assurément, mais aussi, entre autres, Alix et Guy Lefranc, Michel Vaillant, Blake et Mortimer, et donc Hergé, Jacques Martin, Jean Graton et Edgar P. Jacobs.

À ces héros, les partisans du journal *Spirou* opposeront ceux nés des crayons de l'autre mouvance de l'« école belge ». Dans cette querelle quasi dynastique, ils pouvaient, de surcroît, revendiquer le principe de primogéniture, leur journal favori étant né, on l'a vu, huit ans avant celui des adeptes de *Tintin*. C'est le 21 avril 1938, en effet, que le groom vêtu de rouge vient au monde, à Marcinelle, dans la banlieue de Charleroi. Le succès initial, indéniable, assure vite une assise au journal mais la Seconde Guerre mondiale entraîne l'arrêt de publication en 1943. Après treize mois de suspension, *Spirou* renaît en octobre 1944 et dès janvier 1946 paraît, on l'a vu, une édition française. Certes, l'aura internationale du personnage créé par Hergé conféra à Tintin un lectorat plus abondant que celui de *Spirou*. Ce qui n'empêcha pas ce dernier d'atteindre un tirage de près de 140 000 exemplaires – contre 260 000 pour son concurrent – au seuil des années 1960, ce qui, affecté d'un fort coefficient de multiplication, représente une solide audience. Surtout, cet hebdomadaire fut littéralement un vecteur à têtes multiples, introduisant dans l'imaginaire des jeunes du *baby-boom* bien des héros passés à la postérité : Spirou, Lucky Luke, Gaston Lagaffe, Johan et Pirluit – bientôt supplantés sous le crayon de Peyo par les Schtroumpfs –, le Vieux Nick, Gil Jourdan, Boule et Bill, Valhardi, Marc Dacier, la Patrouille des castors, Buck Danny, Tif et Tondu, l'Oncle Paul et ses « belles histoires », sans oublier l'écureuil Spip. Et les auteurs y gagnèrent vite en notoriété, notamment « la bande des quatre » – Franquin, Jijé, Morris et Will – qui fit les beaux jours du *Spirou* des années 1950.

## LE SYNDROME DE LA BULLE

La génération du *baby-boom* n'est pas seulement apparue en même temps que des héros de papier qui l'accompagnèrent tout au long de son enfance et de son adolescence et qui nourrirent son imaginaire. Elle est également contemporaine d'une loi votée, on l'a dit, en 1949 et qui contribua à dessiner une partie de son environnement socioculturel et mental. Celle-ci fit, du reste, également partie de son champ visuel : la mention « Loi n° 49-956 du 16 juillet 1949 sur les publications destinées à la jeunesse » – votée le 2 juillet, elle fut promulguée quatorze jours plus tard – devait être théoriquement portée sur la première ou la dernière page de tous les périodiques et les livres destinés « aux enfants et aux adolescents » – précisait l'article 1er – de la France des années 1950. Cette loi, publiée au *Journal officiel* du 19 juillet 1949[1], avait, à cet effet, institué dès l'année suivante une commission de surveillance et de contrôle au ministère de la Justice.

---

1. Pp. 7 006-7 008.

*Une adolescence sous surveillance ?*

On ne fera pas ici une étude exhaustive des effets de cette loi et des travaux de cette commission[1]. En même temps, il faut observer que ce dispositif mis en place par la puissance publique a joué un rôle essentiel, d'autant que l'article 14 entendait sanctionner « le caractère licencieux ou pornographique » des « publications de toute nature » qui peuvent influencer la jeunesse ou « la place » qui y est « faite au crime » et que, surtout, l'article 2 et plusieurs autres articles entendaient contrôler plus directement les périodiques destinés aux « enfants et aux adolescents ». Cet article 2, notamment, était essentiel, introduisant le délit de « démoralisation » de l'enfance ou de la jeunesse par voie de presse. Par-delà les alliances de circonstance qui ont permis le vote de cette loi et les arrière-pensées très diverses des uns et des autres, il y a bien, en toile de fond, un souci largement partagé[2] : dans la foulée des réflexions sur la jeunesse menées par la France libre et dans les mouvements de résistance intérieure[3], non seulement il faut éduquer la jeunesse mais aussi

---

1. Sur l'élaboration de cette loi et sur les travaux de cette commission, outre plusieurs travaux récents de juristes ou de politologues, les historiens ont également commencé à travailler. Les analyses de Thierry Crépin sont, à cet égard, essentielles (« "Haro sur le gangster !" La presse enfantine entre acculturation et moralisation (1934-1954) », thèse dact., Paris, 3 vol., 1999, publiée sous le *titre « Haro sur le gangster ! » La moralisation de la presse enfantine (1934-1954)*, Paris, CNRS-Éditions, 2001). Ces analyses portaient, pour l'essentiel, sur la période antérieure au milieu des années 1950. Un mémoire de maîtrise d'Anne Crétois (université de Paris-I, 2000) a prolongé avec brio sur la période 1955-1962 l'étude de « L'encadrement de la presse pour la jeunesse par la Commission de surveillance et de contrôle des publications destinées à l'enfance et à l'adolescence (1955-1962) ».

2. Cf. Thierry Crépin, *op. cit.*, et « *On tue à chaque page* ». *La loi de 1949 sur les publications destinées à la jeunesse*, coordonné par Thierry Crépin et Thierry Groensteen, réf. cit.

3. Jean-François Muracciole, *Les Enfants de la défaite. La Résistance, l'éducation et la culture*, Paris, Presses de Sciences-Po, 1998.

la protéger. Cet objectif de santé morale[1] se retrouve dans l'article 2 : les publications destinées à la jeunesse « ne doivent comporter aucune illustration, aucun récit, aucune chronique, aucune rubrique, aucune insertion présentant sous un jour favorable le banditisme, le mensonge, le vol, la paresse, la lâcheté, la haine, la débauche ou tous actes qualifiés crimes ou délits ou de nature à démoraliser l'enfance ou la jeunesse ou à inspirer ou entretenir des préjugés ethniques », ce dernier point ayant été ajouté en 1954.

Parmi les arguments des partisans d'un contrôle des publications pour la jeunesse figurait notamment l'idée d'une influence néfaste des bandes dessinées venues des États-Unis, certains demandant même l'instauration d'un système de quotas, qui aurait contingenté la surface des publications consacrée à Mickey et consorts. Quinze ans plus tôt, avait eu lieu un débarquement massif de la bande dessinée américaine en France. *Le Journal de Mickey,* lancé le 19 octobre 1934, avait connu un succès immédiat, et bien d'autres titres venus d'outre-Atlantique ou s'inspirant de cette veine s'inscrivirent alors dans son sillage. En tout, ce furent ainsi onze titres qui apparurent en quatre ans.

En 1949, pourtant, l'influence américaine s'était faite moins dense. *Le Journal de Mickey,* par exemple, progressivement atrophié pendant l'Occupation – et accueillant à cette époque des séries dessinées par des Français –, avait disparu en juillet 1944. C'est donc moins l'effet mécanique de la loi de juillet 1949 qui créa un appel d'air favorable à la bande dessinée francophone – notamment dans sa variante belge – qu'un contexte plus général. Du reste, quand Le *Journal de Mickey* reparut en 1952, rien ne l'empêcha de retrouver un rayonnement extraordinaire, avec un tirage hebdomadaire qui attei-

---

1. Bien mis en lumière par Jean-Pierre Rioux dans sa contribution, « L'ardent contexte », à *« On tue à chaque page »...,* réf. cit.

130

gnit vite 600 000 exemplaires. La densité de la génération du *baby-boom* avait entre-temps créé un marché suffisamment étendu pour qu'y cohabitent Mickey et l'« école belge ». Avec, d'ailleurs, une sorte de Yalta éditorial entre tranches d'âge, *Le Journal de Mickey* s'adressant à un public plus jeune.

## Un vert paradis des ferveurs enfantines

La génération du *baby-boom* passa ainsi rapidement de la lecture d'un *Mickey* renaissant à celle d'un *Spirou* ou d'un *Tintin* rayonnants. Mais, par-delà ces titres-phares, elle était donc la classe d'âge la plus directement concernée par les effets de la loi de 1949. Qu'en fut-il, au fil des années 1950, de tels effets ? À partir du milieu de la décennie, la commission, qui siège déjà depuis plusieurs années, estime que la situation s'est assainie : les plus médiocres des illustrés pour la jeunesse ont commencé à disparaître, et si « beaucoup de publications appellent encore des critiques[1] », le progrès est « très net » et « le niveau moyen s'est sensiblement relevé ». À cette date, l'esprit de croisade qui animait une partie du débat de 1949 au moment de la gestation de la loi s'est apaisé. En même temps, il est vrai, la question de la presse périodique pour les enfants et adolescents reste centrale et l'UNESCO, par exemple, s'en saisit en 1956. Chez les intellectuels français, le numéro des *Temps modernes* d'octobre 1955 répercute l'écho de l'ouvrage de Fredric Wertham, *Seduction of the innocent,* publié en 1953 et qui stigmatisait l'influence à ses yeux néfaste des *comics* américains[2]. Il y a bien là des feux mal éteints, où l'on re-

---

1. *Compte tenu des travaux de la Commission... au 1er janvier 1955,* Melun, Imprimerie administrative, 1955, p. 9.
2. Fredric Wertham, « Les "crime comic-book" et la jeunesse », *Les Temps modernes,* n° 118, octobre 1955, p. 385-386.

trouve, comme en 1949, une réelle inquiétude sur l'état moral des générations montantes et un antiaméricanisme latent au sein des milieux culturels francophones, auxquels s'ajoute une indéniable réticence pour les « illustrés ». Ce n'est qu'au fil de la décennie suivante que quelques passionnés commenceront à plaider pour une dignité conférée à la bande dessinée, et l'ennoblissement ne viendra que quelques années plus tard, en 1971, quand Francis Lacassin parlera à son propos d'un « neuvième art ».

En 1955, donc, en dépit de l'assainissement constaté et malgré l'apaisement du débat franco-français à propos de la presse pour la jeunesse, celle-ci est toujours sous haute surveillance et il en restera de même au fil de la dizaine d'années qui suivra. Les spécialistes[1] ont pu ainsi pointer bien des épisodes révélateurs de cette protection attentive qui peut toucher aussi les publications « de toute nature » et donc balayer large. Certes, la commission n'a aucun pouvoir répressif mais elle doit signaler, ainsi que l'indique l'avant-dernier alinéa de l'article 3 de la loi de 1949, les infractions – celles notamment à l'article 2 – aux « autorités compétentes ». Mais la jurisprudence de ses séances la place vite dans une fonction de persuasion, qui la conduit à formuler des recommandations, voire des avertissements et, éventuellement, dans le cas d'importations, des avis défavorables.

Ces décisions de la commission sont d'autant plus significatives pour notre propos que, par-delà le rôle précis qui lui était dévolu dans la moralisation des publications, c'est plus largement la protection de l'enfant qu'elle s'assigne, élargissant ainsi implicitement son champ d'action[2]. À travers de telles décisions, il est donc possible de percevoir tout à la fois les normes de l'époque en vigueur pour les jeunes Français et,

---

1. Et notamment Thierry Crépin et Anne Crétois, *op. cit.*
2. A. Crétois, *op. cit.*, pp. 79 *sqq.*

en découlant, la réalité de leur environnement culturel. Le sujet, à bien y regarder, est essentiel. Si la radio, on le verra, occupe une place importante dans cet environnement, son action est plus tardive à deux titres au moins. D'une part, la radio, en ces années 1950, est globalement moins entendue par ces enfants et adolescents que ne sont lus par eux des « illustrés » : 127 périodiques pour la jeunesse sont ainsi recensés, on l'a vu, en décembre 1950. D'autre part, une radio véritablement « adolescente » – c'est-à-dire diffusant, à certaines heures au moins, pour un public jeune – n'apparaît qu'à la toute fin de ces années 1950, au moment précisément où le cœur de la génération du *baby-boom* devient *teenager*. Auparavant, au fil de la décennie, la radio diffusait rarement des programmes spécifiques, et donc à la fois identitaires et très marquants.

Les dispositions de la commission ne sont donc pas seulement juridiquement normatives, elles contribuent de surcroît à baliser psychologiquement et moralement l'univers mental de la génération de l'après-guerre. Les actes répréhensibles aux yeux de cette commission fixent un cadre et définissent explicitement, sinon le bien, en tout cas le mal. Les « actes qualifiés crimes ou délits » sont, bien sûr, bannis par l'article 2 de la loi 1949, mais aussi, on l'a vu, « le banditisme, le mensonge, le vol, la paresse, la lâcheté, la haine, la débauche ». Si le premier de ces sept péchés capitaux – comme ils furent surnommés au moment des débats accompagnant l'élaboration et le vote de la loi – recoupe la première rubrique, les six autres dessinent pour cette génération les contours, imaginés par le législateur et, à travers lui, par la société des adultes, d'un vert paradis de ferveurs enfantines à l'abri des vents mauvais.

## Un monde hors de l'Histoire

Parmi ces vents mauvais, la violence fait l'objet d'un traitement particulier : une sous-commission spécifique lui est même consacrée à partir de 1956. Celle-ci se montre extrêmement vigilante et ses réprimandes souhaiteraient placer les jeunes lecteurs dans une sorte de bulle hors du temps, par aseptisation des textes et des dessins des « illustrés ». Un épisode illustre presque jusqu'à l'absurde le contraste entre l'espace protégé ainsi créé et l'Histoire poursuivant sa course alentour. En octobre 1957, les commissaires dénoncent dans *Banko* « une scène à la limite du tolérable [peignant] un Blanc attaché à un poteau de torture et encadré par des flèches tandis qu'un puma lui déchire les vêtements » et plusieurs actes de torture dans *Johnny Texas,* « supplices de la corde, eau salée, roue[1]... ». Plus tôt dans cette même année 1957, le débat sur la torture au moment de la bataille d'Alger avait mobilisé des observateurs et des intellectuels et connu, de ce fait, un réel écho. À bien y regarder, du reste, l'attitude des commissaires est probablement, sous une forme et sous une autre, une conséquence de cet écho. Si le contraste n'est donc pas aussi absurde qu'il y paraît en première analyse, il demeure une réalité et un symbole : la jeunesse de l'après-guerre est largement placée en exterritorialité par rapport au tragique de l'Histoire. On se souvient de cette phrase cruelle prononcée dans les années 1970 par François Mitterrand à propos de Valéry Giscard d'Estaing : « Il ignore que l'Histoire est tragique. » La phrase, dans un tout autre contexte, peut être reprise ici. La génération du *baby-boom* fut très largement tenue – au moins dans son vecteur culturel le plus prégnant – à l'abri des malheurs du temps et de ses échos. Elle

---

1. Cité par A. Crétois, *op. cit.,* p. 86.

134

aussi ignorait que l'Histoire peut être cruelle. De ce fait, elle arrivera à l'adolescence vierge de toute empreinte profonde portée par les guerres[1].

D'autant qu'une telle arrivée se fera dans un contexte, on l'a vu, où se termine après 1962 le *trend* belliqueux que connaissait la France depuis 1870. Parvenue à l'âge des premiers émois politiques, la génération de l'après-guerre sera celle de la non-guerre : pour la plus grande partie de ses membres, elle arrive à l'adolescence après les derniers soubresauts douloureux de la guerre d'Algérie. Le 17 octobre 1961, la tragédie du métro Charonne de février 1962 ou la sanglante fusillade de la rue d'Isly un mois et demi plus tard ne sont bientôt plus que des échos assourdis d'une page d'histoire qu'ils n'ont pas vraiment connue. Ce qui n'empêchera pas cette génération de connaître la guerre par réverbération – celle du Viêtnam – ou de la mener par procuration – la même et, plus largement, les luttes révolutionnaires du tiers-monde –, au sein d'une Europe apparemment débarrassée de ses grandes fièvres guerrières. Mais, précisément, son enfance passée hors du second conflit mondial – déjà terminé – et des conflits coloniaux – parvenus assourdis dans sa bulle culturelle – accentuera ses capacités d'indignation et la rendra encore plus sensible aux injustices supposées auxquelles étaient censés s'opposer le Viêtcong ou le « Che ».

Certes, on aurait tort d'extrapoler à partir de l'épisode du poteau de torture, mais bien d'autres réprobations des commissaires vont dans le même sens : encore en 1965, la

---

1. L'analyse doit aussi tenir compte, il est vrai, des « illustrés » de plus petit format que *Tintin* et *Spirou,* diffusés notamment par Artima et Impéria, et qui se multiplient dans la seconde partie des années 1950. Outre le western (*Jim Canada, Prairie, Cassidy, Kiwi,* par exemple), la Seconde Guerre mondiale est également présente : ainsi, dans *Choc, Vigor, Garry* ou *Battler Britton* (dont le premier numéro en juillet 1958 est tiré à 150 000 exemplaires).

commission juge que « des récits assez anodins en eux-mêmes peuvent prendre un caractère traumatisant par le fait d'illustrations trop suggestives[1] ». Assurément, de telles réprobations ne sont pas forcément suivies d'effet et, de surcroît, la vigilance de la commission peut aussi s'interpréter comme une réelle inquiétude devant une violence juvénile qui, loin d'être canalisée ou maîtrisée, enflerait au fil des années 1950 – la commission parle même d'une « intoxication par la violence » – pour culminer dans le phénomène des « blousons noirs ». En même temps, il est vrai, il est difficile d'évaluer l'ampleur de ce phénomène et, en tout état de cause, il concernait moins la génération des *baby-boomers,* qui entrent à peine dans l'adolescence en cette fin de décennie, que leurs frères aînés ou même la génération de l'immédiat avant-guerre. À la limite, le constat de la rémanence de cette violence endémique des aînés ne rend que plus sensible encore, par contraste, l'apaisement au moins relatif de la génération des cadets d'après guerre. Et leur comportement collectif globalement plus calme dans la première partie des années 1960, une fois parvenus à l'adolescence, frappera l'opinion. Les griefs formulés contre eux porteront rarement, au moins à cette date, sur une quelconque dangerosité. Classe jeune = classe dangereuse, rarement une telle équation sera mise en avant dans ce premier versant de décennie. Tout au contraire, bien des observateurs noteront alors, quelquefois pour le déplorer, une certaine atonie de la jeunesse, sauf dans son effervescence « yé-yé ». Et même quand, en ce domaine, auront lieu les dérapages de la place de la Nation en juin 1963, l'analyse à ce sujet peut être exactement inversée : en dépit d'incidents sérieux – où réapparaît, du reste, le spectre des « blousons noirs »[2] –, le calme et la maîtrise ont globalement prévalu.

---

1. Cité par A. Crétois, *ibid.,* p. 88.
2. « Des blousons noirs ont violenté une jeune fille au milieu de 200 000 fans déchaînés », écrit *L'Aurore* du 24 juin 1963.

## Une génération en apesanteur ?

Au fil des années 1950, l'archipel de la jeunesse, avec ses îlots encore très divers, n'est pas seulement protégé des vagues de la violence illustrée. La commission montre aussi la plus grande vigilance, ainsi du reste que l'y invite la loi de 1949 révisée 1954, envers les préjugés « ethniques ». Si le thème récurrent, lié à nombre d'illustrés sur la guerre du Pacifique, des Japonais « fourbes et cruels » est encore dénoncé par les commissaires en 1965, c'est plutôt un paternalisme issu de la colonisation qui les préoccupe : à la même date, ils constatent que plusieurs publications présentent les Noirs « tantôt comme des sauvages, tantôt comme des êtres naïfs et puérils ». En réaction, les surhommes – qu'ils soient hommes-singes comme Tarzan ou Akim, super-héros comme Superboy ou magiciens comme Mandrake – apparaissent souvent suspects à la commission car transgressant les normes communes de force ou d'intelligence. L'origine des commissaires, souvent anciens résistants, en tout cas fortement marqués par la guerre et l'Occupation nazie, les place là aussi, en fait, sur un registre de lutte contre les « préjugés ethniques » : tout ce qui peut contribuer à développer au sein de l'enfance et de la jeunesse des idées fausses sur le genre humain est à combattre et à bannir[1].

Par-delà les généreuses déclarations d'intention, le dispositif contribue là encore à entretenir le syndrome de la bulle, plaçant les adolescents ainsi immunisés dans une sorte d'état d'apesanteur par rapport aux grandes secousses de leur temps. La progressive rentrée dans l'atmosphère politique, au fil des années 1960, se fera donc plus souvent sur un registre moral et manichéen que réellement idéologique : les grands affronte-

---

1. Là encore, je m'appuie sur A. Crétois, *op. cit.,* p. 111.

ments – ainsi la guerre du Viêtnam – ou les jugements sur le capitalisme dessineront une frontière tranchée entre le Bien et le Mal. Ce qui peut contribuer à expliquer ce paradoxe qui n'est donc qu'apparent : si, à l'exception de quelques groupes très politisés, cette génération baigna initialement beaucoup moins que la précédente dans des courants à forte densité idéologique, elle ne s'aligna pas moins sur ces courants dans un second temps, quand vint le temps des grandes houles contestataires. La grille d'intelligibilité fournie par les idéologies d'extrême gauche recoupait aisément, en fait, cette vision du monde binaire. Mais, pour ces raisons mêmes, on le verra, la greffe idéologique fut le plus souvent éphémère et la plus grande partie de cette génération se déprit aisément d'une emprise beaucoup moins ferme qu'il ne semblait. Le syndrome de la bulle était, du reste, d'autant plus réel que l'autre vecteur culturel dominant de cette génération du *baby-boom,* le cinéma, était lui aussi sous haute surveillance. La commission de contrôle des œuvres cinématographiques, rattachée à partir de 1946 au Centre national de la cinématographie, délivrait, en effet, les visas d'exploitation des films sur le territoire français. Elle pouvait, de surcroît, assortir cette exploitation d'une interdiction pour les mineurs. Dans la procédure d'examen, le stade de la précensure, fondé sur l'analyse d'un découpage ou d'un scénario, portait notamment sur les questions de violence : l'adaptation de *J'irai cracher sur vos tombes* de Boris Vian avait ainsi, dès ce stade, fait l'objet d'une attention particulière, appelant à « beaucoup de doigté » et « beaucoup de tact »[1].

De même, en aval, la commission pouvait, sans recourir à l'interdiction aux mineurs, imposer un avertissement préalable

---

1. Cf. Sophie de Closets, « La Commission de contrôle des œuvres cinématographiques face aux longs métrages français de fiction de 1956 à 1960 », maîtrise, Paris-I, 1999, p. 199.

disposé aux guichets des salles. La phrase-type le plus couramment utilisée était : « Le réalisme de certaines scènes de ce film et son thème conduisent à le déconseiller aux adolescents et au public familial. » L'interdiction elle-même survenait essentiellement en cas d'entorse à la morale et surtout quand la commission considérait que le seuil de la violence tolérable était atteint. Ce qui était rapidement le cas, tant la violence était considérée comme potentiellement nocive sur des jeunes esprits. Ainsi, à l'automne 1957, *Rafles sur la ville,* film de Pierre Chenal, fut interdit aux moins de seize ans, avec ce motif explicite : « Une partie du film se déroule dans le milieu (souteneurs, joueurs, cambrioleurs), et on assiste à plusieurs meurtres – ce qui n'est pas vraiment fait pour les enfants[1]. » Le terme « enfant » revêt ici, on l'aura compris, un sens extensif : 16 ans jusqu'en 1959, dix-huit ans de 1959 à 1961 ! Ce n'est qu'après la réforme de 1961 que deux seuils sont distingués : treize et dix-huit ans.

Avec ce vecteur cinématographique nous avons abandonné, il est vrai, la planète Gutenberg. Pour la galaxie McLuhan. Et ce glissement est historiquement justifié, car si la culture imprimée resta le berceau de la génération du *baby-boom* – à tel point que c'est sur ce berceau de l'imprimé que se penchèrent en premier lieu les bonnes fées chargées de maintenir cette génération dans le droit chemin –, le coup de jeune culturel des années 1960 s'exprima par de tout autres canaux.

---

1. *Ibid.,* p. 203.

# CHAPITRE V

# Le moment « SLC »

Même si l'armature imprimée de cette génération est encore ainsi, tout compte fait, singulièrement solide, le coup de jeune qui va toucher la culture de masse passera, de fait, avant tout par d'autres supports. Ce sont l'image et surtout, pour l'heure, le son qui vont servir de conduits à l'eau de jouvence. À la confluence d'une vague démographique qui déferle et d'une mutation culturelle alors en cours dans les pays industrialisés, la culture de masse va gagner en juvénilité, dans ses vecteurs comme dans ses produits. En France, il y a bien alors un moment « Salut les copains » durant lequel se cristallise un tel processus[1].

## Le temps des « copains »

« SLC, Salut les copains » : un tel *leitmotiv* musical – on dira bientôt *jingle* – s'est introduit dans la culture sonore mais aussi

---

1. Dans l'optique de cet ouvrage, il ne s'agit pas ici, on l'aura compris, de faire l'histoire de « Salut les copains » mais d'analyser la signification de ce « moment ». J'avais amorcé cette analyse, davantage développée ici, dans

dans la mémoire sensible de bien des membres de la génération du *baby-boom*. Il reste, en effet, des copeaux de « copains » dans tous les secteurs de la société quarante ans après, y compris au sein de la classe politique. Le communiste Robert Hue chante *Daniela* à la télévision, les ministres socialistes Jean Glavany et Daniel Vaillant se croisent à l'Olympia, durant l'été 2000, à un concert de Johnny Hallyday[1], et le Premier ministre Jean-Pierre Raffarin fredonne *Que je t'aime* à la dernière réunion du RPR à Villepinte en septembre 2002[2]. Une telle prégnance musicale suscite chez l'historien un réflexe de vigilance méthodologique. Est-on réellement en face d'un phénomène historiquement significatif, ou bien sa fréquente évocation n'est-elle, pour cette génération, qu'une façon parmi d'autres de retrouver la douceur perdue des *sixties*? À supposer que tel soit le cas, il y aurait déjà là, de toute façon, une piste : pourquoi une telle réverbération, par-delà l'écoulement des décennies, sur une classe d'âge? Pourquoi, chez ces *baby-boomers,* les premières atteintes de l'âge passent-elles notamment par des rides sonores? La réponse réside probablement dans le fait que l'écho de « Salut les copains » ne s'explique pas seulement par un ressac de mémoire mais tout autant par l'importance, sur le moment, de « SLC » comme symptôme d'une évolution multiforme.

## Le son des transistors

Au moment où les premières cohortes du *baby-boom* arrivent à l'adolescence, en 1958, la radio est encore le princi-

---

« Le coup de jeune des *sixties* », dans Jean-Pierre Rioux et Jean-François Sirinelli (dir.), *La Culture de masse en France de la Belle Époque à aujourd'hui,* Paris, Fayard, 2002.

1. *L'Express,* 3 août 2000, p. 8.
2. *Le Journal du Dimanche,* 22 septembre 2002, p. 4.

pal vecteur de distraction et d'information[1] : près de 11 millions de postes sont alors recensés, ce qui représente probablement un nombre réel de 12 à 13 millions. Les horaires des plus fortes écoutes montrent bien leur caractère demeuré familial et, de ce fait, fédératif : 70 à 80 % des détenteurs de postes sont à l'écoute autour de 20 heures et 50 à 60 % à l'heure du déjeuner. Certes, après cette date, l'équipement télévisuel des foyers va rapidement augmenter : alors qu'en septembre 1958, au moment du salon de la Radio et de la Télévision, le nombre de téléviseurs n'est que de 920 000, il passe à près d'un million et demi dès l'année suivante, et la hausse se poursuivra désormais à un rythme soutenu. Reste qu'au tournant des deux décennies, la radio demeure le média de masse le plus présent dans la vie quotidienne. Et le point est d'autant plus important que, en matière de parc télévisuel, il y a bien, on le verra, une exception française par rapport à la plupart des autres grands pays industrialisés où la télévision est déjà bien plus présente.

Cette prégnance de la radio avait d'abord eu des vertus centripètes : le lourd boîtier de la « TSF » trône dans la plupart des salles à manger et son œil vert contemple la famille réunie à son écoute. Tout change, au contraire, en cette fin des années 1950. Dans des maisons et des appartements où la place est désormais moins chichement mesurée, l'autonomie ainsi acquise par les jeunes – qui, désormais, ont souvent « leur » chambre – ne se matérialise pas seulement par un surcroît d'intimité. Elle va déboucher, sur le plan culturel, sur un véritable processus d'indépendance. À condition, en effet, de ne pas conférer à ce mot l'acception volontariste qu'il revêt dans son usage proprement politique, c'est bien de la rupture

---

1. André-Jean Tudesq, « La radio et la télévision en 1958 », colloque « De Gaulle et les médias », novembre 1992, Paris, Fondation Charles-de-Gaulle et Plon, 1994, pp. 76 *sqq*.

d'une situation de dépendance qu'il s'agit ici : la culture sonore des adultes, jusque-là prédominante, va se trouver battue en brèche et bientôt concurrencée par une culture juvénile apparemment irrésistible. Si les aspects démographiques et socio-économiques d'un tel processus ont déjà été évoqués, ils ne suffisent pas à eux seuls à en rendre totalement compte. Les mutations techniques surgies à la même époque au sein de l'univers radiophonique ont aussi contribué à enclencher le mécanisme, notamment l'essor très rapide des postes à transistors, multipliés par huit en l'espace de trois ans : si 260 000 seulement de ces appareils existent dans la France de 1958, leur nombre est passé à 2 215 000 en 1961[1]. Et le mouvement nc fléchira pas au fil des années 1960 : cette décennie, tout autant que par le rattrapage télévisuel, est marquée par le grand chassé-croisé entre le poste-secteur et le poste à transistors.

Une enquête menée entre novembre-décembre 1967 et avril-mai 1968 par le Centre d'étude des supports de publicité indiquait que 91,3 % des personnes interrogées possédaient la radio, simple confirmation d'un processus mené quasiment à terme en un tiers de siècle : en 1930, 500 000 récepteurs étaient recensés, ce qui correspondait à moins de 5 % des ménages. En fait, un quart de siècle aura suffi : au fil des années 1950 déjà, le maillage radiophonique était devenu extrêmement dense. Toujours est-il que l'extension massive du parc télévisuel au fil de la décennie suivante ne doit pas dissimuler l'essentiel : la radio continue alors à rythmer les travaux et les jours, dans la continuité de cette révolution des cultures sensibles des Français intervenue dès les années 1930

---

1. C'est, en tout cas, le nombre le plus souvent retenu, sans qu'il soit possible de l'étayer avec précision. Cf., par exemple, Paul Yonnet, *Jeux, modes et masses. La société française et le moderne (1945-1985),* Paris, Gallimard, 1985, p. 146, note 2.

– où le nombre des récepteurs décuple en une décennie – avec la sonorisation radiophonique de leur vie quotidienne. La suprématie acquise ensuite par la télévision sera certes essentielle – en 1984, ce même chiffre de 91 % sera atteint par la télévision, qui, dès 1974, a dépassé le seuil des 80 % –, mais la révolution culturelle des années 1930, fondée sur le son et l'image animée – le cinéma français parlant, dans son premier âge d'or –, est bien le moment d'une inflexion capitale, après celle d'une première « révolution » silencieuse (Jean-Yves Mollier), fondée sur l'imprimé, dans les dernières décennies du xixᵉ siècle. La suprématie télévisuelle à partir des années 1970 apparaît donc plutôt comme un changement de dynastie médiatique, au demeurant essentiel, que comme une nouvelle révolution culturelle.

Cela étant – et c'est le second enseignement de l'enquête de 1967-1968 –, les années 1960 sont bien le moment d'une prolifération sonore. Outre celui qui accompagne la télévision en phase ascendante, c'est le son des transistors qui imprègne de plus en plus la vie quotidienne. Les personnes interrogées par l'enquête de 1967-1968 écoutaient la radio avec un poste-secteur (43,1 %) mais surtout avec un poste à transistors (68,2 %). L'écart parle de lui-même : si, dix ans plus tôt, les transistors commençaient à peine à apparaître, ils représentent désormais, pour plus de deux tiers des auditeurs, la principale source sonore, le boîtier classique se retrouvant relégué loin derrière, et de surcroît en dessous de la barre médiane. Et que les deux chiffres se superposent en partie ajoute encore au diagnostic de prolifération. Ce ne sont plus des foyers qui sont sondés mais de réelles personnes physiques, l'unité d'habitation comptant souvent, désormais, plusieurs récepteurs dont l'âge et la nature varient avec les lieux ct les milieux. La radio, à cette date, est devenue une véritable structure englobante, comme le sera plus tard la télévision.

Il faudrait, du reste, ajouter l'expansion accélérée, à la même époque, de l'autoradio. Si bien que, quelques années plus tard, en 1983, à un moment pourtant où le changement de dynastie en faveur de la télévision a déjà opéré, le nombre de récepteurs de radio atteint symboliquement le cap de cinquante millions, presque autant que de Français. Pour l'heure, en ces années 1960, le transistor devient donc le compagnon familier de plus des deux tiers d'entre eux. Et l'enracinement rapide et massif de ce vecteur est encore plus significatif si l'on considère qu'au même moment, et selon la même enquête, 18,2 % seulement des personnes interrogées sont équipées du téléphone[1] ! Un tel enracinement, au moment même où les habitations des familles françaises gagnent en confort mais aussi, plus prosaïquement, en volume, a des conséquences quasi mécaniques : en quelques années à peine, la radio s'installe de façon autonome dans les chambres d'adolescents, et celles-ci deviennent ainsi tout à la fois des chambres d'écho et des enceintes protégées où ne pénètrent que les sons préalablement choisis et les membres de la famille dûment autorisés.

## L'heure de la sortie

Sans ce transistor et cette autonomie culturelle, pas de moment « SLC ». L'apparition et le succès de l'émission puis du magazine *Salut les copains* n'ont certes représenté qu'une mince lamelle de temps à l'échelle du xxᵉ siècle – quatre ou cinq années seulement de réel rayonnement –, mais leur examen importe ici car ils furent l'un des vecteurs essentiels de cette culture juvénile et en devinrent bientôt l'incarnation aux yeux des observateurs. À la fois symptôme et symbole, l'envol

---

1. Cf. les *Cahiers d'histoire de la radiodiffusion,* n° 59, janvier-mars 1999, p. 195.

de *Salut les copains* reste pourtant, à distance, bien difficile à analyser[1] tant la réussite des initiatives de deux hommes – Frank Ténot et Daniel Filipacchi – fut aussi le produit d'un moment où tous les paramètres évoqués plus haut sont entrés en synergie. Peu importe ici si cette réussite relève de la chance ou de l'intuition. L'essentiel, pour l'historien, est bien dans ce mécanisme de plusieurs paramètres qui renseigne, rétrospectivement, sur la mutation en cours.

Au début, donc, fut Europe n° 1. Ce n'est pas le lieu d'évoquer ici cette station née en 1955. Mais sa date de création est déjà une indication. Il s'agissait alors d'une toute jeune radio, apparue dans un contexte doublement difficile. Les fées, à cet égard, ne s'étaient pas réellement penchées sur son berceau. D'une part, la situation juridique de la radiodiffusion en France à cette époque est placée sous le signe du monopole d'État. L'émetteur, de ce fait, devra être installé hors des limites du territoire français : Europe n° 1, après sa création, vint donc enrichir la gamme des radios « périphériques », aux côtés de Radio-Luxembourg, Radio-Andorre et Radio-Monte-Carlo. Dans son cas, l'émetteur qui permettait de contourner le monopole se trouvait en Sarre, les studios demeurant à Paris. D'autre part, la jeune station surgissait dans un paysage radiophonique déjà bien encombré, notamment par les chaînes de la RTF et par Radio-Luxembourg.

Malgré de tels concurrents et en dépit d'un démarrage cahotique et d'une situation précaire durant plus d'un an, Europe n° 1 connut ensuite un décollage rapide. L'attention portée à l'information en une période que la guerre d'Algérie rendait historiquement dense fut indéniablement l'un des atouts majeurs de la station. Très vite, ses journalistes joi-

---

1. Cf. Anne-Marie Sohn, *Âge tendre et tête de bois. Histoire des jeunes des années 1960,* Paris, Hachette Littératures, coll. « La vie quotidienne », 2001, *passim.*

gnirent la liberté du ton à la qualité des documents sonores recueillis, à tel point qu'ils incarnèrent bientôt la technique du reportage à chaud, magnétophone en bandoulière. Cette radio fut ainsi, en ses vertes années, une source de rajeunissement pour l'ensemble de la profession, qui adopta ces nouvelles pratiques rédactionnelles.

Mais le bain de jouvence ainsi administré à la société passa aussi et surtout par le choix, en 1959, d'une émission quotidienne destinée à la jeunesse. Un tel choix, même s'il était à sa manière pionnier, s'inscrivait dans le droit-fil de la dynamique de cette station. Celle-ci, en effet, prit vite le parti de segmenter ses émissions en fonction du public supposé, lui-même tributaire de l'horaire. Dans une telle perspective, la question du public adolescent, disponible après l'heure de la sortie des collèges et des lycées, devait forcément se poser un jour. Mais, précisément, le moment « SLC » fut celui où ce public présenta, aux yeux des responsables radiophoniques et des annonceurs, un double intérêt : il était en train de devenir, on l'a vu, un marché en termes de recettes publicitaires, et pouvait être désormais un public autonome, avec chambre personnelle et poste à transistors *ad hoc,* et donc doté de sa propre capacité d'écoute.

Cette écoute, on le sait, fut largement celle de la musique « yé-yé », version acclimatée du *rock'n roll.* Mais, au cours de la décennie précédente, le jazz, sans connaître un tel engouement, avait déjà servi de laboratoire expérimental à une culture de masse musicale.

## LE RENDEZ-VOUS MANQUÉ AVEC LE JAZZ

En même temps, les choses furent singulièrement plus complexes. Analyser les rapports entre le jazz et la génération du *baby-boom*, c'est en effet, d'une certaine façon, faire l'histoire d'un rendez-vous manqué. Car, si c'est bien dans le domaine du jazz, notamment, que l'on peut observer, au fil des années 1950, les indices d'une réelle montée en puissance de la culture de masse dans le domaine musical, la veine parut s'épuiser au seuil de la décennie suivante – tout au moins dans ses capacités fédératrices –, au moment même où la génération du *baby-boom* commençait à faire ses gammes et où s'élaborait autour d'elle une culture de masse juvénile dont la musique était le principal support. Le résultat en fut alors sans appel : cette musique ne puisa ni de près ni de loin à la source du jazz. Étudier un tel processus conduit donc à faire le récit moins d'un tarissement – le jazz continua sur son erre, en explorant de nouvelles voies – que d'un changement de débit et de cours : les accords du jazz résonnèrent bien moins fort dans la société française que quelques années plus tôt et, surtout, y rencontrèrent bien moins d'oreilles attentives qu'auparavant.

### Le temps du « marketing »

Tout, pourtant, avait semblé s'annoncer sous les meilleurs auspices. Depuis la fin de la Première Guerre mondiale, une lente acculturation du jazz s'était d'abord produite puis, dans les années 1950, cette musique avait quitté le cercle des initiés et des spécialistes pour connaître un changement d'échelle de sa diffusion et de sa réception. À tel point que les spécialistes considèrent que ce changement la fit alors entrer « dans l'univers de la culture de masse »[1]. On est loin à cette date des premiers efforts du Hot Club de France, créé en 1932 : la légitimation esthétique alors recherchée est depuis longtemps atteinte et l'industrie du disque sous-jacente n'en est plus au stade embryonnaire des premières années. Bien plus, dans la foulée de Charles Trenet avant 1939, nombre de chanteurs de variétés de la France de l'après-guerre contribuent à populariser certains des rythmes du jazz : Yves Montand dès les années qui suivent la Libération, Charles Aznavour un peu après joueront ainsi, parmi d'autres, un rôle d'acclimation des sonorités du jazz. Légitimation, acclimatation : le processus d'acculturation est alors bien en marche[2]. Il s'accélère au cours des années 1950, à mesure que les structures d'écho – tournées de musiciens célèbres, festivals, concerts – et de diffusion – émissions de radio, disques – changent d'échelle. Les concerts organisés à l'Olympia en 1958 et 1959 accueillent ainsi 50 000 personnes environ, sans compter un public plus large qui, dans le même music-hall, assiste, dans des spectacles de variétés, à des numéros plus particulièrement consacrés au jazz. Bien plus, des tournées en France de solistes ou d'orchestres américains connaissent un grand succès, largement répercuté par les grands titres de la presse quotidienne qui prête aussi un intérêt croissant aux festivals de jazz, domaine dans lequel la France a même devancé les États-Unis.

---

1. L'ouvrage essentiel sur la question est la thèse de doctorat d'histoire de Ludovic Tournès publiée sour le titre *New Orleans-sur-Seine, histoire du jazz en France,* Paris, Fayard, 1999; du même, cf. également « La popularisation du jazz en France (1948-1960) : les prodromes d'une massification des pratiques musicales », *Revue historique,* 617, janvier-mars 2001, pp. 109-130, citation p. 110. Dans l'analyse qui suit, j'emprunte bien des éléments à ces études.

2. Sur une telle notion, voir là encore un ouvrage dirigé par Ludovic Tournès, *De l'acculturation du politique au multiculturalisme. Sociabilités musicales contemporaines,* Paris, Librairie Honoré Champion, 1999.

Cela étant, ces succès et cet écho ne permettraient pas, à eux seuls, de parler de culture de masse. Mais, précisément, si cet écho enfle et que les amateurs se rendent plus nombreux dans les salles, c'est avant tout que les vecteurs de diffusion du jazz prennent alors une tout autre dimension. Ainsi, à partir de 1955, l'année même de naissance d'Europe n° 1, Frank Ténot et Daniel Filipacchi y animent une émission quotidienne, « Pour ceux qui aiment le jazz ». Surtout, l'industrie du disque connaît en ce domaine, à la même époque, un bond considérable. Tout, d'une certaine façon, y pousse. À partir du milieu des années 1950, les Français entrent dans la seconde phase de ce qui, plus tard, apparaîtra rétrospectivement comme la période des « Trente Glorieuses », marquée par une croissance conquérante. Mais de celle-ci les Français n'avaient d'abord reçu, au fil de la dizaine d'années qui suivit la Libération, que des fruits verts. L'intense effort économique s'était alors porté avant tout sur le relèvement et la modernisation, sans retombées immédiatement et profondément perceptibles dans la vie quotidienne. Celle-ci, en revanche, au mitan de la décennie, va commencer progressivement à se transformer, on l'a vu, et le budget des familles pourra aussi supporter ce qui, jusqu'ici, apparaissait souvent comme un luxe ou du superflu, les pratiques culturelles. Or ce changement de contexte économique s'accompagne, dans le cas de la musique, d'une mutation technique, avec l'avènement du disque microsillon. Celui-ci fait son apparition en France à partir de 1951 et en quelques années il se substitue au « 78 tours ». Une telle mutation bénéficie notamment à deux maisons de disques qui connaissent à la même date un très rapide développement grâce au jazz : Vogue, porté par le succès de Sidney Bechet, et Blue Star, dirigé par Eddie Barclay. Les travaux de Ludovic Tournès ont également bien montré combien la montée en puissance du jazz est aussi favorisée par le développement des techniques de vente et de publicité. Le « marketing » sera

désormais à l'œuvre, lui-même sous-tendu par une profession-
nalisation croissante des équipes créatrices, symbolisée par la
place bientôt prise par de nouveaux personnages, vite devenus
indispensables dans la chaîne de production : le directeur
artistique et l'arrangeur.

## « Fans » et vedettes

Un marché potentiel en hausse constante grâce à une croissance économique soutenue, des innovations techniques qui
rendent la consommation plus aisée, des techniques de vente
affinées, un support artistique raffermi, autant d'ingrédients
qui expliquent que le jazz, sans vraiment devenir une pratique
culturelle de masse, fut quelque temps durant, et sans qu'il y
ait là contradiction, l'un des laboratoires expérimentaux de la
massification des pratiques musicales en France[1]. Un indice, à
cet égard, ne trompe pas. L'observation en a souvent été
faite : l'un des symptômes du passage au statut de pratique
culturelle de masse est bien, pour une forme d'expression
culturelle, le moment où elle sécrète une dose de notoriété et
d'adulation telle que le stade du vedettariat est atteint. C'est,
en quelque sorte, la preuve par « la star », et il n'est pas indifférent qu'au seuil des années 1960 le sociologue Edgar Morin
ait analysé de façon concomitante la montée en puissance de
la culture de masse et la multiplication des stars. Or c'est aussi
l'époque où le jazz va voir surgir en ses rangs une véritable
vedette, Sidney Bechet. Le succès de ce dernier assurera, on
l'a dit, la fortune de la firme Vogue : *Les Oignons,* par
exemple, dépassera le million d'exemplaires vendus en 1959.
Le clarinettiste et saxophoniste noir fera en France une bril-
lante carrière tout au long des années 1950. Dès le milieu de

---

1. Ludovic Tournès, art. cit.

cette décennie, lors d'un concert gratuit donné à l'Olympia le 19 octobre 1955, il avait pu fêter son millionième disque vendu. La maladie le contraindra à réduire ses tournées à partir de 1957 puis à les interrompre l'année suivante. Il meurt au mois de mai 1959, au moment, on l'a vu, où son plus grand succès, *Les Oignons,* dépassait à lui seul toutes les ventes cumulées de ses autres titres entre 1949, date de son arrivée en France, et 1955.

Cet accès de Sydney Bechet au vedettariat était bien le reflet de l'apparition de nouvelles formes de sociabilité musicale de masse, avec non seulement ces grands concerts et ces tournées mais aussi les « fans-clubs » qui fleurissent alors autour de lui et de quelques autres grandes vedettes. Cette extension de l'aire d'attraction du jazz est sensible notamment chez les jeunes, plus directement touchés par ces nouvelles structures de sociabilité et chez lesquels se développent notamment de tels phénomènes de vedettariat. Ces jeunes de 15-20 ans appartiennent à la cohorte démographique née dans les années 1930. Ce sont aussi ceux auprès desquels l'œuvre imprimée de Boris Vian avait trouvé un écho enthousiaste, et le registre de sympathie, du reste, restait de nature largement identique : entre 1956 et 1959, Boris Vian est directeur artistique chez Philips et y défend les positions du jazz.

Et pourtant, si ses livres figureront parmi les lectures favorites de la génération suivante[1], celle des *baby-boomers,* le jazz, pour sa part, ne franchira pas aussi aisément le même cap. En d'autres termes, le processus de la massification croissante des pratiques musicales s'amplifiera au fil des

---

1. *L'Écume des jours,* sorti en collection « 10/18 » en mai 1963, se vendra dans cette collection à 850 000 exemplaires en douze ans, auxquels s'ajoutent 40 000 exemplaires dans l'édition courante (Michel Faure, *Les Vies posthumes de Boris Vian,* Paris, « 10/18 », 1975, pp. 64-65). Puis ce sera, l'année suivante, la publication en poche de *L'Automne à Pékin* avec, dans les deux cas, un réel succès au sein de la nouvelle génération.

années 1960, mais pas au profit du jazz. Si le mot « fan » date apparemment du cœur de la décennie précédente – il semblerait que sa première occurrence soit localisée dans l'hebdomadaire *Arts* du 20 octobre 1954[1] –, les jeunes « fans » des *sixties* seront avant tout des amateurs de la version française du *rock* – le « yé-yé » – puis de la *pop*. De « Pour ceux qui aiment le jazz », Frank Ténot et Daniel Filipacchi étaient passés à « Salut les copains ». Le jazz demeurait linguistiquement trop anglophone et culturellement trop élitaire pour séduire une classe d'âge tout entière et lui servir de drapeau.

En cette fin de décennie, ce genre musical commence donc à connaître, en termes d'écho et de diffusion, un réel déclin en France. La mort de Sidney Bechet n'est probablement pas totalement étrangère à cet état de fait, et la concomitance n'est pas pure coïncidence, tant Sidney Bechet, on l'a vu, avait contribué par sa notoriété à populariser le jazz. Dans le même temps, il est vrai, cette notoriété était en partie une image rétinienne. Si le style New Orleans avait connu une reviviscence à la fin des années 1940 et au début de la décennie suivante, cette même décennie se termine pour le jazz sur de tout autres registres. La vogue de l'expérimentation est à l'œuvre, avec notamment le « free jazz », et cette recherche esthétique se prête mal aux vibrations de masse. Surtout, tous les facteurs favorables dont le jazz avait bénéficié vont jouer désormais, auprès de la nouvelle génération, en faveur d'une autre musique. Les changements socio-économiques, techniques et artistiques de l'industrie du disque vont permettre, on y reviendra, à la vague « yé-yé » de déferler grâce à des recettes déjà éprouvées. Car, entre-temps, une autre musique d'origine américaine avait fait irruption en France, le *rock'n roll*. Et sa version acclimatée allait, précisément, profiter de l'expérience acquise par cette industrie musicale.

---

1. D'après Ludovic Tournès, art. cit., p. 128.

## LE 5 À 7 DES *BABY-BOOMERS*

Si la rencontre avec la génération montante n'eut pas lieu, ce rendez-vous manqué ne le fut pas avec les frères aînés des *baby-boomers*. À la fin des années 1950, en effet, bien des « 15-20 ans » avaient au contraire paru priser le jazz, sous ses formes classiques comme dans ses tendances avant-gardistes. Bien plus, pour certains d'entre eux, il était même parfois devenu un élément identitaire, de distance prise par rapport à la société des adultes. L'image de l'étudiant dans les films de la « nouvelle vague » en constitue un indice révélateur. Sans forcément être un rebelle, l'amateur de jazz assume sa différence, le personnage de Boris Vian cristallisant ces sentiments complexes avec son mélange de diplômé parfaitement intégré dans le monde des adultes et de flambeur brûlant la vie par tous ses bouts. Toujours est-il qu'entre l'étudiant des *Cousins* de Claude Chabrol ou les personnages des *Tricheurs* de Marcel Carné et les jeunes auditeurs de « Salut les copains », quelques années plus tard, de telles années ont compté double ou triple. Et entre-temps, on l'a dit, la vague « yé-yé » avait déferlé.

### *La culture de masse des adultes phagocytée*

Mais l'eau de jouvence culturelle ne consiste pas seulement en cette source sonore juvénile – dont « Salut les copains » ne fut d'ailleurs qu'un aspect – soudain apparue au sein de la société française. Beaucoup plus déterminants, au bout du compte, sont les mécanismes qui ont permis l'imprégnation de l'ensemble de la culture de masse par une telle source. Au moment où cette culture de masse connaît, dans la France du cœur des Trente Glorieuses, une indéniable accélération liée à

155

la présence pérenne de l'imprimé, à la prégnance toujours plus forte de la radio et à l'amorce d'une irrésistible montée en puissance de la télévision, elle se colore rapidement des sons et des goûts venus de ses couches démographiques les plus jeunes. Les phénomènes de capillarité agissants sont divers mais cumulatifs. Tout d'abord interviennent des phénomènes de mimétisme : ainsi *Nous les garçons et les filles,* journal lancé par le Parti communiste dès 1963. Ce dernier cas montre l'intervention précoce des adultes et des forces politiques constituées. De surcroît, au même moment, à ce mimétisme engendrant des relais de cette culture jeune vers d'autres milieux que la seule matrice radiophonique initiale s'ajoutent des effets caméléon qui touchent des titres de presse déjà existants : par exemple, dès 1963 également, apparaissent dans l'hebdomadaire *Tintin* des rubriques évoquant des « idoles » de la chanson yé-yé ou dans *Spirou,* on le verra, des publicités de même tonalité. Mais ces deux processus de naissance par mimétisme ou de modification par nouvelle coloration concernaient des médias de jeunes. La véritable capillarité est celle qui fait sortir ces « idoles » de la sphère des jeunes et les agrège à la culture de masse des adultes. Bien des symptômes indiquent qu'elle opère largement dès ce premier versant des années 1960. Un des vecteurs alors en expansion de cette culture de masse est le magazine de télévision, à la croisée de l'imprimé et de l'accroissement rapide du parc télévisuel. Or l'un au moins de ces magazines, *Télé Poche,* apparu en janvier 1966, joue la carte du guide de télévision de petit format, genre à l'époque inédit en France, mais aussi celle de la bande dessinée et des romans-photos, où sont parfois présents des chanteurs « yé-yé ». Et il devient bientôt le deuxième titre, en termes de vente, au sein de ce type de presse.

À bien y regarder, ce phagocytage par la culture de masse « SLC » ne touche pas seulement, dans ce cas précis, un magazine de télévision. C'est également un autre pan de la culture

de masse des adultes qui se trouve alors imprégné par capillarité, celui de la presse du cœur. Et ce phénomène, du reste, est
sensible dans les différentes variantes de cette forme de
presse. Ainsi, quand *Nous Deux* publie en avril 1964, dans son
numéro 882, le premier roman-photo ayant pour personnage
central une vedette, c'est « l'idole de la chanson » lui-même
qui passe des planches de la scène aux planches de photographies, sous le titre « La belle aventure de Johnny »[1]. Or ce
magazine contemporain de la génération du *baby-boom* – il
est apparu le 14 mai 1947 – était devenu dès 1950 le périodique français le plus vendu, dépassant le million d'exemplaires l'année suivante et un million et demi trois ans plus
tard. Certes, une érosion s'amorcera dans les années 1960,
mais, à ce moment, *Nous Deux* demeure l'un des titres les plus
diffusés de la presse française, avec un lectorat populaire marqué notamment par une « sur-représentation des couches
ouvrières[2] ».

Tout aussi révélatrice est l'intrusion des « idoles » dans une
autre forme de presse populaire. *France Dimanche* et *Ici
Paris,* en effet, font vite entrer de plain-pied ces jeunes chanteurs et chanteuses dans le monde de la presse à sensation.
Dès 1963[3], par exemple, « la terrible déception de Johnny
Hallyday » et « la folle angoisse de Petula Clark » entrent dans
le pot commun de ces émotions par procuration qui, probablement, en raison des tirages de cette presse et du caractère
populaire de son lectorat, inséminent encore bien plus profondément que d'autres médias les vedettes de la culture jeune.

Et il y a bien, dans ces phénomènes d'insémination, un rôle
conjugué du son et de l'imprimé qui, l'un et l'autre, contri-

---

1. La première planche de ce roman-photo est reproduite dans Sylvette
Giet, *Nous Deux 1947-1997 : apprendre la langue du cœur,* Liège, Peeters,
1997, p. 50.
2. *Ibid.*, p. 70.
3. Ainsi, les numéros d'*Ici Paris* du 17 juillet et du 24 septembre.

buent à un brassage social très large. Et d'autant plus large, en fait, qu'ils relaient une culture jeune où les clivages sociaux ont été singulièrement amoindris de par le caractère massif du phénomène. À bien y regarder, en effet, si ces titres à sensation et cette presse du cœur restent avant tout des éléments d'une culture qu'on qualifiera, faute de mieux, de populaire, le magazine *Salut les copains* transcende largement de tels clivages. Les chiffres, en ce domaine, parlent d'eux-mêmes. À l'été 1963, au moment où *Salut les copains* vient de fêter, place de la Nation, avec l'écho que l'on sait, sa première année d'existence, ce mensuel revendique un tirage d'un million d'exemplaires. La montée en puissance s'est opérée à pas de géant : le premier numéro est sorti en juillet 1962 et, dès le mois de décembre, ce sont 600 000 exemplaires qui étaient déjà tirés. Mais, mise en perspective, cette progression en un an est encore plus, et doublement, spectaculaire. D'une part, selon une enquête IFOP de septembre 1963, un « 15-20 ans » sur deux lit *Salut les copains*[1] ; d'autre part, la même enquête établit que ce sont tous les milieux sociaux qui sont concernés, le pourcentage des lecteurs en leur sein ne passant jamais en dessous de la barre des 30 %.

## Le temps du flirt

Signe des temps : la commission de surveillance et de contrôle des publications destinées à l'enfance et à l'adolescence décide en décembre 1963 de créer un groupe de travail consacré à l'analyse du mensuel[2]. Le fait est significatif : au

---

1. Enquête signalée par Olivier Galland, *Les Jeunes,* Paris, La Découverte, 1984, p. 42. D'autres sources, on l'a vu, avancent même la proportion des deux tiers.

2. Procès-verbal du 20 février 1964 de la séance du 12 décembre 1963 (dans Anne Crétois, « L'encadrement des publications par la commission de

bout du compte, autant que les sons et les images, ce sont les affects de cette culture jeune qui commencent à imprégner les sensibilités et les représentations collectives. Là aussi est la signification du moment « SLC » : car ce processus d'imprégnation est d'autant plus fort que les normes de la sensualité et de la sexualité, dans une société, sont tributaires de l'image qui en est donnée par ces représentations collectives. Déjà, au début du xxᵉ siècle, la carte postale, forme précoce de la culture de masse, avait, par les poses et les postures qu'elle véhiculait, fourni « un prêt-à-porter d'attitudes et une panoplie d'expressions sentimentales[1] ». Puis l'ère de la diffusion et de la reproduction massive de son – par la radio et le disque – a donné un rôle plus important encore que par le passé à la chanson comme vecteur des éléments d'un discours amoureux. Bien plus, c'est le cinéma également qui devient à la même époque un agent essentiel de la constitution de codes et de normes dans ce domaine. « On apprend ce qu'est un baiser au cinéma, avant de l'apprendre dans la vie », observait récemment Jacques Derrida, le cinéma non seulement véhiculant mais aussi inoculant, « c'est bien connu, une bonne part de la culture sensuelle et érotique[2] ». Il y a bien là un chantier essentiel pour l'historien, la part d'intuition du « c'est bien connu » de Jacques Derrida demandant à être étayée par une sociologie historique de l'affectivité et de la sensualité[3]. Si ce n'est pas le lieu ici d'ébaucher une telle démarche, les retombées de la culture de masse sur un tel domaine sont, en

---

surveillance et de contrôle des publications destinées à l'enfance et à l'adolescence (1950-1974) », DEA, Paris-I, 2002, p. 100).

1. André Rauch, *Le Premier Sexe. Mutations et crise de l'identité masculine*, Paris, Hachette Littératures, 2000, p. 223.

2. Jacques Derrida, « Le cinéma et ses fantômes », entretien avec Antoine de Baecque et Thierry Jousse, *Cahiers du cinéma*, nº 556, avril 2001, p. 74-85.

3. Antoine Prost posait déjà la question de « ce que les façons d'aimer doivent au cinéma » dans le tome V de l'*Histoire de la vie privée*, Paris, Le Seuil, 1987, p. 148.

revanche, essentielles pour l'analyse, d'autant que là encore la culture juvénile introduit des ferments d'évolution.

Pour l'étude de ce domaine, il est vrai, l'historien est forcément confronté à deux écueils, de natures certes différentes mais aux effets convergents. Le premier est classique et il n'est pas propre à l'étude des années 1960 : dès que l'on touche non seulement au registre de la vie privée mais de surcroît à la sphère de l'intimité, l'objet se dérobe partiellement, tant il renvoie à des notions aussi complexes à saisir par le chercheur que la pudeur, le tabou ou la norme. D'autant que de telles notions, directement greffées aux structures mentales d'une société et d'une époque, varient dans l'espace et dans le temps. D'où une seconde difficulté, qui prend pour les années 1960 un relief particulier : la période étudiée, quelle qu'elle soit, marque-t-elle, à cet égard, une rupture ou, au moins, une inflexion ? La difficulté est moins ici dans la question, légitime, que dans la réponse, complexe. Toutes les sociétés et toutes les époques, en effet, ont été, par essence, confrontées au problème de la tension sexuelle des adolescents et l'analyse de sa résolution à une date donnée n'induit pas forcément qu'il y ait eu, à ce moment, un brusque changement. L'historien se gardera bien de raisonner quasi automatiquement, dans ce domaine, en termes de révolution, tant, la plupart du temps, les évolutions y ont été lentes, s'opérant le plus souvent à l'échelle des siècles. Cela étant, pour les années 1960, en tout cas pour leur dernier versant, ce sont les contemporains qui ont parfois utilisé les mots de « révolution sexuelle », ou, pour le moins, de libération sexuelle. L'historien doit-il ratifier un tel usage ? La question se dédouble par la force des choses : ces expressions ont-elles vraiment un sens pour cette décennie, et, à supposer que tel ait été le cas, la génération du *baby-boom* a-t-elle été l'actrice principale de cette révolution ou de cette libération présumée ?

Il serait incongru de tenter de répondre ici en quelques lignes à de telles questions, dans un domaine et pour une période que l'historiographie française commence à peine à explorer[1]. En revanche, il n'est pas indifférent d'observer que la réponse est indissociable de deux autres paramètres : le clivage générationnel, à nouveau, mais aussi la culture de masse. Deux paramètres, précisément, dont l'un est devenu récemment un objet de plein exercice et dont l'autre constitue désormais un chantier historiographique.

À la croisée de ces deux approches, on observera d'abord que la génération du *baby-boom,* au temps de sa prime enfance puis de son adolescence, baigna dans un environnement sinon désexualisé, en tout cas sexuellement sous surveillance. Au moment même où elle apparaît, la commission de surveillance et de contrôle des publications destinées à l'enfance et à l'adolescence, créée, on l'a vu, après la promulgation de la loi du 16 juillet 1949, avait déploré, s'il faut en croire le compte rendu de 1950 de ses travaux, que « la presse enfantine contribue ainsi, avec la presse d'information, l'affiche et le cinéma, à saturer d'érotisme l'ambiance générale de l'existence actuelle ». Et, une décennie plus tard, au début des années 1960, alors que la génération du *baby-boom* est devenue à son tour lectrice, la vigilance en ce domaine reste entière : un périodique belge importé en France, *Line,* est critiqué par la commission pour son « ton trouble » (1960) et le caractère « suggestif » (1962) des silhouettes des personnages féminins[2]. Entre-temps, la commission avait critiqué de façon

---

1. Pour l'instant, par exemple, les analyses d'Anne-Marie Sohn (*Âge tendre et tête de bois,* réf. cit., *passim*) qui prolongent ses travaux sur la période antérieure (cf. *Du premier baiser à l'alcôve. La sexualité des Français au quotidien (1850-1950),* Paris, Aubier, 1996).

2. Cf. « *On tue à chaque page* ». *La loi de 1949 sur les publications destinées à la jeunesse,* coordonné par Thierry Crépin et Thierry Groensteen, Paris, Éditions du Temps, 1999, p. 111 et 121.

récurrente – par exemple, dans ses séances des 24 octobre 1957, 12 juin et 18 décembre 1958 – la représentation de « pin-up »[1].

Les années 1960 sont pourtant la décennie de l'essor de *Lui,* certes théoriquement destiné aux adultes – le « magazine de l'homme moderne » –, mais, avec sa présence dans les kiosques, il n'est désormais plus question, à proprement parler, de seules « silhouettes » dont il faudrait protéger la jeunesse. Sans qu'il soit possible là encore à l'historien de quantifier et d'étayer solidement en l'état actuel de la recherche, il y a bien là un autre *gap* franchi. Ces années 1960 sont bien aussi les années *Lui* et les émois de l'adolescence s'en trouveront parfois modifiés[2]. Mais, en même temps, le phénomène reste, dans un premier temps, statistiquement marginal. Et d'autres évolutions, plus lentes mais aussi plus massives, sont à l'œuvre au fil de cette décennie et ont pour vecteur principal la culture jeune. Ces évolutions sont complexes et il n'est pas sûr que, dans le domaine de l'affectivité et de la sensualité, le premier versant des années 1960 innove. À bien des égards, au contraire, il semble prolonger les effets de la décennie précédente. Le cinéma comme la chanson exaltaient alors le sentiment amoureux : comme pour le thème du bonheur familial, on pourrait établir un florilège de titres qui, dans les deux cas, reflète cet hymne récurrent à l'amour. Bien plus, les très proches aînés dansent, au début des années 1960, sur *Sag Warum* et *Only you.* Et l'imprimé de masse développait une thématique qui allait exactement dans le même sens. Ainsi *Nous Deux,* à l'époque, on l'a vu, premier périodique de France, véhiculait une vision des rapports amoureux nourrie

---

1. A. Crétois, *op. cit.,* 2000, p. 114.
2. Dans la séance de décembre 1963 où elle décide la création d'un groupe de travail sur *Salut les copains,* la commission de contrôle déplore que *Lui* soit « assez largement diffusé parmi les jeunes » (A. Crétois, *op. cit.,* 2002, p. 115).

d'une triple croyance, « au pouvoir de l'amour, à la rencontre fortuite et au coup de foudre[1] ».

D'une certaine façon, à cette date, l'amour est devenu le « thème central du bonheur moderne[2] ». Et la vague « yé-yé » qui s'épanouit au cours des premières années de la décennie suivante s'inscrit, somme toute, en continuité par rapport à cette vision, à une remarque près, essentielle : là encore, on va le voir, les jeunes s'installent au premier plan. Le *flirt,* en effet, constitue moins une transgression par rapport au code du sentiment amoureux de la décennie précédente qu'un rajeunissement des acteurs concernés. Jusqu'ici, des adultes chantaient ou filmaient des histoires d'amour de jeunes adultes. Désormais, les jeunes deviennent les protagonistes principaux de ces histoires que véhiculent l'image et surtout le son. Et les mécanismes d'une telle évolution sont d'autant plus révélateurs qu'y interviennent la culture de masse mais aussi sa dilatation hors de frontières nationales.

Certes, apparemment, ce *flirt* est déjà centenaire si l'on en croit l'étymologie et la chronologie. Le mot, en effet, d'origine française, est revenu par rebond des pays anglo-saxons : l'expression « conter fleurette » va faire naître aux États-Unis et en Grande-Bretagne le mot « flirtation », qui revient en France à la fin du Second Empire[3]. Et la pratique, exportée depuis l'Angleterre victorienne, reste d'abord localisée au sein de la bonne société européenne : jeu de regards avant tout, il n'engageait pas l'avenir et servait de soupape aux émois adolescents sans entacher la respectabilité qui sied aux rapports mondains et sans perturber les stratégies matrimoniales. Le *flirt* des années 1960 puise à d'autres sources bien plus

---

1. Sylvette Giet, *op. cit.*, p. 101.
2. Edgar Morin le souligne ainsi, à chaud, dans *L'Esprit du temps* en 1962 (réf. cit., p. 178).
3. Fabienne Casta-Rosaz, *Histoire du flirt,* Paris, Grasset, 2000.

récentes, celles du *flirt* américain des années 1950[1], où les jeux de mains succèdent aux jeux de regards. Mais l'acclimatation de la pratique relève largement du culturel – à tel point, du reste, que l'on peut parler d'acculturation –, la culture de masse intervenant ici doublement, par transfert et imprégnation. Pour le transfert, le rôle du cinéma est indéniable : de façon récurrente, des films comme *La Fureur de vivre* (1955) ou *West Side Story* (1961) mettent en scène des jeunes dans des situations amoureuses et si celles-ci ne débouchent généralement que sur des baisers – encore que *West Side Story* raconte, à cet égard, une transgression –, l'écho rencontré par ces films et le thème favorablement connoté de modernes Roméo et Juliette ont eu forcément un effet sur les sensibilités et sur les normes. En même temps, il est vrai, cette influence venue d'outre-Atlantique – au demeurant, très difficile à doser – met certes en lumière un transfert mais sans expliquer un enracinement.

### Un nouveau discours amoureux ?

Pour celui-ci, la culture de masse a, là encore, joué un rôle essentiel. Certes, d'autres raisons ont été avancées qui ont chacune sa part de pertinence : ainsi des effets mécaniques de données biologiques – une génération mieux nourrie et donc plus rapidement pubère – ou sociologiques – une génération davantage scolarisée, dans un contexte de mixité en marche. Mais outre que les enfants du *baby-boom,* on l'a dit, n'ont pas forcément eu une prime enfance placée sous le signe de l'opu-

---

1. Sur la naissance du *teenager* à cette date, cf. par exemple Luisa Passerini, « La jeunesse comme métaphore du changement social. Deux débats sur les jeunes : l'Italie fasciste, l'Amérique des années 1950 », dans Giovanni Levi et Jean-Claude Schmitt (dir.), *Histoire des jeunes en Occident. L'époque contemporaine,* Paris, Le Seuil, 1996, pp. 339-408.

lence et que, de surcroît, la mixité scolaire sera plutôt une conséquence de la mutation des années 1960 qu'un de ses facteurs, bien plus déterminante a probablement été cette montée d'une culture juvénile non plus seulement aux États-Unis mais aussi sur le continent européen, avec un fondement avant tout radiophonique et musical. L'observation, en première analyse, peut sembler incongrue. Quoi de commun, en effet, entre le poste de transistors, « SLC » et le *flirt* ? Constater qu'il y a là les éléments d'une sociabilité juvénile ne suffit pas à établir des corrélations. Or non seulement ces corrélations existent, mais elles dessinent le nouvel horizon socioculturel des années 1960. L'irruption de la radio dans les années 1930 avait rapidement bouleversé les pratiques culturelles, mais la culture sonore qui désormais nimbait la société française restait une culture adulte, dans ses thèmes comme dans son public. Les chansons d'amour, auxquelles la radio assura à partir de cette décennie d'avant guerre un écho massif et qui, de ce fait, dirent d'une certaine façon la norme, mettaient avant tout en scène des adultes, même si c'était souvent de jeunes adultes. Et même si, dans certains cas, les personnages des chansons étaient de plus jeunes gens, la geste de leur amour se situait toujours par rapport aux normes du monde des adultes, pour les respecter ou, au contraire, pour les transgresser. Avec l'avènement d'une musique « yé-yé » largement médiatisée et dont les vedettes, de surcroît, sont, on l'a vu, admises par ce monde des adultes, tout évolue en quelques années à peine avec l'apparition d'un langage amoureux jeune – en d'autres termes, non seulement chanté par des jeunes mais incarné par eux –, diffusé massivement et qui, par ce caractère massif, semble à son tour définir la norme. Car, très rapidement, la chanson « yé-yé » déborde de cette sorte de réserve naturelle que constituait le 17 h-19 h de « Salut les copains » pour imprégner bientôt, par capillarité, l'ensemble des programmes radiophoniques. C'est donc bien à une véritable inversion que l'on assiste en moins d'un lustre, le 5 à 7 radiophonique des jeunes dictant largement le nouveau discours amoureux.

En 1960, le premier 45 tours de Johnny Hallyday ne donne encore que quelques fragments de ce nouveau discours amoureux. Et surtout, il suscite la perplexité ou la réticence des aînés. Pourtant, dès ce moment, il constitue une sorte de cheval de Troie au milieu de la société des adultes, d'autant que, dès avril 1960, quelques semaines après sa sortie (*Laisse les filles, T'aimer follement*), Johnny Hallyday passe dans une émission télévisée, *L'École des vedettes* d'Aimée Mortimer. Les ventes de son disque, qui s'étaient élevées à 12 000 en un mois, passent immédiatement à 100 000 dans les jours qui suivent. L'écho, de ce fait, change d'échelle et ne concerne plus seulement les jeunes.

La nouveauté, ici, réside moins dans un changement des comportements amoureux eux-mêmes que dans le rajeunissement de leurs acteurs. À bien des égards, la génération du *baby-boom,* en ses années adolescentes, tout à la fois amplifie cet acmé du sentiment amoureux et se baigne dans son cours. Ce n'est qu'à la fin de la même décennie que la culture de masse juvénile, en même temps qu'elle se politisera, s'érotisera. Elle enfreindra alors les tabous et sera même porteuse de subversion dans le domaine de la sexualité. Il faudra revenir plus loin sur les facteurs d'une telle alchimie intragénérationnelle, qui fera des sages « yé-yé » des boutefeux de la « libération sexuelle ».

Pour l'heure, au milieu des années 1960, la chanson de Michel Polnareff, *L'Amour avec toi* (1966), détonne encore et, par là même, choque souvent plus qu'elle ne séduit. Les chansons « yé-yé » qui l'ont précédée ont d'abord donné une tout autre norme. Elles constituent, à cet égard, une sorte de point d'orgue : la chanson d'amour connaît peut-être alors son apogée, mais dans sa version juvénile. En même temps, l'environnement sonore de l'époque, précisément parce qu'il s'est imprégné plus encore que par le passé de la culture de masse et que celle-ci a rajeuni, est devenu davantage malléable. Son érotisation à la fin de la décennie n'en sera que plus aisée. Quelques années à peine suffiront pour que, à la croisée de la « libération sexuelle » et des chansons-provocations de Serge Gainsbourg, la chanson enfreigne des tabous et soit désormais porteuse de subversion dans le domaine de la sexualité.

Mais l'air du temps de la plus grande partie des années 1960 fut étranger à une telle subversion, les digues de protection de la « moralité » des adolescents canalisant l'éveil de leur sexualité puis l'environnement sonore du « yé-yé » les maintenant, somme toute, dans les normes socioculturelles des décennies précédentes. Car le rôle de la culture de masse dans le façonnement des sensibilités d'une époque avait déjà opéré dans des périodes antérieures. Il est probable, notamment, que la révolution culturelle que constitua le brusque avènement de la radio dans les années 1930 ainsi que les deux âges d'or successifs, en termes de succès populaire, du cinéma français en cette même décennie puis vingt ans plus tard ne furent pas sans retombées, on l'a déjà souligné, sur le comportement sexuel, en tout cas affectif, de l'époque. En même temps, il est vrai, l'historien manque singulièrement en ce domaine d'indicateurs précis pour évaluer une telle influence et pour établir d'éventuelles et complexes corrélations. Le « T'as de beaux yeux, tu sais » d'un Jean Gabin à une Michèle Morgan en béret a-t-il contribué à affiner les usages de l'approche amoureuse et à tempérer les assauts parfois un peu frustes des jeunes mâles d'une France encore largement marquée par la ruralité ? Et, quinze ans plus tard, observe-t-on un raffinement des mœurs des « gars » de la campagne[1] ou de la ville sous

---

1. À leur propos, cf. André Rauch, *Le Premier Sexe. Mutations et crise de l'identité masculine,* réf. cit., p. 223.

l'influence de la tendresse radiodiffusée qui constitue désormais, en ces années 1950, l'accompagnement musical des travaux et des jours ? Si les réponses à de telles questions sont, par essence, malaisées, les codes et les discours qui découlent d'une éventuelle influence sont alors, de toute façon, il faut le redire, ceux de jeunes adultes.

Le basculement des années 1960 réside donc moins, en ce domaine, dans le fait que les codes et le discours changent que dans celui qu'ils rajeunissent, tout comme la culture de masse qui les sous-tend. Et le phénomène, désormais, deviendra structurel. D'abord radiophonique en cette décennie, il prendra plus de poids encore quand la culture télévisuelle se teintera à son tour des thèmes issus de la planète des jeunes[1]. Dans les années 1990, par exemple, la multiplication des « séries collèges », diffusées sur le petit écran après la sortie des cours, à l'heure où, trente ans plus tôt, passait « Salut les copains », a imprimé une réelle et profonde marque sur les comportements et la sensibilité des adolescents téléspectateurs[2]. Et cette marque, dans les deux cas, n'était pas purement endogène : le mot planète ne suggère pas ici l'idée d'un monde à part, mais celui d'une dilatation des cultures et des affects à l'échelle du monde entier. Avec un épicentre : les États-Unis.

---

1. Jean Duvignaud, *La Planète des jeunes,* Paris, Stock, 1975.
2. Dominique Pasquier, *La Culture des sentiments, l'expérience télévisuelle des adolescents,* Paris, Éditions de la Maison des sciences de l'homme, 1999.

# CHAPITRE VI

# L'ère des *teenagers*

Le rajeunissement socioculturel enregistré dans l'Hexagone au fil des années 1960 n'est pas, en effet, une exception française. Bien plus, les États-Unis ont constitué, à cet égard, une sorte de matrice. C'est bien en leur sein qu'apparaissent au fil de la décennie précédente des changements majeurs. L'événement majeur y est, en ce domaine, un avènement, celui des *teenagers*. Par bien des traits, cet avènement anticipe sur celui des jeunesses européennes.

## L'Amérique comme laboratoire ?

Les adolescents américains des années 1950 n'avaient pas de souvenir direct de la grande crise et le second conflit mondial ne les avait éventuellement effleurés, pour les plus âgés d'entre eux, qu'à travers les angoisses d'une mère, quand le courrier venu du champ de bataille d'Europe ou du Pacifique tardait à arriver. Sortis du cocon de la prime enfance au cours des années d'après guerre, au moment où la classe moyenne s'étoffait, ils parvenaient à l'adolescence dans l'Amérique enrichie du milieu des années 1950.

### L'entrée dans le teenage

Au début de 1956, il y a aux États-Unis 13 millions de jeunes entre 13 et 19 ans et, comme leur entrée dans le *teenage* – entendons les âges, après 12 (*twelve*), terminés par *teen*, des décagénaires – a lieu sur fond de prospérité économique et que, de surcroît, ils grandissent dans un monde qui, malgré la guerre froide, croit au lendemain et se projette dans l'avenir, les conditions sont réunies pour que les familles leur consacrent des sommes propres, attitude économiquement et psychologiquement impensable en période de crise ou lorsque le futur dessine une ligne d'horizon faite d'inquiétude et de trouble des consciences. Le temps de l'argent de poche est donc venu : en cette année 1956, le pouvoir d'achat annuel de ces 13-19 ans était évalué, par un institut de sondage, à 7 milliards de dollars, soit une augmentation de 26 % par rapport à 1953[1]. On laissera ici de côté le caractère incertain du chiffre et de la source : ce qui importe et sur quoi ce chiffre est révélateur, ce sont à la fois l'ordre de grandeur, considérable, et la progression en trois ans, imposante. Toujours selon les mêmes calculs, l'adolescent américain moyen de 1956 – certes, pur *artefact* mais aussi reflet sociologique de cette Amérique des classes moyennes – dispose de près de 11 dollars par semaine. Là encore, même avec toutes les réserves possibles quant à ces calculs, le montant fournit une indication par rapport aux objets socioculturels alors en circulation ou en passe de l'être. Les petits postes à transistors, qui commençaient à apparaître,

---

1. David Halberstam, *Les Fifties. La révolution américaine des années 50*, Paris, Le Seuil, 1995, p. 351.

coûtaient entre 25 et 50 dollars. Et les électrophones portables
– en raison de leur taille désormais plus réduite – se multi-
pliaient également : à la fin de la même décennie, il s'en vendra dix millions par an et un électrophone baptisé Elvis Presley coûtait alors 47,95 dollars, avec un crédit débouchant sur le
versement d'un dollar par semaine[1].

Dans la seconde partie des années 1950, les ventes de
disques aux États-Unis passent ainsi de 277 millions de dollars
en 1955 à 600 millions en 1959. La corrélation avec la montée
d'une culture juvénile réside, même sans l'examen attentif des
genres musicaux des disques vendus, dans la concomitance,
durant le même lustre, avec la montée du *rock'n roll*. Le phénomène s'amplifiera, du reste, encore bien davantage dans les
années 1960, le total de ces ventes de disques s'élevant à deux
milliards de dollars en 1973. Là encore, la concomitance avec
la floraison de la *pop music* au fil des *sixties* n'est pas une coïncidence. Du reste, une étude plus fine confirme la corrélation.
Dans le même pays, en 1970, chaque jeune de l'ensemble des
5-19 ans dépensait, pour l'achat de disques, cinq fois plus
qu'en 1955[2]. La seconde partie des années 1950 est bien le
moment où les jeunes Américains, avant même d'être salariés,
commençaient à devenir un marché et, de ce fait, constituaient
désormais une cible de choix pour la publicité et le crédit.

À cet égard, on observera à nouveau que, dans le processus
de montée en puissance des jeunes au sein des sociétés occidentales de l'après-guerre, le poids démographique n'aurait
pas été suffisant à lui seul comme facteur déclenchant. Le phénomène est, là encore, socioculturel et économique autant que
démographique et sans doute ses composantes socioculiu-
relles et économiques l'emportent-elles au bout du compte.
Ces jeunes Américains des années 1950, dont l'importance est

---

1. *Ibid.*, p. 352.
2. Eric J. Hobsbawm, *op. cit.*, p. 429.

réelle dès cette date dans les modifications du comportement collectif, correspondent aux classes d'âge nées durant la dépression des années 1930 ou durant la Seconde Guerre mondiale, « dans un contexte de faible immigration et de natalité problématique[1] ». Les *baby-boomers* américains n'apparaissent, comme en Europe, qu'après 1945 et viennent renforcer et amplifier un mouvement qui leur est antérieur et dont les acteurs furent, de fait, les *teenagers* des années 1950.

## La culture de la high school

Plus aisés, ces jeunes sont également plus durablement scolarisés. Le lieu géométrique de leur vie quotidienne est de plus en plus celui de la *high school* : ces établissements d'enseignement secondaire accueillent une très large partie des adolescents[2] et constituent vite le cœur de la sociabilité juvénile. Celle-ci est d'autant plus dense qu'elle est devenue un véritable lien social, se substituant, comme relation privilégiée, aux rapports avec les parents ou avec les enseignants. Un véritable glissement topographique s'est, du reste, opéré en une génération. À la fin des années 1920, dans cette *prosperity* d'avant la crise, « le foyer » est le lieu, notamment, « où l'on écoute la radio », grâce aux douze millions de postes déjà vendus[3]. Vingt-cinq ans plus tard, c'est bien la *high school* qui s'est substituée au domicile familial, avec un phénomène de différenciation culturelle lié à cette dissociation topographique : la culture sonore est alors devenue beaucoup moins

---

1. Louis Chauvel, « Un nouvel âge de la société américaine ? Dynamiques et perspectives de la structure sociale aux États-Unis (1950-2000) », *Revue de l'OFCE*, n° 76, 2001, pp. 7-51, citation p. 11.

2. Luisa Passerini, loc. cit., p. 406.

3. André Kaspi, *Les Américains*, I, *Naissance et essor des États-Unis. 1607-1945*, Paris, Le Seuil, 1986, p. 281.

fédératrice. Sur le moment même, les sociologues insisteront du reste sur un tel processus, dont le caractère favorisait aussi l'apparition d'une véritable « sous-culture juvénile dans la société industrielle ». C'est James S. Coleman qui formule un tel diagnostic dès 1955[1]. Mais tout aussi importante est, à la même époque, la mise en relation d'un tel processus avec la montée en puissance de la culture de masse. En 1953, Fredric Wertham avait établi explicitement un lien entre les deux phénomènes dans *Seduction of the Innocent*[2] : la culture de masse, selon lui, a des capacités d'influence plus grandes que tout autre facteur ; ni la tradition, ni le milieu social, ni la famille ne pèsent autant. D'où une interrogation et bientôt, dans nombre de cas, une hostilité croissante vis-à-vis des *mass media* de la jeunesse : Wertham, par exemple, s'en prenait notamment aux *comic-books*.

Bien plus, c'est aussi une incompréhension réticente envers le *rock'n roll* qui apparaît à la même époque. Ce sont notamment des poses ou des allusions considérées comme sexuellement suggestives qui troublent les adultes et les autorités de tutelle. Les critiques des adultes à l'égard de la gestuelle de scène d'Elvis Presley – bientôt surnommé, de façon significative, « Pelvis Presley » – sont à cet égard révélatrices. De fait, cette jeunesse apparue dans un monde enrichi, adolescente dans l'Amérique des *high schools*, connaît alors sinon une « libération » sexuelle, en tout cas une sensualisation croissante de sa sociabilité. Le fait, à vrai dire, serait moins le produit d'un changement brutal que le fruit d'une évolution. Selon le rapport Kinsey de 1953, en effet, 50 % des femmes interrogées reconnaissaient avoir eu des relations sexuelles préconjugales[3], déjà fréquentes, donc, dans l'entre-deux-

---

1. Luisa Passerini, loc. cit., p. 380.
2. Fredric Wertham, *Seduction of the innocent*, Port Washington, New York, Kennikat Press, 1953.
3. Luisa Passerini, loc. cit., p. 392.

guerres. Et leurs filles des années 1950 débutaient jeunes l'apprentissage de la sexualité : *petting* et *necking* – caresses et baisers – étaient pratiqués dès la fin de la *junior high school*, le premier cycle secondaire.

Il existe donc à cette date une sorte d'osmose entre les thèmes que commence alors à véhiculer la musique américaine – thèmes encore loin, en fait, d'une « révolution » sexuelle dont la musique *pop* sera tout à la fois la caisse de résonance et l'amplificateur dix ans plus tard – et cette sensualisation croissante de la sociabilité juvénile, sans qu'il soit bien sûr possible de préciser en quel sens s'établit le lien de causalité. Toujours est-il que, dans le même temps, *petting* et *necking*, en d'autres termes le *flirt*, s'installent dans les établissements scolaires aussi bien que dans les strophes de la musique américaine. Avant, bientôt, de franchir l'Atlantique : pour les affects, à l'âge de la culture de masse, il n'existera pas de douanier et les frontières deviendront vite poreuses. D'autant que cette culture de masse est en train de se teinter, au même moment, de bien des traits juvéniles et que l'ensemble du processus s'inscrit dans un début de dilatation culturelle à l'échelle de la planète, qui a un épicentre, les États-Unis, et une date, les années 1960. Au terme de la même décennie, on le verra, les *baby-boomers* se mouvront dans un village planétaire dont le prince consort est un adolescent. Pour l'heure, dans l'Amérique des années 1950, le phénomène n'en est qu'à ses prémices. Si, depuis plusieurs décennies déjà, sa puissance économique et technique lui a permis d'exporter, de façon croissante, une partie de ses images et de ses sons, cette capacité de résonance et donc d'influence prend au cours de l'après-Seconde Guerre mondiale une ampleur inégalée jusque-là dans l'histoire du xxᵉ siècle et, dans le domaine de la culture juvénile de masse notamment, cette Amérique anticipe à bien des égards, en étant à la fois un creuset où se forge une large partie de cette culture et un haut-parleur, répercutant en particulier ces images et ces sons vers le Vieux Continent. La venue du *teenage* était donc concomitante d'une sorte de *new age* culturel et c'est cette concomitance qui a conféré une partie de leur force de résonance à ces images et à ces sons.

## DES IMAGES SOUS « PROTECTION »

Il y a bien eu un laboratoire américain, mais aux effets chronologiquement différés en France. Dès les années 1950, et *a fortiori* au fil de la décennie suivante, l'image autant que le son y nourrit les imaginaires adolescents. À la même date, en revanche, le coup de jeune de la société française n'est pas passé par la télévision, qui n'a été ni le conduit principal ni même, dans un premier temps, le réceptacle d'une telle métamorphose. On l'a vu, c'est bien le son qui, par la radio et le disque, a été le vecteur essentiel tout à la fois de la gestation et de la diffusion de la culture juvénile. Il contribua à son essor tout en s'en imprégnant profondément, créant ainsi un véritable effet en abyme. Pour autant, l'image s'est-elle trouvée, au cours de cette première phase, totalement exclue d'un tel processus, au profit de la seule culture sonore ? La réponse n'est apparemment pas la même pour l'image animée et pour l'image fixe. Et l'influence américaine, dans tous les cas, y est moins sensible.

### Les photographies des « fans »

L'image fixe, c'est-à-dire la bande dessinée aussi bien que la photographie, va occuper en effet une place non négligeable dans cette culture juvénile, mais vont s'opérer en son sein

175

d'importants chassés-croisés. Ainsi en est-il de la bande dessinée, sur laquelle il faut revenir. Celle-ci, grâce notamment au dynamisme de l'« école belge », fut une culture d'autant plus partagée par les adolescents que, à la différence d'autres pays, elle restait alors en France largement destinée à la jeunesse. Avant même l'irruption d'un son spécifiquement jeune sur les ondes, il y eut bien là, pour la génération montante, les prodromes d'une culture sensible – au sens de fondée sur l'un des sens – commune, fournissant autant d'éléments d'un code partagé. Le Janus bifrons *Tintin-Spirou* introduisit, on l'a vu, dans l'imaginaire mais aussi l'univers affectif des jeunes de l'après-guerre bien des figures de papier passées à la postérité : les héros éponymes, d'abord, mais aussi une myriade d'autres personnages à bulles qui constitueront autant de signes de reconnaissance au sein de ces adolescents. Mais cette culture « BD », si elle contribue alors à façonner une culture juvénile, ne fait qu'effleurer le monde des adultes, par ses héros les plus connus, Tintin par exemple.

Elle est donc bientôt devenue quasi identitaire. On n'y reviendra pas ici, sauf pour constater que les titres principaux de cette presse ont su, un temps, accompagner les mêmes lecteurs de la préadolescence à l'adolescence : en d'autres termes, le même *baby-boomer*, né par exemple en 1948, après avoir pris le goût de « l'illustré » dans *Mickey*, a lu *Spirou* à neuf ou dix ans mais lui reste encore fidèle trois ou quatre ans plus tard. Seule une étude fine permettrait de pratiquer une analyse différentielle du public de *Spirou* : quel est l'âge, par exemple, où la lecture hebdomadaire de Buck Danny est plus particulièrement prisée ? Et si l'on part de l'hypothèse raisonnable qu'est alors ainsi concernée la tranche masculine de 10-15 ans, celle-ci est donc encore captive dans la première partie des années 1960, au moment où elle est par ailleurs lectrice du magazine *Salut les copains*. Les sources manquent pour étayer l'hypothèse mais bien des indices sont convergents. Ainsi les publicités pour « les copains » dans le *Spirou* du milieu de la décennie : une publicité pour les chaussures Palla-Tennis, « le vrai tennis des copains », en avril 1966, ou pour un dispositif de *play-back* permettant « comme les idoles » de chanter « avec [son] orchestre », le mois suivant[1].

Il semble bien, en tout cas, qu'il y ait davantage continuité que rupture entre le lectorat de *Spirou* ou de *Tintin* et celui de « SLC ». D'autant que le succès du troisième hebdomadaire de bandes dessinées, *Pilote*, apparu beaucoup plus tardivement au seuil des années 1960 et destiné davantage à des adolescents qu'à des préadolescents – avant, du reste, une décennie plus tard, d'amorcer un glissement vers un public plus âgé mais qui était peut-être le même public avec quelques années de plus –, montre bien aussi que la culture « BD » n'a pas été alors court-circuitée par la culture « SLC » et que les *baby-boomers* continuèrent à baigner durant la première partie des années 1960 dans l'image illustrée. Mais, cette image illustrée vieillissant en même temps qu'eux, si elle gagna ainsi en enracinement, ne fut pas, comme d'autres vecteurs de la culture de masse, un inséminateur de valeurs et de normes juvéniles au sein de la société des adultes.

À cet égard, l'autre forme d'image fixe, la photographie, eut un effet sensiblement différent. Si l'impact, là encore, fut profond, le rajeunissement induit fut bien plus considérable. Cet impact s'explique par trois raisons au moins. D'une part, cette génération a baigné dans une culture familiale largement imprégnée par la photographie de presse : les années 1950 sont en effet celles où *Paris-Match* connaît son rayonnement le plus intense : entre 1,5 et 2 millions d'exemplaires hebdomadaires, affectés d'un coefficient de cumul de 4 ou 5 ; sans compter l'effet amplificateur des piles de salles d'attente des

---

1. *Spirou*, n° 1463, 28 avril 1966, p. 51 ; 1464, 5 mai, p. 51 ; 1465, 12 mai, p. 42.

cabinets médicaux ou dentaires, ou encore les salons de coiffure. Tout contribue, en cette décennie, à placer *Paris-Match* dans le cercle de famille ou sur le parcours des haltes obligées.

De surcroît, ces années 1950 ont été aussi, on l'a vu, l'âge d'or des photos-romans. Les mères ou les sœurs aînées des *baby-boomers* ont été bien souvent, dans les milieux populaires, des lectrices de *Nous Deux*; et même les pères ou les frères aînés, puisque, en 1957, 41 % du lectorat de cet hebdomadaire est constitué d'hommes. Si l'on ajoute qu'à la même date les tirages de ce magazine – qui, dix ans après sa naissance, atteignent 1 600 000 exemplaires [1] – rivalisent avec ceux de *Paris-Match*, il y a bien là un environnement de presse où la photographie reste centrale. Or les travaux de Sylvette Giet ont montré que les jeunes générations des milieux populaires sont touchées à leur tour par le phénomène *Nous Deux*. Les classes d'apprentissage, par exemple, sont alors une pépinière de lectrices de cette presse du cœur fondée sur la photographie. Et les élèves de ces mêmes classes se révéleront aussi des lectrices de *Salut les copains* [2].

Avec ce magazine nous touchons, du reste, à un troisième relais de la diffusion de la photographie de presse vers la nouvelle génération. Car le mensuel de Daniel Filipacchi, lui-même ancien photographe à *Paris-Match*, puise dès le départ une partie de son succès dans ses photographies en couleurs, et sur papier glacé, dont Jean-Marie Périer deviendra vite le principal auteur. Outre que ces photographies sont ainsi le reflet à la fois d'une société enrichie et de l'accès de la jeunesse aux fruits de cet enrichissement, elles contribuèrent à entretenir une sociabilité « SLC » : découpées, elles constituent les ancêtres des posters, collectionnées, elles permettent de s'identifier à un chanteur ou à une chanteuse et de devenir

1. Sylvette Giet, *op. cit.*, p. 69.
2. *Esprit*, février 1964, pp. 257-262.

ainsi un ou une « fan ». Pour un temps, la vedette de la chanson ainsi transformée en icône supplante la vedette du cinéma, et, chez certaines lectrices, *SLC* remplace *Cinémonde*.

Seules les vedettes de télévision pourront à leur tour, quelques années plus tard, s'installer sur le devant de la scène[1]. Et sera alors venu le temps de la suprématie des journaux de télévision. Pour un temps, au milieu de la décennie, un journal comme *Télé Poche* rassemble, on l'a vu, les recettes des trois sources d'engouement : le roman-photo, avec comme vedettes des « idoles » de la chanson, le tout dans un journal de programmes de télévision, au temps de l'envol de ce type de périodique. La culture jeune parvient donc à coloriser, au moins partiellement, les différents supports où la photographie tient une place essentielle. Elle y insémine des vedettes jeunes qui, après avoir phagocyté une partie de l'espace sonore, font de même, peu à peu, dans la presse imprimée. Le coup de jeune passe donc aussi par ce canal. Bien plus complexes, en revanche, sont les rapports tissés à la même époque entre l'image animée – cinéma et télévision – et la culture juvénile.

### Les enfants de la télé?

En ce début des années 1960, la télévision est bien moins profondément implantée en France que dans les pays voisins et *a fortiori* aux États-Unis : en 1960, seul un ménage sur huit (13,1 % précisément) possède un téléviseur. L'enfance, au fil de la décennie précédente, puis le début de l'adolescence des *baby-boomers* ont donc bien davantage baigné dans l'atmo-

---

1. Michel Leymarie, « La vedette », dans Jean-Pierre Rioux et Jean-François Sirinelli (dir.), *La France d'un siècle à l'autre. 1914-2000. Dictionnaire critique*, Paris, Hachette Littératures, 1999, rééd. « Pluriel », 2002, tome 2, p. 291.

sphère radiophonique ambiante que dans un univers télévisuel alors seulement en gestation. Certes, cette génération est exactement contemporaine de l'institutionnalisation en France, à partir de 1949, de la télévision. Mais, à cette date, une enquête indique que 91 % des Français n'ont jamais vu de spectacle à la télévision[1]. Et pour cause ! En cette année de création de la redevance, on recense 297 récepteurs[2]. Même si, à la même date, la Radiodiffusion française (RDF) devient la Radiodiffusion et Télévision française (RTF) et si un journal télévisé est créé, le petit écran reste encore largement dans les limbes, à tous égards, d'autant qu'un seul émetteur ne permet, en fait, de recevoir des émissions qu'à Paris et dans ses proches environs. L'année suivante, du reste, les chiffres n'ont guère varié, avec un parc télévisuel de 3 794 récepteurs. Et quand le couronnement de la reine Élisabeth II intervient en juin 1953, il n'y a encore que 60 000 téléviseurs, même si se met alors en place une véritable programmation. Pendant quelques années encore, celle-ci ne concernera qu'une minorité, même si les cafés et les vitrines des marchands d'équipements audiovisuels – présentes au cœur des villes en une époque où les grandes surfaces vont à peine commencer à apparaître – constituent autant de caisses d'amplification.

Malgré celles-ci et en dépit de quelques tentatives de « téléclubs »[3], la France connaît indéniablement un retard à l'allumage en matière de petit écran et les nouveau-nés de l'après-guerre n'ont donc pas été « les enfants de la télé ». Le phénomène est d'autant plus sensible que la période 1949-1952 est un moment d'envol pour la télévision américaine : aux États-Unis, le nombre de récepteurs passe en trois ans de 900 000 à

---

1. *Sondages*, 1er mars 1949.
2. Marie-Françoise Lévy (dir.), *La Télévision dans la République. Les année 50*, Bruxelles, Complexe, 1999, note 4, p. 12.
3. *Ibid.*, pp. 107 *sqq.*

15 millions, et de ce fait les *baby-boomers* américains auront, eux, une enfance bercée par les sons et les images relayés par les antennes de télévision. Et certains pays d'Europe occidentale ne seront pas en reste : pendant la même période, le nombre de récepteurs au Royaume-Uni passe de 200 000 à 1,5 million – avant même l'effet couronnement, l'année suivante – et l'Allemagne de l'Ouest recense 200 000 postes en 1952, soit neuf fois plus qu'en France à la même date.

Le rattrapage sera tardif : en 1960 encore, les récepteurs français, s'ils sont passés à 2 millions, accusent un retard très net, en proportion, par rapport aux États-Unis (35 millions) et surtout, à populations relativement égales, par rapport au Royaume-Uni (10 millions) et à l'Allemagne de l'Ouest (5 millions). En termes macrohistoriques, et même si la seconde partie des années 1950 avait enregistré un accroissement régulier, l'équipement massif de la France en téléviseurs est bien un phénomène des années 1960. Durant cette décennie, en revanche, le déficit sera globalement comblé : si le taux d'équipement des ménages n'était que de 6,1 % en 1957 et de 13,1 %, on l'a vu, en 1960, il atteint 51,7 % en 1967 et 70 % trois ans plus tard. En 1965, déjà, les Français, quand ils sont équipés d'un téléviseur, le regardent en moyenne vingt-deux heures par semaine. En moins d'une quinzaine d'années, le chemin parcouru est ainsi considérable : en 1951, par exemple, l'ensemble des programmes diffusés en une semaine par la télévision française représentait tout juste vingt-cinq heures, soit moins de quatre heures par jour.

Le rapport entre les *baby-boomers* et la télévision est inscrit dans ces dates et ces chiffres. Cette génération de l'après-guerre est bien davantage fille, culturellement, d'Europe n° 1 que du petit écran. En même temps, il est vrai, la même génération s'ébroue et parvient à la puberté au moment où le pays s'équipe en téléviseurs. En d'autres termes, les « beaux bébés » chers au général de Gaulle de l'après-guerre seront les *teenagers* d'une France gaulliste en voie rapide d'acculturation de la télévision. Si les bruits du monde leur parvinrent d'abord à travers le poste de « TSF » de leur prime enfance puis par le transistor de leurs années collégiennes, les images de la télévision les rattrapèrent, en même temps que leurs parents, au milieu de leur adolescence. Certes, des émissions furent bientôt conçues pour eux[1] mais sans jamais prendre à ce moment-là une place telle que l'on puisse alors parler d'une culture juvénile télévisuelle. « Âge tendre et tête de bois » d'Albert Raisner a beau devenir rapidement une émission à succès et un rendez-vous de la jeune génération, elle ne colorera pas, comme l'avait fait « Salut les copains » pour la radio, son médium tout entier de sons et d'images venus de la jeunesse.

Il faut donc pointer ici un clivage générationnel qui nous fournit en quelque sorte l'un des éléments, de nature culturelle, du plafond de la génération du *baby-boom*. Si son plancher, on l'a vu, est aisément identifiable, avec la hausse rapide de la natalité française à partir de 1945-1946, il y eut bien, à partir du milieu des années 1950, une génération cadette qui entra, elle, de plain-pied, dès l'âge de la préadolescence, dans une France où le petit écran était en train de devenir le principal vecteur culturel. Du reste, pour ces cadets et plus encore pour ceux nés à la fin des années 1950, l'imprégnation par l'image et plus seulement le son fut d'autant plus précoce et forte que la télévision française du début de la décennie suivante, en pleine phase d'essor, leur réserva bientôt une place spécifique. Des émissions brèves mais régulières apparurent, en effet, rapidement : « Bonne nuit les petits » en 1962, « Le Manège enchanté » en 1964. Et au moment où les jeunes gens du *baby-boom* s'enflammaient pour les « idoles » de *SLC*, leurs cadets de dix ans, les enfants des *sixties*, devenaient les

---

1. Voir, sur ce point, les recherches en cours de Marie-Françoise Lévy.

spectateurs vite assidus de ces séries dont les personnages principaux, Pimprenelle et Nicolas, Zébulon et Pollux, devinrent les compagnons familiers. Il s'agissait moins ici d'une culture juvénile que d'émissions enfantines ciblées, mais cette sorte de garderie et de maternelle sur petit écran acccultura la télévision dans cette génération qui suivait celle des *baby-boomers*. Véritables « enfants de la télé », ils seront les adolescents des années 1970, avec un petit écran désormais au cœur de leurs pratiques culturelles.

Pour leurs aînés, au contraire, la télévision ne les rattrapa massivement qu'au milieu des années 1960, dans un contexte fédératif entre générations : comme leurs parents, ils adoptèrent le film du dimanche soir et, bientôt, les séries américaines. Si l'exploitation du cinéma en salle commença, en effet, à connaître en cette décennie un début d'érosion, son influence allait se trouver, au contraire, amplifiée par le pouvoir multiplicateur de la télévision : progressivement, ce cinéma du dimanche soir sur le petit écran remplaçait la séance du samedi soir dans le cinéma de quartier. En quelques années le paysage culturel français, relativement stable depuis les années 1930 autour de ses deux piliers jusqu'ici dominants – cinéma et radio –, allait se trouver bouleversé par l'enracinement de la télévision. Si les *baby-boomers* ont, comme le reste de la société française, été touchés par ce changement de décor, leurs relations avec le nouveau média n'ont donc pas été générationnellement spécifiques.

### Un cinéma des teenagers ?

Le cinéma du dimanche soir sur petit écran ne s'installa que progressivement, au fil des années 1960. Auparavant, notamment au début de cette décennie, le cinéma en salle, dans la continuité des années 1950, demeure, avec la radio, la principale pratique culturelle de masse avec déjà, il est vrai, une réelle érosion. Non que le cinéma perde alors en audience globale, la télévision lui conférant au contraire une amplification jamais atteinte jusque-là, mais son statut s'altère doublement. D'une part, dans sa réception télévisée, il n'est plus *stricto sensu* un spectacle, au sens d'un divertissement vécu en commun dans un lieu identique. D'autre part, et surtout, il cesse de phagocyter les autres genres culturels, et la perte de cette place capitale est bien le reflet d'un reflux. Jusqu'ici, par exemple, certaines vedettes de la chanson française avaient connu une aspiration de la scène vers les écrans, qui avait ainsi contribué à leur conférer un surcroît de notoriété : ce fut le cas, par exemple, de Tino Rossi, ou encore, dans les années 1950, de Sidney Bechet, pourtant greffon américain sur la production musicale française des années 1950. Celui-ci s'était retrouvé acteur de cinéma dans des films typiquement français : *Piédalu député* et *La Route du bonheur*, respectivement de Jean Loubignac et Maurice Labro, en 1953, *Série noire* (Pierre Foucault) et *L'inspecteur connaît la musique* (Jean Josipovici) en 1955, *Ah! Quelle équipe!* (Roland Quignon) en 1957[1]. Quelques années plus tard, au contraire, la chanson et ses vedettes se suffisent à elles-mêmes. Certes, quelques tentatives d'un cinéma des « idoles » verront le jour, mais sans jamais se révéler concluantes : plusieurs jeunes vedettes apparaissent dans *Cherchez l'idole* et Johnny Hallyday joue aux côtés d'une débutante, Catherine Deneuve, dans *Les Parisiennes*. Mais c'est plutôt l'une des chansons de ce film, *Retiens la nuit*, qui fera souche. Le chassé-croisé est significatif : l'eau de jouvence passera davantage, en ces années 1960, par les disques que par les écrans.

---

1. Ludovic Tournès, « La popularisation du jazz en France (1948-1960) : les prodromes d'une massification des pratiques musicales », réf. cit., p. 119.

Y eut-il alors, tout de même, un genre cinématographique propre aux *baby-boomers*? À bien y regarder, c'est plutôt avec la génération précédente qu'une greffe indéniable s'est opérée, au point que pour celle-ci le septième art est devenu identitaire. On le perçoit bien, par exemple, pour le phénomène de la « nouvelle vague » cinématographique, qui déferla à la fin des années 1950 et dont la plupart des tenants, nés dans les années 1930, furent enfants au moment de l'essor du cinéma parlant. Ce ne fut pas une coïncidence mais, au contraire, une concomitance révélatrice que le constat par *L'Express*, à l'automne 1957, de l'arrivée d'une « nouvelle vague » appelée, peu à peu, à prendre « la France en main » et l'usage, quelques mois plus tard, de la même expression pour désigner un nouveau courant de l'expression cinématographique. Par-delà cette étiquette accolée par Pierre Billard en 1958 à quelques jeunes cinéastes, s'enclenche, en effet, un réel mouvement de fond. L'écho rencontré, en 1959, par *Les quatre cents coups* de François Truffaut et *Hiroshima mon amour* d'Alain Resnais – tous deux présents à Cannes dans la sélection officielle cette année-là –, ou encore *Les Cousins* de Claude Chabrol va entraîner un réel déblocage : 149 premiers films sont tournés en France entre 1959 et 1962, souvent par des cinéastes de moins de 35 ans[1]. Même si l'échec commercial est le plus souvent au bout du chemin et si le reflux des tenants – au demeurant, très hétérogènes – de la « nouvelle vague » est réel dès 1960-1961, au profit d'un retour en force du cinéma académique honni quelques années plus tôt, les relais de génération et les relèves qu'ils sous-tendent auront bien joué entre-temps.

Et peu importe ici si cette « nouvelle vague » fut ou non la révolution qu'elle prétendit être. Ces jeunes cinéastes ont, de toute façon, à leur manière, naturalisé le cinéma dans le fonds

---

1. Cf. Antoine de Baecque, *La Nouvelle Vague. Portrait d'une jeunesse*, Paris, Flammarion, 1998.

culturel d'une génération, la leur. Les enfants du *baby-boom*, au tournant des années 1960, arrivèrent donc dans un paysage éclairci et, en même temps, banalisé : le cinéma était bien devenu non seulement un vecteur culturel de masse – il l'était déjà depuis longtemps à cette date –, mais il contribuait désormais, précisément parce que son acculturation était parvenue à son terme, à nourrir la sensibilité et les stéréotypes de tous les Français.

De ce fait, la génération du *baby-boom* baigna naturellement dans le cinéma de son époque, mais – il faut y revenir tant le point est essentiel – sans pour autant que se crée alors un cinéma jeune, comme s'était progressivement développée une presse jeune. Ou plus précisément, à l'instar de cette presse jeune d'abord fondée sur la bande dessinée, le dessin animé fut de plus en plus prisé par les préadolescents dans une France de la seconde partie des années 1950 où, du fait de l'amélioration rapide du niveau de vie, le loisir payant, y compris celui des enfants, était désormais chose banale. Ce qui contribua, du reste, à une introduction encore plus profonde et précoce du cinéma dans l'univers des *baby-boomers*. Cela étant, la marque de Walt Disney, qui s'était ainsi fortement imprimée sur cet univers par dessins animés interposés, était déjà présente dans celui de leurs parents par l'intermédiaire de l'imprimé : *Le Journal de Mickey*, lancé en 1934, avait rapidement atteint un tirage de 400 000 exemplaires. Cette culture Walt Disney fut donc beaucoup plus une culture partagée entre générations qu'une empreinte spécifique. Il en fut probablement de même, du reste, de la plupart des films qui marquèrent les *baby-boomers* dans leur enfance. *Le Monde du silence*, par exemple, sorti en 1955, s'imposa à toutes les classes d'âge : film familial par excellence, il transcendait les générations, pour lesquelles il ne peut donc constituer un marqueur. De même, l'année suivante, *Le Ballon rouge*, même si son héros de six ans, Pascal, est un *baby-*

*boomer*, n'est pas non plus un film générationnel. Du reste, sa palme d'or au festival de Cannes l'avait placé de plain-pied dans le monde des adultes. À ce monde appartiennent aussi les séances du jeudi après-midi – jour de congé, à cette époque, des établissements scolaires – des cinémas de quartier : elles ne projetaient pas, sauf exception, de films différents des autres jours, d'où, on l'a vu, la nécessité d'une surveillance attentive des films autorisés pour tous les publics.

Pour les *baby-boomers*, il n'y eut, de fait, ni dans leur enfance ni dans leur adolescence, de cinéma propre à leur âge. Tout au moins dans un premier temps, car, à moyen terme, l'existence d'un tel marché potentiel, avec un jeune public étoffé et doté d'un réel pouvoir d'achat, allait engendrer, sinon une création spécifique, en tout cas une production recherchant implicitement, et bientôt explicitement, dans les années 1970, une telle clientèle. Mais il convient, à ce stade de l'analyse, d'affiner la chronologie. À la charnière des deux décennies précédentes, quand la génération du *baby-boom* quitte le monde magique du dessin animé, ce processus n'en est qu'à sa gestation. Le public jeune est plutôt, à cette date, un gisement potentiel. Par héritage culturel, on l'a vu, le cinéma fait spontanément partie de son genre de vie. Une enquête, réalisée au seuil de la décennie auprès d'un échantillon de 1 523 jeunes de 16 à 24 ans, répartis dans 127 communes du territoire, situe globalement le cinéma en tête des loisirs, avec un quart de ces jeunes le plaçant au premier rang. Bien plus, si la question posée porte non sur les loisirs mais directement sur les spectacles, ce sont alors 85 % d'entre eux qui plébiscitent le cinéma au premier rang de leurs inclinations[1].

Ce goût de la génération montante pour le cinéma va, de ce fait, constituer pour ce dernier une forme de rebond, au

---

1. Jacques Duquesne, *Les 16/24 ans. Ce qu'ils sont, ce qu'ils pensent*, Paris, Éditions du Centurion, 1963, *passim*.

moment même où son rayonnement global commence à faiblir. Bien des enquêtes, en effet, font ressortir que le recul qui s'amorce alors non seulement ne touche pas les jeunes, mais que, de surcroît, globalement, l'âge des spectateurs décroît[1]. Assurément, le phénomène est progressif et le chassé-croisé entre classes d'âge s'opérera en plus d'une décennie, si bien que c'est moins la génération du *baby-boom* que celle qui la suit qui sera pleinement concernée par lui. Bien plus, les sources manquent à l'historien pour établir quelle était la sensibilité cinématographique de ces adolescents des débuts des années 1960, public sans réelle indépendance culturelle en ce domaine et auquel ne s'adressait pas encore une production spécifique.

Production non spécifique, assurément, mais édulcorée. Le cinéma des jeunes spectateurs faisait, en effet, on l'a vu, l'objet d'une attention pointilleuse de la part de la commission de contrôle des œuvres cinématographiques. En mai 1961, par exemple, *Une femme est une femme*, de Jean-Luc Godard, est interdit aux moins de treize ans et l'avis d'interdiction est rédigé en ces termes : « L'interdiction aux mineurs de moins de treize ans est acquise par onze voix contre six. Elle est motivée par la nature même du sujet traité, et par le fait qu'il n'est pas souhaitable, en raison même du sujet, que le film soit projeté devant de jeunes enfants. L'interdiction a été également motivée par le fait que, tout en restant dans les limites de la décence, la réalisation n'en affleure pas moins des scènes et des situations scabreuses ne convenant pas aux enfants[2]. » À nouveau, comme pour l'imprimé, on constatera ici l'acception très large donnée à la notion de « jeune enfant ». Au seuil

---

1. Cf., par exemple, Joffre Dumazedier et Aline Ripert, *Le Loisir et la Ville*. I. *Loisir et culture*, Paris, Le Seuil, 1966, pp. 149-150. Ces auteurs s'appuient notamment sur une étude par sondage de 1959.

2. Cité par Sophie de Closets, « La Commission de contrôle des œuvres cinématographiques face aux longs métrages français de fiction de 1956 à 1960 », maîtrise, Paris-I, 1999, p. 202.

des années 1960, une large partie de la génération du *baby-boom* a moins de treize ans et sa « protection » face à des images fixes ou animées jugées immorales – ou, dans d'autres cas, on l'a vu, violentes – est très attentive. On rappellera que le film de Jean-Luc Godard est une comédie et que, s'il y est question d'un trio amoureux (Anna Karina, Jean-Claude Brialy et Jean-Paul Belmondo), le thème est traité sur le registre de la fantaisie. Le « sujet traité » qui effaroucha la commission était-il le souhait d'Anna Karina d'avoir un enfant à tout prix ? Et les « situations scabreuses » proviennent-elles du fait que le personnage joué par la comédienne travaille dans un club de strip-tease ? Toujours est-il qu'il y a bien là, clairement marquées sinon explicitées, les limites fixées pour ce qui concerne la « protection » d'une enfance dilatée jusqu'au cœur de l'adolescence. Sur ce registre également, il n'existe donc pas d'indépendance culturelle.

## L'Amérique comme Eldorado

Pour autant, il est possible dès cette époque de percevoir des goûts qui, à défaut d'indépendance, reflètent une certaine autonomie. Et nous retrouvons là les États-Unis, où l'apparition de vedettes de cinéma davantage adulées par les jeunes que par les adultes est l'indice le plus significatif de cette prise d'autonomie.

### La fureur de vivre ?

C'est le cas notamment d'Elvis Presley, au moment de sa carrière cinématographique, et surtout de James Dean. Mais ce dernier a été l'acteur de trois films importants seulement et sa carrière s'est brusquement achevée au moment de sa mort accidentelle en 1955. Et le passage d'Elvis Presley sur les écrans fut limité, pour ce qui concerne les productions réellement marquantes, à la fin des années 1950 et au début de la décennie suivante. En d'autres termes, les *baby-boomers* avaient moins de dix ans au moment du décès de l'un et moins de quinze lors du tour de piste de l'autre et n'ont, en fait, connu le rayonnement de ces deux acteurs que par réverbération, sous l'influence des « idoles » françaises de la chanson « yé-yé » légèrement plus âgées que leurs « fans » – Johnny Hallyday est né en 1943 et Eddy Mitchell en 1942 – et profondément marquées, dans la seconde partie des années 1950, par une culture *rock'n roll* qu'incarnait Elvis Presley et qu'avait nourrie James Dean par son destin d'étoile filante et sa fin tragique. Ces deux ingrédients, au demeurant, étaient censés être le reflet d'une « fureur de vivre »; le film éponyme devint le film-culte de ces jeunes aînés et James Dean, à titre posthume, un acteur un peu maudit et vaguement subversif. Ce qui, au bout du compte, nous ramène à l'essentiel : la culture « yé-yé », dominante en milieu jeune dans la première partie des années 1960, est en premier lieu sonore, même si ses hérauts y inséminent aussi des images fixes ou animées qui ont peuplé leurs imaginaires. Et même plus avant dans la décennie, quand seront largement dissipés les effluves de cette culture yé-yé, les *baby-boomers*, montés en graine, continueront à associer films et chansons jusque dans leurs engouements : ainsi est-il difficile, rétrospectivement, de trancher sur le fait de savoir si c'est la Mrs Robinson de l'écran – Anne Bancroft – ou de la bande-son – de Simon et Garfunkel – qui contribua le plus à faire du *Lauréat* de Mike Nichols (1967) un film-culte. Avec, de toute façon, en toile de fond cinématographique ou en écho sonore, les États-Unis toujours à l'horizon, alors même, pourtant, que le fond de l'air idéologique a changé entre-temps, en quelques années, et que la guerre du Viêtnam est passée par là.

De fait, l'image des États-Unis auprès de la jeunesse française sera partiellement flétrie, à partir du milieu de la décennie, par cette guerre. Cela étant, outre que cette flétrissure, on le verra, sera beaucoup moins étendue que ne pourront le laisser croire les anathèmes d'une partie de l'extrême gauche, elle n'existe pas au seuil des années 1960, hormis peut-être dans les rangs du Parti communiste français. Ainsi la musique américaine, dans sa diversité, parvient-elle à séduire plusieurs générations à la fois. En mars 1960, par exemple, tandis que les Platters triomphent à l'Olympia, accompagnés par Quincy Jones et son orchestre, sort le premier 45-tours de Johnny Hallyday, qui se réclame plutôt – et ses déhanchements lors de ses premiers passages télévisés le confirmeront – du « King ». Du côté de chez Elvis Presley ou de celui de la grande variété, les générations françaises adolescentes ou jeunes adultes vibrent à l'unisson de musiques américaines, et les « stars » qui incarnent ces musiques viennent toutes alors d'outre-Atlantique. Certes, les « idoles » françaises de la chanson commencent à pointer à l'horizon, mais, précisément, elles seront souvent des décalques de ces « stars », jusque dans leurs pseudonymes. Bien plus, ce ne sont pas seulement les sons qui trouvent ainsi un écho en France : les images cinématographiques suscitent aussi un réel engouement pour les productions venues des États-Unis. Assurément, en mai 1960, le festival de Cannes consacre *La Dolce Vita* de Federico Fellini et *L'Avventura* de Michelangelo Antonioni, mais ce sont les chars de *Ben Hur*, couronné le mois précédent lors de la cérémonie des Oscars à Hollywood, qui attirent les foules. Jusqu'aux jeunes cinéastes français qui expriment, en ce même printemps, une réelle fascination : *L'Amérique insolite*, de François

Reichenbach, sort sur les écrans en juin et, trois mois plus tôt, *À bout de souffle*, de Jean-Luc Godard, était venu à l'affiche, avec Jean-Paul Belmondo y promenant son admiration pour Humphrey Bogart et Jean Seberg vendant le *New York Herald Tribune* à la criée sur les Champs-Élysées. Et c'est sur cette même avenue que, à partir de mars 1962, *West Side Story*, sorti à l'automne précédent aux États-Unis, sera projeté plusieurs années de suite au cinéma George-V et y totalisera un million d'entrées. Tout au long de ces mêmes années, les chanteurs « yé-yé » et leur public resteront profondément marqués par les images et les sons venus des États-Unis. Les photographies des « idoles » par Jean-Marie Périer, dans *Salut les copains*, dessinent une géographie des lieux-cultes de ces artistes et leurs « fans », et les États-Unis sont sans conteste l'épicentre de ces affinités électives.

## Changement d'ère

Il faudrait faire la généalogie de telles affinités. Au cours de la décennie qui suit la fin de la Seconde Guerre mondiale, la génération des parents des *baby-boomers* constitue la strate des jeunes adultes d'une France déjà très ouverte aux vents d'outre-Atlantique. Si l'entre-deux-guerres avait vu la coexistence, en France, de sentiments ambivalents à l'égard des États-Unis, sentiments dans lesquels se lisait un mélange de fascination et de répulsion pour la modernité incarnée par « l'Amérique », la guerre et la Libération modifient la donne. Si, dans le contexte de guerre froide, l'hostilité du Parti communiste français à l'égard des États-Unis est systématique et si les anathèmes viennent aussi d'une partie de l'intelligentsia progressiste ou neutraliste[1], la plus grande majorité des Français sondés sous la IVᵉ République déclarent leur sympathie, leur attirance ou leur admiration pour les États-Unis. Ceux-ci apparaissent aux yeux du plus grand nombre comme un pays de cocagne et de liberté, malgré le maccarthysme ou la ségrégation raciale[2].

Et ce ne sont pas seulement les parents des *baby-boomers* qui baignent ainsi dans de tels courants globalement favorables. Les frères aînés, qui deviennent adolescents au fil des années 1950, sont parfois déjà touchés par les embruns de cette vague jeune qui touche alors les États-Unis. Il faudrait assurément faire l'inventaire des lieux et des milieux ainsi concernés, et des vecteurs qui permettent de tels contacts. Outre les supports de la culture de masse – l'image et le son venus d'outre-Atlantique –, eux-mêmes sous-tendus par l'avance technologique et la puissance économique des États-Unis qui donnent dès cette époque une très grande force de frappe internationale à leurs industries du spectacle et du loisir, a été bien mis en lumière le rôle également joué par le contact direct avec l'*american way of life* incarné par plusieurs dizaines de milliers d'Américains vivant alors en France : les soldats des bases américaines et leurs familles, présents sur le territoire jusqu'à la sortie de la France du dispositif militaire de l'OTAN dans la seconde partie des années 1960. Comme ils vivent à l'écart, leurs lieux d'habitation ou de consomma-

---

1. Sur les racines et la mise en perspective de cet antiaméricanisme intellectuel, cf. Philippe Roger, *L'Ennemi américain. Généalogie de l'antiaméricanisme français*, Paris, Le Seuil, 2002.
2. Pour les éléments constitutifs de cette représentation favorable, on se reportera à la deuxième partie, « Une nouvelle terre promise », de l'ouvrage de Philippe Roger, *Rêves et cauchemars américains. Les États-Unis au miroir de l'opinion publique française (1945-1953)*, Villeneuve-d'Ascq, Presses universitaires du Septentrion, 1996, pp. 71-168.

tion constituent des « parcelles de rêve[1] » et seule une étude attentive pourrait montrer comment, par capillarité, se sont opérés à partir de celles-ci des transferts culturels qui dépassaient les paquets de cigarettes et les tablettes de chewing-gum. La pénétration du *rock'n roll* en France et l'acculturation du blue-jean, par exemple, en furent probablement facilitées. Avec, là encore, le rôle d'amplification joué par les « idoles » de la chanson auprès de leurs jeunes cadets. Ainsi, *L'Aurore* du 29 mai 1963 constate un « véritable rush », au marché aux Puces, sur les chemises *made in USA*, ainsi que sur des « sortes de chemises-maillots de corps » – comprenons les *T-shirts* – et bien entendu sur le blue-jean – « qui doit être un Levi-Strauss ». Et le journal de conclure : c'est la « dernière mode pour les "idoles" et pour les "fans" ».

Mais, bientôt, on l'a dit, l'air du temps allait changer. L'ère des contestations, progressivement, allait venir et l'image des États-Unis allait s'en trouver passablement altérée. Au moment même où la génération du *baby-boom* parvenait à l'âge des éventuels premiers engagements politiques, elle recevait le legs de cette irradiation culturelle américaine mais se trouvait aussi confrontée aux effets induits par la guerre du Viêtnam.

---

1. Cf. la thèse d'Olivier Pottier, *La Présence militaire américaine en France* (1950-1967), 3 vol., Reims, 1999, notamment le chapitre 11, « *L'American Way of Life* en France », pp. 423 *sqq.*

# Lennon ou Lénine ?

Même s'il colora durablement l'air du temps – à l'époque comme par la suite du fait d'une sorte de réverbération nostalgique –, le « moment SLC » fut éphémère. Il ne concerna, à vrai dire, que le premier versant de la décennie. En même temps, il est vrai, ce moment constitua comme la partie émergée du vaste mouvement de fond qu'a été le coup de jeune de la France. Et il fut alors d'autant plus visible que, avec le recul, la période 1962-1965 apparaît comme une sorte d'oasis : l'Histoire alors reprend son souffle, après les houles de la guerre froide et de la décolonisation.

Si l'on considère que l'histoire culturelle s'assigne notamment pour objet de penser les processus de circulation des faits non matériels dans une société donnée, ce coup de jeune des structures non seulement démographiques mais bien plus largement socioculturelles du pays est assurément un fait historique considérable, perçu d'ailleurs à chaud par la sociologie. Cela étant, sur le second versant de la décennie, les effets de ce coup de jeune seront bien plus perceptibles encore, même si ses efflorescences musicales ne relèvent plus alors du registre du « yé-yé ». Deux aspects prédominent, qui contribuent à dessiner encore davantage les traits spécifiques de cette génération du *baby-boom*.

195

Le premier est une coloration idéologique croissante de l'air du temps. Progressivement, celui-ci vire au rouge, tandis que se lèvent des vents contestataires. On fausserait assurément la perspective en proposant la vision d'une génération au bois dormant, sommeillant au rythme du « yé-yé » tout au long des premières années de la décennie puis brusquement réveillée par le souffle de ces vents : outre que les engagements d'extrême gauche ne concernèrent jamais qu'une minorité – on y reviendra –, la contestation prit bien d'autres formes que cette intervention politique directe. En même temps, cette coloration existe et elle imprègne la culture de masse juvénile alors en gestation. Les *baby-boomers*, au moins pour certains d'entre eux, deviennent alors des « enfants de Lennon et de Lénine »[1]. D'une certaine façon, du reste, les travaux d'Edgar Morin au fil des années 1960 ont reflété quasiment en temps réel cette évolution. Dès 1962, dans *L'Esprit du temps*, il pointait « la dominante » juvénile[2] qui se profilait dans la « nouvelle culture » alors en développement et, l'année suivante, ses articles du *Monde* des 6 et 7 juillet 1963 en écho au concert de la place de la Nation du 22 juin précédent donnaient au phénomène *Salut les copains* ses titres de noblesse sociologiques. Et, en 1967, quand il publie son étude sur Plodémet en Bretagne, « les adolescents »[3] constituent, sous ce titre, un passage essentiel du livre. Si, donc, avant mai 1968, la culture « adolescente » ou « juvénile », ou « juvénile-adolescente » – et *vice versa* – occupait ainsi une large place dans les analyses d'Edgar Morin, souvent reliée, du reste, à sa réflexion sur la culture de masse, les événements français et étrangers de l'année 1968 le conduiront bientôt

---

1. Laurent Joffrin, *Un coup de jeune. Portrait d'une génération morale*, Paris, Arléa, 1987, p. 94.

2. Edgar Morin, *L'Esprit du temps*. 1. *Névrose*, Paris, Grasset, édition de 1975, p. 51.

3. Edgar Morin, *Commune en France*, Paris, Fayard, 1967, pp. 139 *sqq.*

à réfléchir plus avant sur « culture adolescente et révolte étudiante[1] ».

Une approche culturelle de l'effervescence idéologique du second versant des années 1960 est donc nécessaire, d'autant qu'un autre phénomène culturel se développe à la même date : la dilatation des phénomènes culturels à l'échelle sinon déjà mondiale, en tout cas des grands pays industrialisés. Là encore, des tenants des sciences sociales en feront l'observation à chaud ; « nous approchons d'une culture mondiale » écrit, par exemple, on l'a vu, l'anthropologue Margaret Mead en 1970[2]. Rétrospectivement, du reste, ces mêmes sciences sociales relieront explicitement la montée d'une culture de masse juvénile et sa dilatation géographique concomitante. Ainsi, quinze ans après la fin de cette décennie, Paul Yonnet évoquait la surrection d'un « nouveau continent social, l'adolescence », et observait que « le peuple adolescent » ainsi constitué était « cosmopolite » et s'articulait « autour de la culture rock »[3].

Les *baby-boomers* constituent bien, là encore, une génération spécifique : ils sortent de l'adolescence au moment où les sons mais aussi les fureurs du monde commencent à constituer une vaste chambre d'écho se répercutant par-dessus les frontières. Par une sorte de mouvement de balancier de l'Histoire, la France de la seconde partie des années 1960, au moment même où elle venait de se rétracter territorialement aux dimensions de l'Hexagone après la fin de la décolonisation, se dilatait d'une autre manière, en s'ouvrant aux vents culturels venus d'ailleurs.

---

1. *Annales E.S.C.*, 24, 3, 1969, repris dans *L'Esprit du temps*. 2. *Nécrose*, Paris, Grasset, 1975, pp. 179 *sqq.*
2. Margaret Mead, *Le Fossé des générations*, Paris, Denoël-Gonthier, 1971 (1970 pour l'édition américaine), p. 11.
3. Paul Yonnet, *Jeux, modes et masses. La société française et le moderne (1945-1985)*, Paris, Gallimard, 1985, pp. 176 et 8.

# TROISIÈME PARTIE

# Au seuil des Vingt Décisives

Mais cette ouverture culturelle croissante sur le monde n'est pas le seul trait saillant de cette France du cœur des *sixties*. Au mitan de la décennie, la mutation sociologique en cours s'accélère et commence « la seconde révolution française ». Henri Mendras a baptisé ainsi la phase qui s'amorce alors et qui court jusqu'au milieu des années 1980, moment où bien des évolutions amorcées vingt ans plus tôt sont arrivées à terme. Les Trente Glorieuses ont donc enfanté ce que l'on pourrait appeler les Vingt Décisives, emboîtées en leur sein puis les prolongeant dans une période de crise. Les *baby-boomers* seront les jeunes adultes de ces Vingt Décisives. Pour l'heure, au milieu des années 1960, ils sortent de l'adolescence au moment où celles-ci s'enclenchent.

# Quinze ans au cœur des années 1960

Été 1964 : un arrêt sur image s'impose. Au cœur de cette année-là, en effet, des relèves de génération s'opèrent peu à peu : à l'Élysée, le président de la République se remet de son opération de la prostate, intervenue en avril ; à Saint-Tropez, Brigitte Bardot a 30 ans et, dans *Candide*, Marguerite Duras l'interpelle : « Brigitte, [...] est-ce la fin de votre éblouissante matinée ? » Dans la France entière, les « idoles » de la génération montante commencent à prendre le relais : « ce soir, je serai la plus belle pour aller danser », chante Sylvie Vartan, tandis que les plus âgés des *baby-boomers* ont 18 ans, les plus jeunes 11 ou 12 ans et que le gros de la troupe atteint ou frôle la quinzième année. Si midi, déjà, se profile pour « BB », c'est donc aux enfants de l'après-guerre d'entrer progressivement dans la matinée de leur vie. L'aube de l'enfance et de la prime adolescence est bien terminée.

Pour ces jeunes gens parvenus à la puberté, l'heure toutefois n'est pas, semble-t-il, aux bouleversements du comportement sexuel : « Mais ne me demande pas/de monter chez toi », avait prévenu Françoise Hardy. La danse, donc, mais dans la tempérance, préconisent les jeunes aînées des *baby-boomers*. Et pourtant, quelques indices révèlent que les normes, bien avant 1968, sont en train de se craqueler. Ainsi, en cet été

1964, quelques seins nus apparaissent sur les plages varoises. L'affaire, il est vrai, relève encore pour l'heure, aux yeux du plus grand nombre, de la gaudriole : *Le Gendarme de Saint-Tropez*, tourné durant ce même été, pourchasse les naturistes. Il n'empêche. C'est aussi au mois de juillet 1964 que le docteur Pierre Simon présente à la presse le stérilet, « une sorte de crosse d'évêque finissant en grains de chapelets ». La provocation du propos se veut probablement une sorte de cheval de Troie dans une France où toute propagande anticonceptionnelle est alors encore interdite.

Cela étant, par-delà ces craquements, l'été 1964 est également celui où l'enrichissement du pays apparaît sans doute pour la première fois aussi massivement : en 1962, trois millions de Français s'étaient rendus en Espagne ; deux ans plus tard, ils sont sept millions à franchir les Pyrénées. La Nationale 9 va désormais concurrencer la Nationale 7 et le col du Perthuis devient l'un de ces « points noirs » qui vont désormais symboliser le tourisme de masse[1]. Le temps de la guerre d'Algérie semble loin : deux ans à peine, mais déjà une éternité ! Les langueurs de l'été renvoient dans le passé l'été 1962, été de tous les malheurs pour la communauté pied-noire et année de tous les enjeux pour une France qui disait ainsi adieu à son empire et ravalait sa Constitution. Le service militaire, deux ans plus tard, n'est plus synonyme de Méditerranée traversée et de dangers encourus : Johnny Hallyday remplit, cette année-là, ses obligations en ce domaine, et le « yé-yé », au firmament de sa prospérité, y gagne encore en respectabilité. Et déjà se profile à l'horizon 1965 la première élection présidentielle au suffrage universel masculin et féminin.

---

1. On doit ici signaler le dossier « Un été 1964 », dans *L'Express* du 28 juillet 1994. Certains des effets d'écho de cet été au cœur des *sixties* y étaient analysés avec talent et ont été repris ici.

Surtout, en ce milieu des années 1960, c'est la France tout entière qui continue à être emportée par la mutation la plus rapide de son histoire : les craquements enregistrés de la surface sont, de fait, les contrecoups de la vaste métamorphose en cours. Et les *baby-boomers*, mutants en leur adolescence dans une France qui paraissait encore bien statique malgré les premiers effets des Trente Glorieuses, seront les jeunes gens de cette nouvelle « révolution française » qui s'amorce en ce milieu de décennie.

# CHAPITRE VII

# La ligne de crête de 1965

Les *baby-boomers* sortent de l'adolescence dans une France où le « modèle républicain » hérité de la III<sup>e</sup> République commence à connaître une véritable mue, qui ajoute encore à la métamorphose des années 1960. Ce modèle était une « sorte d'écosystème social[1] » qui s'était constitué à la fin du XIX<sup>e</sup> siècle au moment où la République passait du statut de « fait social partisan et victorieux » à celui de « fait coutumier[2] », en d'autres termes quand elle s'installait dans les esprits et les cœurs en position dominante. Cet écosystème était constitué à la fois d'un régime politique et d'un système de valeurs, et c'est l'adéquation entre l'un et l'autre qui a assuré la solidité et, pour un temps, la stabilité de l'ensemble. De fait, l'étude d'un régime politique ne se ramène pas aux seules institutions qui permettent la dévolution et l'exercice du pouvoir en son sein. Elle doit aussi prêter attention aux fondements économiques, au socle sociologique et au soubassement socioculturel de ce régime et notamment, dans ce

---

1. Serge Berstein et Odile Rudelle (dir.), *Le Modèle républicain*, Paris, PUF, 1992, p. 7.
2. Maurice Agulhon, *Marianne au pouvoir. L'imagerie et la symbolique républicaines de 1880 à 1914*, Paris, Flammarion, 1989, p. 339.

soubassement, au système de valeurs qui soude la société porteuse. Or régime et système de valeurs n'ont pas forcément le même métabolisme et, à un moment donné, leur adéquation s'en trouve donc perturbée. Ce fut le cas en particulier dans les années 1960, où le régime retrouva un équilibre momentanément perdu alors que le système de valeurs commençait à connaître des tiraillements sans précédents.

## LE DÉRÈGLEMENT DE L'ÉCOSYSTÈME

Pour le régime républicain, la crise était venue avec les années 1930. Commença alors une houle historique de plusieurs décennies dont il sortit profondément transformé : d'une certaine façon, la version 58 révisée 62 constitua tout à la fois un rebond et le gage d'une seconde vie. Pour autant, de même que Stanley Hoffmann avait pu parler, à propos du cœur de la III<sup>e</sup> République, d'une « synthèse républicaine[1] », peut-on parler, pour les années 1960, d'une nouvelle « synthèse républicaine » ? La réponse est positive si l'on donne à cette notion de synthèse le sens d'un régime vite enraciné et sous-tendu par des institutions rapidement consensuelles. Car tel fut rapidement le statut de la V<sup>e</sup> République au miroir de la plus grande partie de l'opinion – on y reviendra. Cette réponse, en revanche, devient beaucoup plus complexe, au moins pour ces années 1960, si l'on ne s'en tient pas au seul versant institutionnel. Les valeurs qui sous-tendent un groupe

---

1. Stanley Hoffmann, « Paradoxes de la communauté politique française », dans S. Hoffmann, C.P. Kindleberger, L. Wylie, J.-R. Pitts, J.-B. Duroselle, F. Goguel, *À la recherche de la France*, Paris, Le Seuil, 1963 (repris dans le recueil de S. Hoffmann, *Sur la France*, Paris, Le Seuil, 1976, pp. 33-165).

humain, ici une communauté nationale, et les normes qui y balisent le comportement collectif composent elles aussi l'un des ingrédients d'une « synthèse » ou d'un « écosystème ». Or celles-ci ont leur rythme propre, qui n'est pas forcément celui des institutions[1]. Sous la IIIe République, une sorte de morale républicaine relayée par l'école s'était sociologiquement enracinée et géographiquement « nationalisée » rapidement. Et, beaucoup plus durablement que le régime politique tertio-républicain, en crise, on l'a dit, dès les années 1930, cette sensibilité commune résista aux fortes houles historiques de deux guerres mondiales et aux premières mutations sociologiques des années 1950.

En revanche, si ce régime a pu opérer une sorte d'*aggiornamento* en 1958, la décennie suivante a constitué, pour l'ensemble de normes et de valeurs constituées au temps de l'« écosystème » tertio-républicain, une période tourbillonnaire qui l'a rapidement décalé par rapport à une société en pleine mutation. C'est en ce cœur des Trente Glorieuses, en effet, que s'est amorcée en France une transformation essentielle des comportements collectifs et des pratiques socioculturelles. Les sociologues ont souvent désigné 1965 comme une année tournante au-delà de laquelle commence ce qu'Henri Mendras a appelé la « seconde révolution française[2] ». Avaient prévalu jusque-là des modes de régulation liés à une civilisation rurale de relative pénurie économique et d'insécurité sociale. La frugalité et la prévoyance, « bref le report de la satisfaction » (Jean-Daniel Reynaud), y étaient donc des vertus cardinales. Au contraire, dans la France urbaine et enrichie des Trente Glorieuses, le desserrement des

---

1. Sur la période d'histoire française depuis 1870 analysée sous cet angle, je me permets de renvoyer à mon ouvrage, *Aux marges de la République. Essai sur le métabolisme républicain*, Paris, PUF, 2001.

2. Henri Mendras, *La Seconde Révolution française, 1965-1984*, Paris, Gallimard, 1988.

contraintes économiques commence à entraîner celui des contrôles sociaux, et ces vertus qui constituaient autant de « régulation traditionnelles » (Michel Crozier) vont progressivement passer au second plan[1].

Certes, un tel processus s'amorçait à peine en ces années 1960, mais, outre le fait qu'il allait s'accélérer dans la seconde partie de la décennie, les premières lézardes alors apparues montraient bien, s'il en était besoin, que les normes et les valeurs sont des organismes vivants, qui ne peuvent subsister en l'état, par cryoconservation, quand elles commencent à être déconnectées d'une société en pleine mutation : dans un pays où commençait la « seconde révolution française », les valeurs communes qui fondaient et cimentaient une certaine forme de culture républicaine se sont ainsi trouvées progressivement battues en brèche.

### Le cœur des Trente Glorieuses, le seuil des Vingt Décisives

On voit mieux se profiler ainsi la troisième marche du parcours des *baby-boomers* : enfants de l'après-guerre, adolescents du début des années 1960, moment où les premiers fruits de la croissance apparaissent réellement dans la vie quotidienne et où la France, enfin, sort de son *trend* belliqueux, ils seront les jeunes gens des débuts de cette « seconde révolution française » et du seuil des vingt années qui en sont le cadre chronologique. À cet égard, 1965 est bien une date charnière, même si l'observation, en première analyse, peut surprendre. Rien, en effet, ne paraît conférer à ce millésime une

---

1. Jean-Daniel Reynaud, « Du contrat social à la négociation permanente », p. 390, et Michel Crozier, « La crise des régulations traditionnelles », dans Henri Mendras (dir.), *La Sagesse et le Désordre. France 1980*, Paris, Gallimard, 1980.

signification particulière, alors qu'autour de lui d'autres dates semblent sonner historiquement plus juste : 1962 a vu les adieux à l'empire, et 1968 ébranlera la République gaullienne. Bien plus, la période qui sépare ces deux dates semble tout d'un bloc, les mêmes hommes gouvernant continûment : Georges Pompidou est Premier ministre d'avril 1962 à juillet 1968 et Charles de Gaulle se trouve investi d'un nouveau mandat présidentiel en décembre 1965. Et pourtant une telle date ne se réduit pas à cette seule réélection. Au mitan de la décennie, il apparaît qu'au cœur des Trente Glorieuses, imbriquée en elles mais survivant, après 1973-1974, à leur disparition, commence une période de vingt ans où la France a davantage changé qu'en plusieurs siècles. Et cette métamorphose a été telle qu'il est possible de baptiser, rétrospectivement, ces deux décennies les Vingt Décisives[1].

Le point de départ en est bien au milieu des Trente Glorieuses. Mathématiquement, aussi, l'observation peut surprendre. Jean Fourastié, on l'a dit, a appelé Trente Glorieuses la période qui court de la Libération à la crise pétrolière de 1973 et la bissectrice en leur sein se situe donc en 1959. Si l'on peut pourtant la localiser en 1965, c'est que la première des trois décennies chères à Jean Fourastié avait été surtout celle de la reconstruction et de l'effort : les fruits de la croissance conquérante étaient encore, dans la vie quotidienne, des fruits verts. Tout change à partir du milieu des années 1950 et les deux décennies qui suivent sont, elles, emportées par cette croissance. Et 1965 en apparaît bien comme le cœur, à équidistance de ce milieu de décennie précédente et des deux années tournantes – pour les principaux indices économiques – qui suivirent le choc pétrolier de 1973.

---

1. J'avais commencé à proposer l'usage d'une telle notion dans Jean-François Sirinelli, « Les Vingt Décisives. Cultures politiques et temporalités dans la France fin de siècle », *Vingtième Siècle. Revue d'histoire*, n° 44, octobre-décembre 1994.

Mais cette position centrale ne découle pas seulement d'un strict calcul mathématique. En ce milieu des années 1960, bien des indicateurs relevant du domaine des mentalités collectives et de celui du comportement social signalent des changements notables. Ceux-ci ont leur métabolisme propre, décalé par rapport aux rythmes politiques et aux cycles économiques. De fait, si la France avait connu en 1958 un *aggiornamento* politique, si, déjà auparavant, elle était entrée après la Seconde Guerre mondiale dans l'ère de la croissance soutenue et si, surtout, elle avait commencé à connaître, à partir des années 1950, la mutation sociologique la plus rapide de son histoire[1], des valeurs et des modes de régulation hérités d'un moment où la nation était encore largement rurale avaient continué à prévaloir. Mais, dans la France des Trente Glorieuses en pleine mue, le desserrement des contraintes économiques a bientôt entraîné celui des contrôles sociaux traditionnels, et ces valeurs et modes de régulation jusque-là demeurés essentiels ont commencé à se retrouver décalés par rapport à l'évolution de la société.

On saisit mieux ainsi l'ampleur du changement qui s'amorce alors au sein de l'écosystème hérité des républiques précédentes. Dans cette France enrichie et urbanisée des années 1960, ce n'est pas seulement la stratification sociale qui change ou le mode de vie qui est bouleversé, ce sont aussi les normes qui bientôt se retrouvent au cœur de la grande mue. Certes, le processus a d'abord été souterrain mais, en ce

---

1. On l'a précisé plus haut, le premier chapitre de ce livre a seulement dessiné le cadre de la mutation sociologique des Trente Glorieuses, sans en développer l'analyse, puisque tel n'était pas, *stricto sensu*, l'objet de ce livre. La brièveté du propos ne doit pas masquer l'ampleur de cette mutation, ainsi que son extrême rapidité. Une observation de Jean Fourastié résume bien cette fonte accélérée de la ruralité : « Il avait fallu 150 ans pour que l'agriculture réduise de moitié son poids dans la population active ; en 30 ans, ce poids s'est réduit de 36 % à 10 % » (Jean Fourastié, *Les Trente Glorieuses ou la révolution invisible de 1946 à 1975*, Paris, Fayard, 1979, p. 37).

milieu des années 1960, ses effets commencent à devenir manifestes. Les *baby-boomers* ont quinze ans dans un pays emporté par une croissance soutenue et génératrice de plein emploi, dans lequel la sécurité devant les aléas de l'existence s'est faite plus grande. À la frugalité et à la prévoyance commencent, de ce fait, à se substituer des valeurs et des comportements hédonistes. Les premiers symptômes en deviennent perceptibles : ainsi, grâce au crédit, la satisfaction immédiate des besoins matériels plutôt que leur report; ou encore, sur un autre registre, l'érosion du conformisme social et de l'assimilation par la ressemblance, qui contribuaient à cimenter le corps social, au profit de la revendication – pour l'heure, plus implicite qu'explicite – du droit à la différence. Assurément, en ce domaine, les mécanismes s'enclenchent à peine, car la standardisation croissante des genres de vie à la même époque vient les contrebalancer, et il est difficile, pour l'heure, de parler de vagues contestataires. Celles-ci ne se creuseront réellement qu'après la secousse de Mai 68, mais déjà pointent une attitude nouvelle face à l'autorité – et donc aux normes – et un autre comportement face aux traditions et aux interdits – et donc aux valeurs. Un certain nombre d'institutions qui, en dehors de leurs fonctions propres, jouaient aussi un rôle comme dépositaires ou gardiennes de cette autorité et de ces valeurs, et constituaient autant de facteurs des « régulations traditionnelles » vont, du reste, entrer dans une phase de crise. Ainsi l'Église catholique, où s'amorce un reflux des vocations : le nombre des ordinations, qui était de 595 en 1960, sera de 338 à la fin de la décennie[1].

À bien y regarder, s'amorce alors un changement de comportement collectif et des mœurs dans des domaines et sur des thèmes qui touchent aux sensibilités profondes d'une

---

1. Cf. Denis Pelletier, *La Crise catholique. Religion, société, politique en France (1965-1978)*, Paris, Payot, 2002, p. 51.

société : la foi, la pudeur, le plaisir. C'est en 1965 que deviennent perceptibles les premiers craquements. Par exemple, ainsi que l'a observé Henri Mendras, on note, en cette année tournante, « un premier décrochement dans le taux de pratique religieuse chez les jeunes [...]; le nu apparaît dans les magazines et dans les films. Les enquêtes de motivation et d'opinion permettent de préciser et de dater cette "crise des valeurs", dont on commençait à parler à l'époque[1] ».

## L'ÉPISODE ANTOINE

La France au cœur des Trente Glorieuses change donc en profondeur et le milieu des années 1960 voit la métamorphose s'accélérer. L'épisode Antoine en est, à cet égard, un épisode historiquement anodin mais culturellement significatif. En 1965, en effet, une nouvelle étoile apparaît au firmament des « idoles », le chanteur Antoine. Si la notoriété de celui-ci, en tout cas comme artiste, dura assez peu, l'épisode, et surtout ses débuts, sont éclairants et contribuent à dessiner une ligne de crête : les années 1960 à la française, ont, en fait, deux versants, et c'est bien vers 1965 que l'inflexion s'opère.

Agréger Antoine aux « idoles » est, du reste, tout compte fait, largement arbitraire. Si l'été 1964 avait vu celles-ci briller encore de mille feux, ce scintillement était bien celui d'un zénith. La plupart des groupes se disloquent en ce milieu de décennie et notamment les deux plus célèbres, les Chaussettes

---

1. Henri Mendras, *La Sagesse et le Désordre*, réf. cit., p. 23. Dans cet ouvrage, Henri Mendras avait dès 1980 attiré l'attention sur 1965, « charnière décivise » (*ibid.*, p. 18).

noires et les Chats sauvages. Surtout, d'autres sons viennent de Grande-Bretagne et des États-Unis et résonnent aux oreilles des jeunes du *baby-boom* qui, entre-temps, ont vieilli de quelques années. Les efforts désordonnés, plusieurs années durant, de Johnny Hallyday pour suivre les modes montrent bien que les temps changent et ses tentatives de mue sont l'envers de la métamorphose en cours.

## Le post-« yé-yé »

Métamorphose ? Une contestation socioculturelle commence, en effet, à imprégner la musique anglo-saxonne, au sein de sociétés elles-mêmes en pleine mutation. Antoine symbolise jusque dans l'apparence certaines de ces évolutions : cheveux longs, au risque de paraître efféminé face à un public que ni la vague « yé-yé » ni même les franges des Beatles n'avaient habitué à de telles apparences ; porte-harmonica et guitare sèche renvoyant davantage à Bob Dylan ou Joan Baez qu'aux guitares électriques des groupes du « yé-yé » ; jean et parka évoquant plus les « beatniks » que ces chanteurs « yé-yé » alors en voie de respectabilisation. Du reste, la célèbre photographie de 1966 sur laquelle Jean-Marie Périer avait réuni pour *Salut les copains* quarante-sept chanteurs et chanteuses comprenait, à côté de la chemise à fleurs d'Antoine, beaucoup de mises très ordonnées.

En fait, le succès d'Antoine montre bien qu'une brise contestataire est alors en train de se lever dans la culture juvénile française, entrée dans l'ère du post-« yé-yé ». Sa chanson *Les Élucubrations*, grand succès de l'année 1966, est certes, comme son nom l'indique, en partie ludique, mais, par-delà le côté potache d'un jeune étudiant en rupture de ban, la pose et surtout le propos détonnent par rapport à ceux de la vague « yé-yé », dont le reflux s'amorce alors. La pose, d'abord, avec

213

le clivage de génération assumé – « Ma mère m'a dit : Antoine, fais-toi couper les ch'veux/Je lui ai dit : Ma mère, dans vingt ans, si tu veux » – et la liberté revendiquée – « Je ne les garde pas pour me faire remarquer/Ni parc'que j'trouve ça beau/Mais parce que ça me plaît ». Le propos, ensuite et surtout, avec la mise en vente de « la pilule dans les Monoprix ». Certes, le chanteur avait d'abord songé plutôt à préconiser la vente libre du cannabis et, découragé par son producteur, lui avait substitué dans son couplet la pilule[1], mais la charge subversive reste entière. D'autant qu'une autre chanson de son premier album, intitulée *La Loi de 1920*, condamnait explicitement la législation contre la contraception.

La charge est d'autant plus révélatrice qu'Antoine est un *baby-boomer*. Autant Françoise Hardy, Eddy Mitchell et Johnny Hallyday étaient des enfants de la guerre, nés respectivement en 1940, 1942 et 1943, autant le chanteur des *Élucubrations*, né en 1944, appartient lui à la vague montante de l'après-guerre. Il est, de surcroît, centralien, à un moment où, on l'a vu, le nombre des étudiants a doublé en une demi-décennie, et où le reste de cette vague a largement investi le second cycle des lycées. Bien plus que les aînés nés entre 1940 et 1943, ces lycéens sont alors directement sensibles aux brises contestataires venues d'ailleurs. Avec, du reste, des décalages significatifs. Alors que le mouvement « beatnik » est déjà retombé aux États-Unis, certains de ses thèmes imprègnent encore les premières chansons de Bob Dylan et gagnent, par son intermédiaire, le Vieux Continent. Celui de « la route » fait alors, si l'on peut dire, son chemin, même s'il ne touche en fait que quelques rares individus. « Un jour, racontera par la suite Antoine, devant la Samaritaine, je suis tombé sur des

---

1. Cf. l'article de Stéphane Davet, « Antoine crie "O Yeah !" », *Le Monde*, jeudi 6 août 1998, p. 9.

gens qui grattaient une guitare. Ils revenaient de Suède. Les vacances venues, je suis parti à mon tour[1]... »

En ce milieu de décennie, par le biais des voyages linguistiques à l'étranger ou encore, dans quelques cas, par ces quelques auto-stoppeurs qui commencent à sillonner l'Europe occidentale, celle-ci devient, au moins pour quelques-uns, une Europe buissonnière. Même s'il n'y a guère de points communs entre le jeune lycéen passant le mois de juillet dans le Sussex et le « beatnik » – puisque, par capillarité, le nom gagnera la France au moment même où il ne désigne plus guère qu'une image rétinienne dans son pays d'origine –, l'un et l'autre effectuent à leur manière un voyage initiatique, dans la mesure où celui-ci ouvre largement les écoutilles d'une France qui change plus lentement que sa jeunesse. Ce différentiel d'évolution est vrai à toutes les époques, tant il est inscrit dans la noria des générations, mais, au cœur des Trente Glorieuses, le fossé revêt, on l'a vu, une profondeur bien plus grande que par le passé.

### Les ondes contestataires

Assurément, il convient de ne pas exagérer, en ce milieu de décennie, l'ampleur du phénomène. En même temps, il est gros d'évolutions à venir, pour deux raisons au moins. D'une part, il y a bien là un phénomène strictement générationnel : si quelques aînés, véritables lecteurs des écrivains beatniks, partent à la même époque[2], le mouvement des voyages à l'étranger, statistiquement, touche avant tout les *baby-*

---

1. *Ibid.*
2. Ainsi Alain Dister, né en 1941, qui part en juillet 1966 vers les États-Unis avec « un sac à dos militaire de grosse toile kaki », pour vivre « sur la route » (*Oh, hippie days !*, Paris, Fayard, 2001, pp. 14-15).

*boomers* dans une France enrichie qui peut désormais offrir à ses adolescents des séjours linguistiques : les témoignages abondent en ce sens. Et, du coup, sont ainsi jetées, d'autre part, les bases d'un processus de plus grande ampleur. Dans la seconde partie des années 1960, le développement aux États-Unis du mouvement *hippie* aura, plus rapidement, on y reviendra, une variante française, au moment même où le gros de la troupe du *baby-boom*, né vers 1948 ou 1949, arrivera à ses vingt ans dans une France ébranlée entre-temps par l'onde de choc de mai 1968. Et ce mouvement *hippie* à la française sera lui-même la matrice d'un plus large mouvement de sécession et de transgression qui colorera bien des combats menés au début des années 1970. L'effet boule de neige s'enclenche assurément au cœur de la décennie précédente.

Il y a bien là, en effet, un phénomène de réaction en chaîne et d'effervescence socioculturelle croissante dont les racines s'enfoncent dans le terreau contestataire d'abord mince de ce milieu de décennie. Dans ses articles du *Monde* des 6 et 7 juillet 1963, Edgar Morin, diagnostiquant « la formation d'une nouvelle classe d'âge », pronostiquait aussi que le mouvement « yé-yé » pouvait « porter en germe la fureur du blouson noir, le refus solitaire du beatnik ». Si la douceur des *sixties* a largement désamorcé la dangerosité du premier – et l'épisode des Katangais dans la Sorbonne du printemps 1968 ne vient pas infirmer le constat global –, ces années 1960 verront bien la montée des « refus » au sein d'une génération. Mais le diagnostic-pronostic n'intégrait pas cette autre composante de l'évolution en cours, dont Edgar Morin, l'un des tout premiers, avait pourtant perçu les signes annonciateurs : la montée irrésistible d'une culture de masse qui, par sa capacité d'éponger, au passage, les tensions et les passions contemporaines, absorberait jusqu'aux refus apparemment les plus radicaux. Cet agrégat de refus politiques ou culturels débouchera sur une forme de dissidence apparente d'une partie de la jeunesse.

Certes, pour l'heure, en ce milieu de décennie, le reflux du « yé-yé » et la montée d'ondes bien davantage contestataires ne sont encore le plus souvent qu'à l'état latent. Mais l'air du temps incontestablement a changé. D'où, du reste, de nouvelles interrogations sur « les jeunes » qui fleurissent çà et là dans la presse, une fois passée la ligne de crête du milieu des années 1960, avec notamment cette question de Gilles Lapouge dans *Le Figaro littéraire* du 28 juillet 1966 : « Si ces tendances se confirment, c'est-à-dire si le yéyé doit mourir, alors les énergies des jeunes se trouveront de nouveau libres. C'est à ce moment-là que le problème des jeunes se posera vraiment. Il faudra davantage que des CRS déguisés en maîtres nageurs pour le résoudre. »

Entre-temps, la vague Antoine avait commencé à retomber. Pour autant, il faut revenir un instant encore à l'auteur des *Élucubrations*. Une telle chanson, dont seuls quelques couplets, en fait, se voulaient provocateurs – sauf à considérer que conseiller à l'accordéoniste Yvette Horner de « jouer plutôt de la clarinette » relevait de la subversion –, était un mélange détonnant – pour l'époque – de canular d'élève des grandes écoles – Antoine est alors, on l'a vu, à l'École centrale –, de volonté de choquer le bourgeois et de réelle absorption des courants de contestation venus d'ailleurs. De ce fait, ses apparitions et les réactions suscitées auront été, tels des papiers chimiques, des révélateurs des évolutions en cours mais aussi des débats explicites ou implicites à leur propos. Comme il le soulignait lui-même dans ses *Élucubrations*, le chanteur était, sur bien des points, « en avance de deux ou trois longueurs ». Son passage à la télévision lors de la soirée électorale du premier tour de l'élection présidentielle de décembre 1965, en ces heures où la mise en ballottage du général de Gaulle peu à peu se dessinait – la technique des résultats par sondage dès

20 heures n'étant pas encore bien au point –, prit, à cet égard, figure de symbole. Alors même que le vieux président paraissait chanceler sur ses bases, l'apparition d'Antoine accusait un contraste de génération déjà patent.

On aurait tort, toutefois, de généraliser. Si la France va fredonner les *Élucubrations* et acheter près d'un million de 45 tours de ce disque-titre, le papier chimique Antoine agissait, en fait, à l'intérieur même de la génération du *baby-boom* de façon différentielle. Les « fans » de Johnny Hallyday, tout d'abord, n'apprécièrent guère qu'un couplet parle de le mettre « en cage à Médrano ». L'intéressé, du reste, riposta rapidement avec sa chanson *Cheveux longs, idées courtes*. Si le couplet central n'est pas passé à la postérité, il mérite pourtant l'attention. Au moment où l'air du temps se politisait et où la contestation commençait à enfler, la chanson d'Hallyday en prenait, en effet, explicitement le contre-pied : « Crier dans un micro : Je veux la liberté/Assis sur son derrière avec les bras croisés/Nos pères et nos grands-pères n'y avaient pas pensé/ Sinon combien de larmes et de sang évités. » En même temps, il est vrai, ce serait probablement solliciter excessivement ces phrases que d'y percevoir l'amorce d'un réel débat intra-générationnel. D'autant que bientôt les cheveux de Johnny Hallyday s'allongèrent et qu'il connut alors, on le verra, son chemin de Damas vers... San Francisco et ses hippies. Plus importante, en revanche, est la part de signification sociologique de la dispute. L'étudiant Antoine plaisait avant tout à la jeunesse lycéenne – ou étudiante – et urbaine. Il n'est pas sûr que la jeunesse paysanne et, à travers elle, la France profonde n'ait pas été désorientée par ce « beatnik » chevelu. Un épisode de l'été 1966 permet, en tout cas, d'étayer l'hypothèse : lors d'un gala en Corse, Antoine et ses musiciens sont agressés par quelques jeunes venus des villages alentour et la soirée s'interrompt ainsi brutalement.

L'incident confirme, pour le moins, ce constat déjà fait à plusieurs reprises : par-delà des traits communs qui lui confèrent une réelle identité, la génération du *baby-boom* est restée diverse culturellement. Certes, cette diversité est moindre que par le passé – et là réside, du reste, l'une des spécificités de cette génération –, mais elle n'en demeure pas moins réelle et interdit toute généralisation.

## LE CONSERVATOIRE DES CAMPAGNES

Dans cette France en pleine mue, les écarts sociaux, en effet, restent forts, d'autant que le clivage villes-campagnes les recoupe en partie. On aurait tort, de ce fait, de conclure à une uniformisation de la génération du *baby-boom*, qui demeure alors, à bien des égards, parcourue de puissantes forces centrifuges. Tout d'abord, même si les clivages y sont globalement moins accusés qu'au sein des générations précédentes en raison de l'amélioration générale de la vie quotidienne et de par l'effet mécanique de l'allongement de la scolarité, des contrastes saisissants subsistent entre jeunes, en filigrane de ceux qui parcourent la société française. Le domaine scolaire en reste alors, d'ailleurs, un bon reflet, malgré cet allongement. En 1960, par exemple, au moment où la part moyenne de bacheliers d'une classe d'âge atteint 11,43 %, seuls 7,2 % des enfants d'agriculteurs et 2,5 % des fils d'ouvriers obtiennent leur baccalauréat, contre 42,1 % des fils des membres des professions libérales ou de cadres supérieurs. Même si les classes moyennes, dès cette date, bénéficient aussi de l'évolution en cours et si leur importance contribue donc indirectement à atténuer les écarts, les chiffres parlent d'eux-mêmes. Et de tels écarts se retrouvent aussi, encore amplifiés en ce qui concerne les études longues, dans l'enseignement supérieur.

### L'adieu aux terroirs

De surcroît, le pourcentage en 1960 des fils d'agriculteurs bacheliers et celui – 1,5 % – des fils de salariés agricoles montrent à quel point le clivage citadins-ruraux subsiste. C'est là une observation sans surprise, tant il est vrai que la mémoire longue d'une France paysanne subsiste plus longuement à la campagne que dans les milieux urbains parcourus d'intenses forces de changement. Le rôle de conservatoire ainsi joué par la campagne française entraîne un effet de contraste d'autant plus saisissant que, sur ce registre aussi, la génération du *baby-boom* occupe une place à part dans l'histoire nationale : sa jeunesse s'écoule dans un contexte d'exode rural accéléré. Jamais, là encore, une génération parvenue à l'adolescence puis à l'âge adulte n'a été plus différente de celle de ses pères et grands-pères. En même temps, il est vrai, ce rapport à la ruralité est bien plus complexe qu'un simple clivage de générations. Car si cette génération est celle de l'adieu aux terroirs, le clivage reste en même temps une passe-relle : souvent petit-fils de paysans ou fils de citadins aux racines paysannes proches, les jeunes gens du *baby-boom* ont ainsi conservé des attaches avec le village, lieu de vacances chez les grands-parents.

Au bout du compte, la France du milieu des années 1960 apparaît comme un champ de failles socioculturel dans un pays emporté par l'effet d'entraînement des Trente Glorieuses et au sein duquel les campagnes connaissent elles aussi une métamorphose. Celle-ci est d'autant plus significative qu'à la différence de la ville, où l'innovation socioculturelle s'opère plus aisément et plus rapidement, ces campagnes demeurent à

bien des égards une sorte de réserve naturelle des comportements collectifs, et notamment juvéniles. C'est, dans ce
domaine aussi, une mémoire longue des sociétés paysannes
que les historiens et les ethnologues y repèrent. Ainsi en est-il
de ces fêtes juvéniles de type ancien que l'on peut encore y
observer alors : par exemple, dans un village de la Montagne
noire languedocienne, à la fin du mois d'août 1960, une fête de
trois jours où viennent s'entremêler des rituels religieux et
civiques et au sein de laquelle le bal, « lieu de confirmation
des couples[1] », voit évoluer des jeunes encore étroitement surveillés et dont la violence est, par exemple, canalisée dans des
chahuts nocturnes au contenu charivarique. On est loin, par
exemple, des « minets » qui, quelques années plus tard, hante-
ront le Drugstore des Champs-Élysées[2].

Ce bal estival reste, en même temps, un lien avec les jeunes
des villes dans des campagnes alors momentanément repeu-
plées par la grande migration de vacances des citadins, qui
gardent avec la France rurale des liens forts. Mais il est pour
ces jeunes citadins une distraction alors qu'il joue pour les
jeunes ruraux un rôle important dans le choix du conjoint. Et
ce, depuis des décennies. La célèbre enquête d'Alain Girard[3],
menée en 1959, donnait, en effet, à la question « Comment
vous êtes-vous connus ? », 17 % des réponses pour le bal.
Certes, ils n'étaient qu'un sixième à répondre ainsi, mais un
tel résultat constituait tout de même la première réponse de
ces couples, mariés entre 1914 et 1959, interrogés par Alain
Girard. Bien plus, les autres réponses permettaient de mettre

---

1. Cf., sur ce sujet, la magistrale étude de Daniel Fabre dans Giovanni
Levi et Jean-Claude Schmitt (dir.), *Histoire des jeunes en Occident. L'époque
contemporaine*, Paris, Le Seuil, 1996.
2. Cf., à cet égard, la fine évocation qu'en fait, pour 1966, François Arma-
net dans *La Bande du Drugstore* (Paris, Denoël, 1999).
3. Alain Girard, *Le Choix du conjoint*, Paris, INED-PUF, nouvelle édition, 1974 (la première édition datait de 1964).

en relief six types de circonstances ayant abouti à des mariages – le bal, le travail (13 %), le voisinage (11 %), les relations d'enfances ou de famille (11 %), la présentation (11 %), les cérémonies de famille (6 %) – et renvoyant aux comportements collectifs d'une France rurale : rencontres de proximité et homogamie. Bien plus, les témoins les plus anciens d'Alain Girard, mariés entre 1914 et 1929, s'étaient rencontrés dans les trois quarts des cas au bal, sur le lieu de travail, par le voisinage ou lors de visites chez des particuliers. Une nouvelle enquête en 1983-1984 portant sur des Français de moins de 45 ans ne mentionnait plus ces quatre circonstances de rencontre que dans un tiers des cas[1].

Ce sont notamment les rencontres de voisinage qui avaient connu entre-temps le recul le plus fort. Cette exogamie grandissante est bien l'indice d'une France qui a changé entre les deux dates. L'âge des Français et des Françaises interrogés pour la seconde enquête – moins de 45 ans – situe leurs rencontres entre la fin des années 1950 et le début des années 1980 et correspond bien à l'accélération de la mutation socioculturelle à peine amorcée auparavant. Le bal lui-même, « institution marieuse par excellence » (Michel Bozon et François Héran) jusqu'aux années soixante incluses – près d'une rencontre sur cinq encore à ce moment –, voit ce rôle décliner rapidement par la suite : une rencontre sur dix seulement au seuil des années 1980.

## Du bal à la « surboum »

Cela étant, la seconde enquête montre aussi que l'accélération de l'exode rural conforta dans un premier temps le rôle

---

1. Michel Bozon et François Héran, « La découverte du conjoint. I. Évolution et morphologie des scènes de rencontre », *Population*, 42ᵉ année, nᵒ 6, novembre-décembre 1987.

matrimonial du bal : l'interconnaissance villageoise ne suffit plus, dans des campagnes notamment désertées par les jeunes femmes, et les jeunes ruraux vont danser au bourg ou au chef-lieu d'arrondissement. En même temps, il est vrai, cette France du bal vit ses dernières années de réelle intensité ou, pour le moins, de plaque tournante des sociabilités juvéniles. L'usage croissant, au fil des années 1960, de l'automobile dilate le rayon de ces sociabilités : Edgar Morin a bien montré comment, à Plodémet, la boîte de nuit entre progressivement dans les mœurs : « Aller en boîte » est d'abord le fait des « aristos » de la commune, qui n'y reviennent qu'aux vacances et chez lesquels le bal a été détrôné[1].

Le slow y domine et nous sommes loin, à seulement quelques années de distance, des rituels très surveillés des jeunes danseurs du bal d'août de la Montagne noire languedocienne. D'autant qu'à Plodémet c'est aussi la « surboum » qui réunit les « aristos ». Et, là encore, le contrôle social n'intervient plus directement : le flirt en dansant, impensable au bal, apparaît. De surcroît, les glissements progressifs du désir opèrent parfois : dans le Plodémet du milieu des années 1960, note Edgar Morin, « la surboum, qui peut s'achever au petit matin, est une invitation à l'amour alors que le bal est une invitation au flirt[2] ». La transgression a ici changé d'échelle : l'après-bal, hors du regard social, pouvait déboucher sur le flirt ; la « surboum », où le flirt est parfois pratiqué à la vue de tous, peut dans certains cas favoriser ensuite d'autres pratiques amoureuses. Or, bientôt, « aller en boîte », ou, *a fortiori*, « en surboum » ne sera plus l'apanage des seuls « aristos », fils de

---

1. E. Morin, *Commune en France*, Paris, Fayard, 1967, pp. 146 et 152. Il s'agit, en fait, de Plozévet, dans le Sud-Finistère, où débuta en 1961 une grande enquête placée sous le signe des sciences sociales. Edgar Morin rejoignit l'équipe en 1965 (cf. son *Journal de Plozévet : Bretagne, 1965*, La Tour-d'Aigues, Éditions de l'Aube, 2001).

2. *Ibid.*, p. 152.

notables, mais celui de l'ensemble des jeunes. Un tel processus, en tout cas, s'amorce jusqu'au cœur de la France rurale.

## Les temps changent

En dépit de cette diversité qui subsiste, la ligne de crête du milieu de la décennie est une réalité qui transcende les milieux sociaux. Si auparavant, sur le premier versant, le rajeunissement de la culture de masse s'était opéré sur un registre qui n'était guère subversif, un tournant intervient bien en France dans la seconde partie des années 1960. Mais, désormais, il n'est plus possible de s'en tenir aux seuls aspects endogènes. À la croisée de la culture de masse, de la juvénilité croissante de celle-ci et d'une dilatation de l'une et de l'autre à l'échelle mondiale de plus en plus manifeste, la culture juvénile ainsi en double expansion va bientôt devenir l'accélérateur des mutations socioculturelles en cours. Pour Eric J. Hobsbawm, par exemple, au cœur de cette décennie, non seulement une « culture mondiale de la jeunesse était née », mais, de surcroît, cette « culture jeune devint la matrice de la révolution culturelle[1] ». Et l'historien britannique entend ici une telle expression dans son « sens plus large de révolution des us et coutumes, des manières d'occuper ses loisirs et des arts commerciaux » : comme le proclame Bob Dylan, les temps sont bien alors en train de changer. Certes, on va le voir, cette culture juvénile se teinta aussi de ferments de contestation de la société de consommation et du régime capitaliste qui en avaient été le berceau. Mais plus important encore, sur le long terme, que cette contestation à tonalité idéologique est bien le constat que, dans des sociétés occidentales en pleine mutation, une effervescence socioculturelle commençait à imprégner la

---

1. *Op. cit.*, p. 428 et p. 431.

224

musique anglo-saxonne et, par rebond, la culture sonore française. Et l'apparition de ce coup de vent a bien contribué à changer l'air du temps culturel de ce second versant des *sixties*. Il faut donc avoir forcément en tête ce changement d'air pour expliquer Mai 68 et, surtout, ses suites.

Ainsi remis en perspective Mai 68 apparaît, du reste, davantage comme un révélateur, un catalyseur et un accélérateur que comme un événement fondateur. Révélateur de cette distorsion croissante entre un système d'autorité et de valeurs hérité d'une société en partie abolie et cette France du cœur des Trente Glorieuses en pleine métamorphose. Catalyseur dans le développement de nouveaux comportements collectifs qui sont alors en gestation. Accélérateur, enfin, car si bien des évolutions préexistent ainsi à la secousse tectonique de 1968, celle-ci, par l'onde de choc qu'elle enclencha et propagea, fut bien plus qu'un reflet et hâta une évolution.

Il reste que les *baby-boomers* figurèrent parmi les acteurs principaux de cette secousse. Et la contestation qui montait alors et qui trouva un écho parmi eux ne puisait pas seulement sa source dans le dérèglement de l'écosystème socioculturel. Le changement d'air était également idéologique.

# CHAPITRE VIII

# Le changement d'air idéologique

La génération du *baby-boom*, en ce milieu des années 1960, s'ébroue donc dans un pays dont l'écosystème voyait ses valeurs d'établissement de plus en plus ébranlées par les discordances chaque jour plus fortes entre les normes du comportement collectif héritées du passé et le bouillonnement des Trente Glorieuses. Mais elle parvient aussi, au même moment, à l'âge de l'éventuelle socialisation politique dans un contexte de modification des zones de hautes pressions idéologiques dont elle conservera plusieurs traits marquants et qui contribua, sur le moment, à la secousse de 1968.

## Ni Mendès France ni de Gaulle

Apparemment, sur ce registre politique, 1965 semble bien terne par rapport à ce qui suivra, 1968, et surtout à ce qui précède, 1962. Il est bien vrai que nouer en gerbe en deux semestres à peine la fin du drame algérien et un amendement constitutionnel aussi important que l'instauration de l'élection du président de la République au suffrage universel paraît pla-

227

cer l'année 1962 en surplomb de toute la décennie politique, 1968 inclus.

## 1965, là encore

Et pourtant, à bien y regarder, 1965 est loin d'être négligeable historiquement et son empreinte directe sur les *baby-boomers* sera réelle et durable. L'élection présidentielle qui intervient à cette date introduit, en effet, plusieurs modifications essentielles, dont la concomitance autorise à parler de mutation.

D'abord, elle a lieu au suffrage universel. C'est alors une première dans le xxᵉ siècle français : il faut remonter de près de douze décennies en arrière, jusqu'en décembre 1848, pour trouver un précédent. Mais l'importance du fait ne tient pas seulement à ce caractère inédit. Tout aussi déterminant est l'enracinement presque immédiat de la pratique : en dépit d'une bataille politique intense à l'automne 1962 à propos de la modification constitutionnelle qui instaure ce suffrage universel, trois ans à peine plus tard ce sont 85 % des Français qui se rendent aux urnes. Les *baby-boomers* s'éveillent donc politiquement dans une France où l'élection à la magistrature suprême au suffrage universel est vite acculturée. Le point est d'importance : quand viendra, dans l'effet de traîne de Mai 68, la remise en cause par les groupes d'extrême gauche de la démocratie « bourgeoise » et que fleurira le slogan, bientôt récurrent, « Élections, piège à cons », cette contestation, malgré son écho médiatique, n'emportera jamais l'assentiment de la majorité des *baby-boomers*. Il faudra, du reste, s'interroger plus loin pour savoir si cette concomitance entre l'acclimatation rapide du scrutin présidentiel dans cette France des années 1960 et l'arrivée à l'âge de l'éveil politique de la nouvelle génération n'a pas vacciné celle-ci, plus que dans d'autres démocraties européennes, contre les vertiges de la dénonciation des principes de la démocratie libérale. Ce pourrait être, en tout cas, l'un des facteurs qui protégea la France de la décennie suivante, bien plus que l'Allemagne ou l'Italie, contre les dérives de l'activisme et du terrorisme.

Mais 1965 voit aussi une autre modification en profondeur du jeu politique : les nouvelles règles électorales accélèrent la bipolarisation partisane. Les partis-charnières centristes, appoint nécessaire des coalitions gouvernementales à géométrie variable sous la IV<sup>e</sup> République, se retrouvent bientôt laminés. Certes, en 1965, le candidat centriste, Jean Lecanuet, réussit à drainer près de 4 millions de voix, soit 15 % des suffrages exprimés, mais, remis en perspective, un tel résultat apparaît comme une sorte de chant du cygne du centre. Dès l'élection présidentielle suivante, en 1969, ce centre se scinde entre le soutien apporté à Alain Poher et celui à Georges Pompidou. Car c'est bien, au bout du compte, l'ordonnance tout entière du paysage politique qui s'est trouvée ainsi, en quelques années, réarticulée autour de deux camps ou, plus précisément, autour de quatre sensibilités tentant à cette époque de se réunir deux à deux : communistes et socialistes *versus* gaullistes et libéraux.

Cela étant, pour l'heure, le môle gaulliste domine très largement la droite, face à des libéraux divisés par la scission giscardienne, tandis que les communistes constituent la principale formation de gauche, face à des socialistes mal remis des remous de la guerre d'Algérie et partagés sur la stratégie à mettre en œuvre pour combattre le gaullisme. Ce n'est qu'en 1972 que la signature du Programme commun de gouvernement contribuera encore davantage à aimanter le champ politique entre deux pôles et que se mettra bientôt en place un véritable « quadrille bipolaire » (Maurice Duverger). Les *baby-boomers*, au cours de la décennie précédente, s'éveillent donc à la politique dans une configuration triplement marquante pour eux : une bipolarisation en marche, un centrisme en forte érosion, et surtout, à cette date, une domination des gaullistes et des communistes sur leurs versants respectifs.

C'est donc par rapport à ces deux sensibilités qu'ils auront à se situer, alors que leurs aînés, au temps de la IV$^e$ République finissante, au moment où le gaullisme s'étiolait dans « la traversée du désert » du général de Gaulle et où l'attraction communiste se ressentait, chez les jeunes intellectuels, des retombées des événements de 1956 en Europe centrale, eurent le plus souvent d'autres repères dans leur apprentissage : ainsi, à gauche, l'engagement contre la guerre d'Algérie et, pour certains d'entre eux, l'admiration pour Pierre Mendès France.

## L'éclipse mendésienne

Ce mendésisme diffus permet, du reste, de mieux préciser, par effet différentiel, l'environnement politique dans lequel vont baigner les *baby-boomers* en ce milieu des années 1960. Ce n'est pas seulement, en effet, par des champs d'engagement dissemblables que génération de l'Algérie et génération... du Viêtnam – on y reviendra – contrastent. Les personnages tutélaires des deux classes d'âge sont également bien différents : plusieurs figures de proue de la première connurent une singulière éclipse auprès de la seconde. Et une telle éclipse est d'autant plus révélatrice qu'elle toucha notamment Pierre Mendès France, qui avait incontestablement marqué la jeunesse étudiante des années 1950. Or, au fil de la décennie suivante, aux yeux de la génération montante, celui-ci connut une sortie de route politique.

L'ancien président du Conseil ne fut plus guère présent dans le regard des jeunes gens parvenus à l'adolescence dans les premières années de la V$^e$ République, en fort contraste avec l'attraction exercée sur la jeunesse étudiante de la décennie précédente, qui avait été forte. À tel point que cette attraction est entrée dans l'Histoire par la grande porte, celle des manuels scolaires. Lorsque ces manuels intègrent en 1983, dans le cadre des nouveaux programmes des classes terminales, la France du second demi-siècle, les analyses du mendésisme mentionnent, en effet, les appuis « dans la jeunesse » et le rassemblement opéré « des jeunes, des cadres, des intellectuels [1] ». De fait, il y eut bien là un phénomène statistiquement significatif, et perceptible notamment à travers la composition du lectorat de *L'Express*, bon indicateur indirect des milieux touchés par le mendésisme. Les « 18-25 ans » y furent nombreux. Deux ouvrages permettent, à cet égard, de mieux baliser la tranche d'âge concernée. Michel Winock a bien décrit, dans *La République se meurt*, la séduction exercée sur un jeune bachelier de 1954, bientôt étudiant à la Sorbonne, par un Pierre Mendès France alors perçu « comme le symbole et le chef opérateur de cette modernisation nécessaire ». Et à la même époque, l'agrégé d'histoire de fraîche date Claude Nicolet va se trouver associé à la trajectoire de l'ancien président du Conseil. Dans l'étude qu'il lui consacrera quelques années après, en 1959, il analysait en prélude comment « une certaine jeunesse » avait alors pris ses marques politiques dans la mouvance mendésiste. Ces deux ouvrages [2] permettent de baliser la jeune tranche d'âge intégrée à cette mouvance vers 1955. À cette date, Claude Nicolet a vingt-cinq ans et Michel Winock dix-huit ans. Les cadets du second passeront leur baccalauréat au temps du retour du général de Gaulle. Et les aînés du premier ont fait leur apprentissage politique avant l'apparition du mendésisme. Les « 18-25 ans » de 1955 repré-

---

1. Collection Berstein-Milza, Hatier, 1983, p. 246, et collection Prost, Armand Colin, 1983, p. 282.
2. Michel Winock, *La République se meurt. Chronique 1956-1958*, Le Seuil, 1978, p. 221 ; Claude Nicolet, *Pierre Mendès France ou le métier de Cassandre*, Julliard, 1959, chapitre I, pp. 35-67, « Une certaine jeunesse ».

sentent donc bien une réalité identifiable, insérée dans un contexte historique particulier, celui de cette flambée mendésiste et des débuts de la guerre d'Algérie. Pour nombre de ces jeunes gens, Pierre Mendès France fut, plusieurs années durant, un réel point de repère : centre de ralliement pour les uns, objet d'attaques pour d'autres, il constitua dans les deux cas une boussole. Ainsi, il y eut même, signe des temps, une petite flambée du Parti radical à l'École normale supérieure de la rue d'Ulm : celle-ci compta simultanément, durant l'année 1955-1956, jusqu'à 12 recrues pour la place de Valois. Chose inimaginable depuis des lustres et d'autant plus singulière que, après 1945, l'École normale supérieure avait connu de solides cohortes de communistes[1], mais en même temps onde significative dans un site particulièrement sensible aux secousses – en profondeur ou de courte durée – du milieu intellectuel français et jouant ainsi un rôle de sismographe.

Assurément, il convient de pondérer les indications d'un tel sismographe et, plus largement, de ne pas surestimer l'ampleur de l'attraction mendésiste sur le milieu étudiant. Même si le nombre de jeunes gens concernés par cette attraction a été suffisamment étoffé pour qu'un phénomène de génération ait été enregistré comme tel par la mémoire collective[2], il convient de nuancer tout comme il faut observer, on le verra, que le gauchisme de 1968 n'incarna pas l'ensemble du milieu étudiant de l'époque. En même temps, force est de constater, comme l'a justement souligné Annie Kriegel,

---

1. Jean-François Sirinelli, « Les normaliens de la rue d'Ulm après 1945 : une génération communiste ? », *Revue d'histoire moderne et contemporaine*, 4, 1986.

2. Cf. Jean-François Sirinelli, « Les intellectuels et Pierre Mendès France : un phénomène de génération ? », dans François Bédarida et Jean-Pierre Rioux (dir.), *Pierre Mendès France et le mendésisme*, Paris, Fayard, 1985, pp. 87-100.

qu'en termes de strates générationnelles « la légitimité de la représentation paradigmatique n'a pas de fondement quantitatif : elle ne découle que de la capacité à se faire reconnaître comme étant celle qui produit le maximum d'identité différentielle[1] ».

Mais, précisément, le fait même que l'on puisse, fût-ce pour conclure à des phénomènes de distorsion par rapport à la réalité historique, comparer le mendésisme et le gauchisme d'une décennie à l'autre confirme la prégnance du mendésisme au mitan des années 1950 et sa capacité à produire un « maximum d'identité différentielle ». De ce fait, l'éclipse mendésienne n'en est que plus frappante quelques années plus tard. Son recul sur la scène politique de la V^e^ République ne touche certes pas seulement la nouvelle génération mais, aux yeux de celle-ci, l'ancien président du Conseil va se retrouver dans l'angle mort : elle ne le connut pas au temps de sa splendeur, elle s'éveille à la politique au moment où lui-même se retrouve en coulisses de la V^e^ République.

Il y a, bien sûr, une part d'injustice dans cette situation, tant il est vrai que la jeunesse fut un thème constant et explicite de l'action et de la réflexion de Pierre Mendès France[2]. Mais la recherche historique a bien montré que, plus que la réalité objective, ce sont bien les représentations collectives avec leur dose de déformation ou d'altération de cette réalité qui comptent avant tout. Au fil des années 1960, malgré ce réel et profond intérêt pour la jeunesse qui continue à nourrir la pen-

---

1. Annie Kriegel, « Le concept politique de génération : apogée et déclin », *Commentaire*, automne 1979, vol. 2, n° 7, pp. 390-399, citation p. 395.

2. Cf. la belle analyse, sur ce point, de Ludivine Bantigny, « Pierre Mendès France et les jeunes. "Leur soutien est ce que j'ai de plus précieux" », colloque « Pierre Mendès France et la modernité », Paris, Assemblée nationale, 15 juin 2001, *Matériaux pour l'histoire de notre temps*, BDIC, juillet-décembre 2001, pp. 148 *sqq.* Je lui emprunte certains des éléments qui suivent.

sée de Pierre Mendès France, ce dernier est l'objet de la part de celle-ci d'un désintérêt tout aussi profond. Encore que le mot « désintérêt » ne rende pas parfaitement compte d'une relation qui conserva, ne serait-ce que par l'effet de rémanence, une part de sympathie. Probablement la sincérité de Pierre Mendès France y joua-t-elle un rôle essentiel. En 1974 encore, il affirmait, dans ses *Conversations avec Jean Bothorel* : « Je n'arrive pas à me sentir autrement que comme faisant partie de l'univers des jeunes, au point, lorsque je vois des gens de mon âge, de les trouver parfois vieux[1]. » De fait, en juin 1968, en plein entre-deux-tours d'une élection législative qui s'annonçait à haut risque pour lui, dans le fief grenoblois qu'il avait conquis l'année précédente et qu'il perdit le 30 juin, il trouvait le temps d'écrire à un jeune homme de 21 ans : « La jeunesse m'attire et ses préoccupations sont pour moi très importantes... Ne demandez pas à vieillir[2]. » Précisément, au cours du mois de mai 1968, ce mélange de désintérêt et de sympathie rémanente était bien apparu. Le 13, par exemple, c'est, semble-t-il, un groupe d'étudiants qui, l'apercevant sur un trottoir, l'attira dans le défilé, s'il faut en croire un article de *France Soir* du 15 mai. De même, sa présence au stade Charléty le 27 mai, même si elle entraîna pour lui des dégâts collatéraux aux élections législatives du mois suivant, fut perçue avec faveur par une partie des participants, ceux proches du PSU notamment. Pour autant, par-delà ces affinités électives – Pierre Mendès France est alors membre du PSU, en fait depuis sa création en 1960 –, la sympathie est presque celle que l'on porte à un revenant. François Mitterrand, qui fut en ces journées de mai un concurrent du député de Grenoble, sans jamais bénéficier de cette neutralité bienveillante

---

1. Pierre Mendès France, *Choisir. Conversations avec Jean Bothorel*, Paris, Stock, 1974, p. 120.
2. Lettre du 26 juin 1968, Institut Pierre Mendès France.

d'une partie de la jeunesse, ne manqua pas quelques mois plus tard de lui décocher un trait acéré, en insistant sur ce retour d'un revenant : « La jeunesse s'ébrouait, découvrait dans ses rangs ses propres leaders ou les recherchait parmi ceux auxquels l'absence ou le silence avaient restitué un fragile crédit. Il faut l'échec, en France, pour acquérir le nimbe du prestige[1]. »

À défaut d'échec, il faut bien parler d'image brouillée ou, plutôt, délavée. Un sondage de l'IFOP publié dans le numéro du 30 octobre 1968 de la revue *Sondages* indiquait que seuls 13 % des jeunes de 20 à 34 ans avaient en avril 1968 une opinion très favorable de Pierre Mendès France. Et ce pourcentage n'avait guère bougé au début de l'automne suivant : 14 % pour la même catégorie en octobre. Une telle catégorie, née entre 1934 et 1948, était pourtant antérieure, pour sa plus grande partie, à la génération du *baby-boom*. On imagine aisément, compte tenu de l'effet d'éclipse, le pourcentage obtenu dans la seule tranche 1945-1953 !

## Sous de Gaulle, mais sans lui

Bien plus qu'un revenant, ainsi qu'avaient pu parfois le percevoir leurs parents en 1958 après le départ du gouvernement en janvier 1946 et la traversée du désert de 1954-1958, de Gaulle aurait pu apparaître au contraire aux *baby-boomers* comme leur contemporain, arrivant au pouvoir au moment où les plus âgés d'entre eux parvenaient à l'adolescence. En même temps, cette concomitance est trompeuse. À la différence de leurs aînés de la génération de la guerre d'Algérie avec Pierre Mendès France, elle ne déboucha pas, chez eux, sur des phénomènes d'admiration et encore moins d'allé-

---

1. François Mitterrand, *Ma part de vérité*, Paris, Fayard, 1969, p. 97.

geance spirituelle. Pour autant, leur rapport avec de Gaulle et le gaullisme fut, là encore, bien différent de celui de ces aînés.

Ces relations générationnelles différentes entretenues avec l'ancien chef de la France libre s'expliquent bien sûr, notamment, en fonction de l'héritage de culture politique reçu par chacune de ces générations et compte tenu aussi du contexte historique au sein duquel ces rapports – ou cette absence de rapports – se tissèrent. Ces effets différentiels sont particuliers en milieu intellectuel et dans son vivier, le milieu étudiant. Avec, de surcroît, dans ces milieux, une sorte de jeu de miroirs entre la figure de Charles de Gaulle et celle de Pierre Mendès France. Pour les intellectuels d'âge déjà avancé sous la IVᵉ République, ce dernier, en effet, a parfois été une sorte de personnage de substitution du premier, alors en pleine « traversée du désert ». Ces phénomènes d'ombre portée sont, en tout cas, clairs pour ce qui concerne André Malraux ou François Mauriac. Ce dernier a admiré sincèrement et soutenu loyalement Pierre Mendès France, mais celui-ci ne fut jamais pour lui, même momentanément « touché par la grâce mendésiste », qu'un « avatar[1] » de l'ermite de Colombey, et, après son retour au pouvoir en 1958, de Gaulle s'installa au cœur de ses écrits, ceux-là mêmes qui avaient vibré quelque temps plus tôt à l'unisson du mendésisme. Quant à André Malraux, certes Jean-Jacques Servan-Schreiber avait caressé le rêve de le rallier à *L'Express* – « Dans mon journal, je veux Mauriac, Sartre, Camus et Malraux[2] » –, mais sa collaboration, annoncée dans le numéro du 25 décembre 1954, se limita à deux articles, dans ce numéro et dans celui du 29 janvier 1955, Malraux prenant le soin d'y rappeler qu'il n'était « ni mendésiste

---

1. Jean Lacouture, *François Mauriac*, Paris, Le Seuil, 1980, pp. 509 et 541 *sqq.*
2. Serge Siritzky et Françoise Roth, *Le Roman de* L'Express *1953-1978*, Paris, Atelier Marcel Jullian, 1979, p. 20.

ni néo-quoi-que-ce-soit » mais « gaulliste ». Pour ces clercs gaullistes, et pour d'autres plus jeunes comme Jacques Soustelle, l'assimilation entre le chef de la France libre et le dirigeant radical qui avait décrété que « gouverner, c'est choisir » a pu momentanément s'opérer, ce qui explique aussi, inversement, que certains intellectuels mendésistes ainsi, du reste, que des hauts fonctionnaires se soient ralliés quelques années plus tard à la V$^e$ République sans états d'âme et en considérant rétrospectivement le mendésisme comme une première esquisse du gaullisme.

En revanche, une telle assimilation – dont il convient de ne pas exagérer la diffusion – n'a guère effleuré les « 18-25 ans » de 1954-1955, qui contribuèrent à étoffer la mouvance mendésiste : ces jeunes gens, qui s'éveillaient à la politique en des années où le RPF gaulliste n'était plus que l'ombre de lui-même et où le général de Gaulle semblait avoir définitivement repris le chemin de Colombey pour s'y consacrer à la rédaction de ses *Mémoires*, ne pouvaient voir en lui, au contraire, pour reprendre l'analyse de l'un des leurs, qu'un « anachronisme[1] ». Rien de surprenant, dès lors, à constater que cette jeunesse intellectuelle resta presque tout entière rétive, par la suite, à l'attraction gaulliste, en harmonie sur ce point avec celui qui présida à leur éveil au débat civique, Pierre Mendès France, et que, statistiquement, ce fut cette génération qui ressentit le plus durement la victoire du gaullisme et l'installation de la V$^e$ République. Dès lors, également, s'explique mieux ce paradoxe que ce furent, parmi les intellectuels, ceux-là mêmes qui, quelques années plus tôt, avaient été les plus sensibles au problème de la modernisation qui refusèrent de voir dans le nouveau régime un instrument possible de cette modernisa-

---

1. Claude Nicolet, *Pierre Mendès France ou le métier de Cassandre*, réf. cit., p. 224.

tion, puis qui durent constater, dans le courant des années 1960, que la mutation avait bien eu lieu, mais sans eux.

La génération du *baby-boom*, au contraire, s'ébroua dans une France où le gaullisme, à nouveau, était triomphant. Sa socialisation politique se fit donc sous de Gaulle, éventuellement contre lui, mais, de toute façon, sans aucune référence civique ou affective, et moins encore mémorielle, à la IVᵉ République : pour les plus jeunes, celle-ci ne fut pas même une image rétinienne, car le souvenir du président Coty à l'Élysée renvoyait aux limbes de l'enfance, et, à ces adolescents des années 1960, elle apparut le plus souvent comme le régime vite oublié d'une France ayant connu entre-temps une métamorphose sans précédent. Du coup, on le verra, les rapports portèrent moins sur la question de l'atteinte à une République quatrième du nom qu'ils n'avaient pas vraiment connue que sur les relations que pouvait avoir une génération apparue dans l'après-guerre avec un vieil homme qu'un fossé de près de deux tiers de siècle séparait d'eux. D'autant que le général de Gaulle ne semble pas avoir été au cœur de la mémoire de la Seconde Guerre mondiale transmise par les livres d'école – et, plus largement, par l'imprimé – aux enfants du *baby-boom*.

Une étude attentive montre bien, pour les manuels d'école primaire publiés sous la IVᵉ République, un maréchal Pétain « évacué des mémoires juvéniles », un « culte posthume » de Leclerc – mort accidentellement en 1947 –, vite devenu une sorte d'icône, et une réelle rivalité entre ce dernier et de Gaulle pour la première place dans ce « Panthéon scolaire » quarto-républicain[1]. Si Leclerc investit ainsi les manuels scolaires, il peuple aussi les colonnes de *Tintin* durant un an – ainsi que la couverture du premier numéro en 1948 – et les pages de la « Bibliothèque Rouge et Or », avec *Leclerc et ses*

---

1. Cf. Gilles Ragache, « Pétain, de Gaulle, Leclerc racontés aux enfants, 1918-1998 », *Clefs pour l'histoire*, 1, juillet-septembre 1998, pp. 34-41, et 2, octobre-décembre 1998, pp. 11-14.

*hommes* de Pierre Nord. De Gaulle, en revanche, même si son rôle historique est maintes fois rappelé dans ces manuels, s'y retrouve en réel retrait par rapport à Leclerc. Son rôle politique entre 1947 et 1953 à la tête du RPF banalise l'œuvre antérieure et, surtout, le rend suspect auprès de la IVe République. Cette position en relatif retrait tranche avec la mise en avant, à la même date, non seulement de Leclerc mais de ses soldats – et donc du bras armé de la France libre plus que de son chef, le général de Gaulle – et de la figure du résistant, « indiscutable héros du moment » et figure tutélaire des *baby-boomers*, « élevés dans cette ambiance d'exaltation de la Résistance ». Ce n'est qu'après 1958 que, « par la littérature récréative ou les manuels scolaires, de Gaulle s'impose peu à peu auprès des enfants comme « LE » grand homme incarnant la guerre et la Résistance[1].

À cette date, la génération du *baby-boom* était déjà dans l'adolescence ou à son seuil, et donc en dehors de la zone directe d'influence de cette littérature ou de ces manuels. Du coup, son apprentissage politique se fit certes *sous* de Gaulle – alors que « PMF » appartenait déjà au passé – mais aussi très largement *sans* de Gaulle, tant la distance de l'âge, encore accrue par la vitesse de la mutation socioculturelle en cours, avait éloigné les deux univers mentaux.

## UNE GÉNÉRATION « VIÊTNAMIENNE » ?

C'est en fait sur un tout autre combat que se fit, parfois, cet apprentissage. Le Viêtnam, peu à peu, allait résonner au cœur de cette génération et contribuer à sa socialisation politique.

---

1. *Ibid.*, 2, pp. 14 et 11.

Et c'est bien en ce domaine que s'observa le changement d'air idéologique.

Le Viêtnam, au cours des trois années qui précèdent mai 1968, devient, en effet, un foyer de mobilisation d'autant plus actif qu'il va agir sur deux clivages principaux de cette France au mitan de la décennie. D'une part, alors même que sur les flancs du PCF, par partition, sécession ou exclusion, une extrême gauche multiforme se constitue et se ramifie, la lutte contre la guerre américaine du Viêtnam, à défaut de ressouder le PCF et ces rameaux d'extrême gauche, les place dans un combat commun. En même temps, il est vrai, ce premier clivage resta fort et ne fut donc pas réellement transcendé, car ce combat apparemment commun fut en fait une véritable lutte d'influence entre gauche communiste et mouvements « gauchistes ». Ce n'est pas ici le lieu d'étudier les différentes structures militantes qui furent alors mises en place par les uns et par les autres et les surenchères qui s'ensuivirent[1]. On notera seulement que, par-delà leur existence éphémère à l'échelle de l'histoire – car, après le printemps 1968, ce combat perd de son intensité et n'est plus au premier plan des engagements et des luttes –, ces structures ont constitué un véritable cadre d'apprentissage et de socialisation politique pour la partie engagée de la génération du *baby-boom*. Elles ont permis aussi une forme d'osmose entre cette classe d'âge et les aînés de quelques années qui s'éveillèrent à la politique sous le signe de la guerre d'Algérie[2].

---

1. Nicolas Pas, « Six heures pour le Viêtnam. Histoire des Comités Viêtnam français 1965-1968 », *Revue historique*, 613, janvier-mars 2000, pp. 157-185.

2. Il faudrait, à cet égard, étudier avec soin les passerelles qui ont ainsi existé entre les dernières structures de combat contre la guerre d'Algérie et les mouvements en lutte contre la guerre du Viêtnam et les phénomènes de continuité qu'elles ont ainsi permis, jusqu'à mai 1968 inclus (cf., sur ce point, les remarques de Pierre Vidal-Naquet dans l'introduction du *Journal de la commune étudiante : textes et documents novembre 1967-juin 1968*, édité par Pierre Vidal-Naquet et Alain Schnapp, Paris, Le Seuil, rééd., 1988).

LE CHANGEMENT D'AIR IDÉOLOGIQUE

*Trois strates d'âge pour une guerre*

En ce domaine, le clivage générationnel est donc au contraire transcendé, et de manière plus significative que celui qui existait entre gauche communiste et mouvements d'extrême gauche. C'est, du reste, sur une certaine hostilité au PCF que les aînés, en rupture de ban avec ce parti, et les cadets, en phase d'apprentissage politique, vont converger. À bien y regarder, la protestation contre la guerre du Viêtnam a brassé en fait trois strates d'âge : les intellectuels déjà établis, souvent quadragénaires, communistes ou anciens communistes, qui fournirent notamment la grande masse des pétitionnaires, les jeunes clercs frôlant ou dépassant le cap de la trentaine, avec déjà une éducation algérienne derrière eux, et, progressivement, les jeunes lycéens et, bientôt, étudiants issus du *baby-boom*. Ce brassage est important : il détermine, on le verra, la stratigraphie des acteurs du Mai français. La strate d'âge intermédiaire, le plus souvent, a fourni les leaders, dans le *baby-boom* se sont recrutés les « piétons de mai » qui donnèrent au mouvement sa densité – en le faisant sortir de son essence jusque-là groupusculaire – et donc sa visibilité historique, tandis que les quadragénaires engagés constituèrent plutôt l'équivalent d'un chœur antique, donnant de la voix pour commenter et soutenir. Les « piétons » marchèrent, crièrent, mais aussi inventèrent les slogans les plus libres : la glose, donc, pour les plus âgés, la gnose pour les leaders de la strate intermédiaire, et, souvent, la prose davantage spontanée pour les plus jeunes.

Autant qu'au brassage des classes d'âge, la guerre du Viêtnam contribua, de ce fait, à la capillarité idéologique entre elles et joua ainsi un rôle décisif dans l'irrigation politique de la génération du *baby-boom*. Comme en d'autres domaines, l'année 1965 est ici encore une année tournante. Certes, jusque-là, plusieurs organisations, souvent dans la mouvance du PCF, avaient déjà animé une action contre la présence américaine au Viêtnam. Mais ce n'est qu'en 1965 que cette présence passa de l'envoi de conseillers militaires à celui d'un corps expéditionnaire bientôt fort de plusieurs centaines de milliers de soldats. Bien plus, en cette même année, de nouvelles structures de lutte apparurent, en dehors de l'influence du Parti communiste et parfois contre lui. Et le mouvement prit alors une réelle consistance en raison de la crise concomitante de l'Union des étudiants communistes et des Jeunesses communistes[1].

Plus largement encore que le reflet de ces soubresauts au sein du PCF, l'apparition de ces structures de soutien au Viêtnam du Nord et au Viêtcong est le symptôme du passage de la génération intermédiaire, née entre le Front populaire et la Libération, de l'anticolonialisme à l'anti-impérialisme, du FLN au FNL. Et la capillarité constatée plus haut avec ces jeunes aînés fera que la partie militante de la génération du *baby-boom* baignera dans cette nouvelle configuration idéologique marquée par le développement d'une extrême gauche sur les flancs du PCF et par cette mobilisation anti-impérialiste. Si le combat de ces aînés resta ainsi doublement idéologique, les futurs « piétons de mai », qui feront parfois dans cette lutte contre la guerre du Viêtnam leurs premiers pas militants, y viendront souvent pour des raisons bien davantage éthiques que strictement politiques : un refus moral ou affectif

---

1. Outre l'article déjà cité de Nicolas Pas, on se reportera à Laurent Jalabert : « Aux origines de la génération 68 : les étudiants français et la guerre du Viêtnam », *Vingtième Siècle. Revue d'histoire*, 55, juillet-septembre 1997. Cf. également, bien sûr, Hervé Hamon et Patrick Rotman, *Génération*, Paris, Le Seuil, 2 vol., 1987 et 1988, et aussi, pour le maoïsme naissant, Christophe Bourseiller, *Les Maoïstes. La folle histoire des gardes rouges français*, Paris, Plon, 1996.

devant les horreurs de cette guerre, dont l'exposition, on y reviendra, était alors largement unilatérale. Toujours est-il qu'après cette année 1965 de transition et d'amplification tout à la fois, des structures militantes voient le jour : en 1966 le Comité Viêtnam national, largement dominé au bout de quelques mois par la Jeunesse communiste révolutionnaire (JCR) d'obédience trotskiste, en 1967 les comités Viêtnam de base, investis en force par la maoïste Union des jeunesses communistes marxistes-léninistes, et les comités Viêtnam lycées, convoités par plusieurs organisations et notamment la JCR.

## Une double imprégnation

Quelle fut, au bout du compte, l'amplitude de l'onde de choc ? Il faut, semble-t-il, relativiser l'audience de ces structures. Des travaux récents et fiables[1] ont établi que, malgré un maillage de comités Viêtnam en province, l'audience resta avant tout parisienne. Bien plus, les trois organisations réunies n'ont probablement jamais dépassé 5 000 adhérents, avec un nombre de militants actifs se comptant plutôt en centaines. En même temps, il est vrai, il y eut une réelle imprégnation, à la fois verticale et horizontale. Verticale, on l'a vu, entre les générations : la génération du *baby-boom* n'est pas la matrice de l'anti-impérialisme, mais celui-ci lui est transmis au moment de son éveil politique, par ses jeunes aînés. Piqûre de rappel de militantisme pour ces derniers, le combat viêt-namien fut plutôt pour les cadets le moment de l'inoculation

---

1. Nicolas Pas, art. cit., et, plus largement, « Sortir de l'ombre du Parti communiste français. Histoire de l'engagement de l'extrême gauche française sur la guerre du Viêtnam. 1965-1968 », dact., DEA, Institut d'études politiques de Paris, 1998.

du virus de la politique. Même s'il convient donc de ne pas surdéterminer l'agitation lycéenne avant 1968, il y eut bien là l'apprentissage de quelques leaders lycéens qui appartiennent de plain-pied à la génération du *baby-boom*. À la faveur de témoignages rétroactifs, une vulgate s'est peu à peu imposée, décrivant quelques épicentres – les lycées Jacques-Decour et Turgot à partir de la rentrée 1966, bientôt suivis par d'autres établissements parisiens, dont Henri-IV, Condorcet et Voltaire – et une agitation croissante. Cette vulgate, même si elle présente notamment l'inconvénient de fausser rétrospectivement la réalité – *quid* de quelques grands lycées parisiens à l'échelle d'un pays tout entier et de 8 millions de 16-24 ans à cette date ? –, permet toutefois de rétablir cette génération dans son environnement historique et de mieux saisir sa sensibilité politique : en son sein également, la guerre du Viêtnam a bien trouvé un réel écho avant mai 1968. D'autant que la formation, à partir de février 1968, à l'initiative des trotskistes, des Comités d'action lycéens (CAL) contribua aussi à entretenir l'agitation.

Mais cette inoculation fut peut-être encore davantage facilitée par une imprégnation horizontale, touchant non seulement le monde étudiant[1], mais aussi, plus largement, les milieux culturels et, à travers eux, l'air du temps culturel. De fait, plusieurs chanteurs et chanteuses apportèrent leur soutien à ce combat contre l'intervention américaine et participèrent à des manifestations. Ainsi, un meeting « Six heures du monde pour le Viêtnam » se tient à la Mutualité le 28 novembre 1966 et bien des artistes y participent[2]. En juin 1967, la soirée « Cent artistes pour le Viêtnam » réunit des comédiens et des chanteurs, notamment Catherine Sauvage, Barbara et Mouloudji.

---

1. Cf. Laurent Jalabert, art. cit.
2. Cf., sur ce point, *Le Monde* des 27-28 et 30 novembre 1966.

Bien plus, certains de ces artistes vont au-delà et, loin de chanter seulement *à propos* du Viêtnam, ils ou elles chantent *sur* le Viêtnam. C'est le cas, par exemple, de Colette Magny, présente à la soirée « Cent artistes pour le Viêtnam » avec sa chanson *Viêtnam 67*. Quelques écrivains font de même : ainsi, quelques mois plus tard, Armand Gatti montant sa pièce *V comme le Viêtnam*. Cela étant, il convient, comme pour les effectifs des organisations militantes, de ne pas surévaluer l'écho de ces chansons ou de ces pièces explicitement engagées : si la presse de gauche les évoquent et si les tracts des différents comités les montent en épingle, elles ne touchent jamais directement le grand public.

Faut-il, dès lors, conclure à leur totale inefficience ? En fait, la notion d'imprégnation permet de nuancer un tel diagnostic. D'une part, à défaut d'avoir directement prise sur l'opinion publique, ces pages ou ces couplets militants ont contribué à entretenir une houle de contestation qui monte en cette seconde partie des années 1960 et qui nourrit une culture contestataire touchant en priorité certains membres de la génération du *baby-boom* s'éveillant à la politique dans un tel contexte. D'autant que, d'autre part, si les chansons militantes ont, globalement, un écho assourdi, des artistes moins engagés dans ce combat glissent pourtant dans leur répertoire, par compassion, des allusions au conflit viêtnamien, lui conférant ainsi un effet de résonance. C'est donc aussi une telle thématique de compassion, elle-même héritière d'un pacifisme largement présent dans la chanson française, qui vient se greffer sur la protestation contre la guerre du Viêtnam. Et cet aspect protestataire vient encore renforcer la culture contestataire puisque attaquer l'intervention américaine au Viêtnam se situe, de ce fait, à la confluence d'une préoccupation morale, qui sous-tend la démarche de compassion, et d'une mise en cause de l'ordre établi, largement incarné alors par les États-Unis, qui rejoignent indirectement les considérations davantage idéologiques des plus engagés de ces jeunes gens. À sa manière, la dénonciation de la guerre du Viêtnam réactive donc ou prend la relève du *Déserteur* de Boris Vian[1]. C'est le cas, par exemple, dans une chanson de Serge Reggiani, *T'as vu l'avion*, où la version enregistrée évoque un enfant sous les bombes sans mentionner explicitement de lieu mais où dans certaines versions *live* le chanteur place l'épisode au Viêtnam. Antoine également, en 1966, dans *La Guerre*, évoque Cuba et le Viêtnam. À la même date, Hugues Auffray, qui, comme Serge Reggiani et Georges Moustaki – lui aussi alors explicitement hostile à la guerre –, figure parmi les 132 signataires de « Cent artistes pour le Viêtnam », acclimate le *protest-song* en France et contribue indirectement à relayer Joan Baez et Bob Dylan qui ont à cette date un engagement très marqué.

Avec cet air du temps culturel ainsi profondément imprégné, nous touchons à l'essentiel. Tout concourt, en effet, à placer la génération montante, vierge de par son âge de tout engagement politique antérieur marquant, sous le signe du Viêtnam. Les registres idéologique, médiatique et donc culturel sont, à cet égard, au diapason. Sur le premier de ces registres, tandis que les intellectuels de gauche et d'extrême gauche se lancent dès 1965 dans une intense activité pétitionnaire[2], l'atonie reste grande à droite. On est loin ici des

---

1. Fait révélateur, du reste, la version anglo-saxonne du *Déserteur* rencontre en ces années de guerre du Viêtnam un réel écho au sein de la mouvance pacifiste américaine (cf. Geneviève Dreyfus-Armand, Robert Frank, Marie-Françoise Lévy, Michelle Zancarini-Fournel (dir.), *Les Années 68. Le temps de la contestation*, Bruxelles-Paris, Complexe/IHTP, 2000, p. 53).

2. J'avais tenté d'en repérer quelques jalons significatifs dans *Intellectuels et passions françaises. Manifestes et pétitions au XXᵉ siècle*, Paris, Fayard, 1990, rééd., Gallimard, « Folio », 1996, chapitre XI, « Sous le signe du Viêtnam ». J'y avais également déjà avancé l'analyse sur la convergence des trois registres. Pour une étude approfondie des intellectuels français face à la guerre du Viêtnam, cf. le chapitre III (« Le Viêtnam au cœur ») de la thèse de Bernard Brillant, « Du Viêtnam au Quartier latin : les intellectuels et la

empoignades sur l'Éthiopie et sur l'Espagne dans les années 1930, ou encore sur l'Algérie un quart de siècle plus tard. Cette absence de choc frontal et d'arguments échangés de part et d'autre contribua probablement à structurer de façon déséquilibrée la perception de l'intervention américaine au Viêtnam par l'opinion publique française. D'autant que les deux grandes forces politiques du moment – gaulliste et communiste – condamnaient l'une et l'autre cette intervention. De surcroît, l'émotion aidant – l'« effet B-52 » et le napalm –, les opposants à celle-ci ont pu développer leurs démonstrations sans avoir forcément à les étayer. Car les médias ont exercé leur fonction d'information en conscience, mais en ne montrant, en fait, que ce qui était disponible, c'est-à-dire, en fait, la guerre américaine, et les images ainsi diffusées, forcément porteuses des horreurs d'un conflit où les civils étaient souvent les victimes les plus visibles, n'ont pas contribué à rééquilibrer une dénonciation qui resta donc idéologiquement, médiatiquement et, on l'a vu, culturellement unilatérale.

Estimer rétrospectivement que cette dénonciation a été fondée ou pas n'est pas de la juridiction de l'historien, qui n'emploiera donc pas un tel terme dans un sens connoté. Il observera, en revanche, qu'ainsi présentée sous un seul aspect l'intervention américaine avait de quoi frapper les esprits, heurter les sensibilités et mobiliser les bonnes volontés. D'autant que cette onde de choc unilatérale se trouvait de surcroît amplifiée par une culture de masse en pleine dilatation et dont l'épicentre, précisément, était les États-Unis. L'« effet B-52 » se situait donc, en fait, à la croisée d'une double onde de choc : le choc de l'image relayé par le poids des médias anglo-saxons. Le B-52, jusque-là instrument du Strategic Air Command et garant de la défense du « monde libre » au cœur

---

contestation. Mai 68 et ses prodromes en France », t. I, pp. 156-213, dact., Paris, Institut d'études politiques de Paris, 2002.

de la guerre froide, fut désormais souvent perçu comme l'instrument de l'écrasement présumé d'un petit peuple par un grand : de 1967 à 1972, certaines estimations évalueront à 7 millions de tonnes de bombes, soit deux fois et demie plus que les bombardements alliés de l'ensemble de la Seconde Guerre mondiale, la puissance de feu déversée par air sur la péninsule indochinoise.

On imagine aisément les conséquences de cette double onde de choc sur la vision du conflit viêtnamien par les opinions publiques occidentales et la démonologie qui en découla : les ailes américaines, symbole de liberté durant cette Seconde Guerre mondiale et encore, on l'a dit, durant la guerre froide – sauf peut-être, alors, aux yeux des militants et sympathisants communistes –, se retrouvèrent en partie diabolisées. Et pour la génération de l'image et du son, dans une France où l'emprise de la télévision devenait en ces années 1960 une réalité, l'apprentissage politique s'opéra dans ce contexte audiovisuel ainsi dilaté aux dimensions de la planète et largement phagocyté par le conflit viêtnamien. La génération du *baby-boom* fut bien « la première à vivre, à travers un flot d'images et de sons, la présence physique et quotidienne de la totalité du monde[1] ». Et cette dilatation planétaire dépassa le seul horizon viêtnamien : jointe à la culture contestataire nimbée de marxisme-léninisme qui imprègne largement l'air du temps, elle favorise avant même l'année 1968 la floraison de modèles révolutionnaires exotiques[2] au sein de l'extrême gauche européenne mais aussi plus largement, par imprégnation de la culture de masse et donc par capillarité, au sein des jeunesses européennes. Parallèlement à la figure du

---

1. Daniel Cohn-Bendit, *Nous l'avons tant aimée, la révolution*, Éditions Bernard Barrault, 1986, p. 10.
2. Cf. Robert Frank, « Imaginaire politique et figures symboliques internationales : Castro, Hô, Mao et le "Che" », dans *Les Années 68*, réf. cit., pp. 31-47.

maquisard viêtcong en pyjama noir, symbole des luttes de libération nationale contre l'« impérialisme », « Che » Guevara incarnera ainsi, on y reviendra, une synthèse de saint laïque et de produit de la civilisation de l'image. Il apparaîtra, en effet, à la fois comme un martyr de la cause révolutionnaire – foudroyé dans l'accomplissement de sa tâche[1] par les soldats boliviens et « la CIA », autre figure du démon – et comme le héros vaguement christique d'une sorte de romantisme largement désidéologisé.

## De la dénonciation à la « victimisation »

L'« effet B-52 », « la CIA » : dans la partie la plus engagée de la jeunesse, la guerre du Viêtnam ne viendra pas seulement nourrir une culture contestataire ou protestataire[2], elle y inséminera un antiaméricanisme militant, qui, même aux heures les plus chaudes de la guerre froide, n'avait pas revêtu chez les militants communistes, pourtant alors en première ligne, les mêmes attitudes extrêmes.

### Une vision démonologique?

Plus encore chez ces militants communistes de la génération précédente – les pères, donc, ou les frères aînés –, dont l'anti-

---

1. Avec, en toile de fond, le rayonnement à cette date de Cuba dans certains milieux intellectuels (cf. par exemple, à ce propos, la thèse de Bernard Brillant, réf. cit., pp. 159-177).

2. Sur la notion de mouvements protestataires, cf. notamment Ingrid Guilcher-Holtey, « 1968 in Deutschland und Frankreich : ein Vergleich », dans Étienne François, Matthias Middell, Emmanuel Terray, Dorothee Wierling (dir.), *1968 – ein europaisches Jahr*, Leipzig, Leipziger Universitätsverlag,

américanisme avait été forgé au feu de la guerre froide, s'est constituée au moment de la guerre du Viêtnam une véritable *image idéologico-médiatique*. La lourdeur sémantique d'un tel néologisme provient de la complexité du processus de représentations collectives qu'il désigne. Se mêlent, en effet, la lecture purement idéologisée – et donc déformante – d'une réalité objective, la guerre du Viêtnam, et la torsion de cette même réalité par amplification unilatérale des médias de masse. On l'a dit plus haut, la guerre du Viêtnam est le premier conflit de l'ère médiatique : les malheurs de la guerre pénètrent quasiment en direct dans les foyers de pays en paix. Mais cette intrusion médiatique dans la sphère du privé, dont l'écho presque immédiat de l'assassinat de John F. Kennedy, le 22 novembre 1963, avait été le moment fondateur, connaît une sorte d'altération en raison de son caractère largement unilatéral. À bien y regarder, il y a probablement là un élément structurant de la sensibilité politique de la partie engagée de la génération du *baby-boom*. La dilatation audiovisuelle et, de ce fait, « la présence physique et quotidienne de la totalité du monde » ne relayèrent et ne firent connaître que ce qu'on leur laissait voir. Derrière l'apparente tautologie du constat se niche, en fait, un complet déséquilibre du traitement médiatique de la guerre du Viêtnam, par dénonciation de la seule guerre américaine. Et ce traitement unilatéral s'ajoutait à une lecture idéologisée de l'intervention américaine qui, elle aussi mais pour d'autres raisons, fut sans réels contrepoids, d'autant que, on l'a dit, les deux grandes forces politiques du moment – gaulliste et communiste – proclamaient l'une et l'autre leur hostilité à cette intervention. Des contre-pétitions la soutenant auraient été immédiatement per-

1997, pp. 67-77, et *Die Phantasie an die Macht : Mai 68 in Frankreich*, Frankfurt, Suhrkamp, 1995.

çues ou présentées comme une bénédiction de clercs de droite aux pilotes de B-52. Posture impensable dans un contexte intellectuel où Jean-Paul Sartre, rapporteur au tribunal institué par Bertrand Russell, avait conclu à une volonté délibérée des États-Unis d'extermination et rendu un verdict de « génocide [1] ». Le caractère unilatéral était là bien dépassé et c'est une véritable vision démonologique qui était ainsi mise en circulation : le combat des Viêtnamiens est mené « contre le profit et ses serviteurs », et, au bout du compte, ceux-ci « se battent pour tous les hommes et les forces américaines contre tous [2] ».

## Guerre d'Espagne, guerre du Viêtnam

On laissera de côté ici le fait que de telles phrases constitueront autant de brusques retours de manivelle quand viendra, dès la seconde partie des années 1970 – une décennie à peine plus tard, donc ! –, le temps des *boat people* et des Khmers rouges, et donc des illusions fracassées. Pour l'heure, il importe surtout d'observer qu'avec, certes, une intensité variable cette image idéologico-médiatique des États-Unis s'est d'autant plus aisément inséminée au sein de la nouvelle génération qu'elle avait aussi des ressorts affectifs. Une sorte de *victimisation*, en effet, a découlé de cette représentation unilatérale : l'« effet B-52 », en d'autres termes, a fait souche autant par le choc des photos et des films que par le poids des mots des intellectuels. Et cette victimisation du Viêtnamien sous les bombes a pu s'étendre à celle du Viêtcong lui-même, tant cette génération, arrivée à l'adolescence au moment de la coexistence pacifique, a moins ressenti, à la différence de ses

---

1. Cf. *Situations VIII*, Paris, Gallimard, 1971, notamment pp. 100-124.
2. *Ibid.*, pp. 93 et 124.

aînés non communistes du temps de la guerre froide, le communisme comme un danger contre lequel il convenait éventuellement de lutter. En dehors même des minorités d'extrême gauche, l'idée a donc pu prévaloir que les États-Unis, de fait, se battaient « contre tous les hommes » et que le bon camp était de l'autre côté. Ou, pour le moins, que la notion de bon camp était indistincte. L'importance de cette « victimisation » dans le jugement porté sur un conflit associée à cette difficulté, sauf pour les minorités les plus politisées, à penser la guerre autrement qu'en termes de condamnation morale fondés seulement sur ce qui est donné à voir explique, sur le court terme, l'écho rencontré par la guerre du Viêtnam chez les *baby-boomers*, bien qu'il n'y ait pas eu initialement chez eux, on l'a vu, de souche pacifiste. Et, à moyen terme, cette « victimisation » annonce – et prépare, pour l'heure, de façon souterraine – l'irruption de l'humanitaire, qui surviendra précisément au moment des premières illusions fracassées, autour des *boat-people*, puis l'apparition du devoir d'ingérence, deux notions dont les *baby-boomers* seront par la suite les acteurs et les théoriciens principaux. Avec, en toile de fond, désormais, cette indistinction récurrente de la notion de bon camp ou, plus précisément, la prime donnée à la face visible des horreurs de la guerre.

Il ne s'agit pas ici d'anticiper mais de constater pour l'instant que l'éveil de ces enfants de l'après-Seconde Guerre mondiale se fit dans une configuration idéologique et un environnement médiatique fortement marqués par la guerre du Viêtnam et que, pour certains d'entre eux, l'engagement « anti-impérialiste » à cette occasion fut leur premier combat. De même que pour beaucoup de jeunes clercs de gauche les engagements en faveur de l'Espagne républicaine furent de 1936 à 1939 des combats d'apprentissage et restèrent, de ce fait, profondément ancrés dans leurs sensibilités politiques, bien des *baby-boomers* entrèrent en politique sous le signe du

Viêtnam. Mais la comparaison s'arrête là et la différence qui surgit ainsi concerne la suite de l'histoire de cette génération : alors que les combats en faveur des républicains espagnols restèrent après 1939 une référence et une fierté, au point d'être identitaires pour plusieurs générations de militants de gauche concernées à la fin des années 1930, les engagements en faveur du Viêtcong et du Viêtnam du Nord tombèrent rapidement, peu après le printemps 1975 qui vit la chute de Phnom Penh et celle de Saigon, dans un trou de mémoire, voués au silence des cimetières. Il faudra à coup sûr, pour cette raison, y revenir.

Pour l'heure, dans la seconde partie des années 1960, les éléments les plus en vue de cette « génération viêtnamienne » témoignent avec vigueur de leur opposition aux États-Unis. Ainsi, le 7 avril 1967, au moment de la venue à Paris du vice-président américain Humphrey, le lycéen Nicolas Baby brûle un drapeau américain et la photographie de presse sera le lendemain largement diffusée en France et à l'étranger. Le jeune homme en est quitte pour une exclusion temporaire, mesure bientôt rapportée par l'administration du lycée Henri-IV devant la menace d'une menace de manifestation en faveur de la « liberté d'expression ». Quelques mois plus tard, le 21 février 1968, une « journée anti-impérialiste » est organisée : un drapeau nord-viêtnamien flotte quelques heures sur la Sorbonne, un mannequin de Lindon Johnson et des drapeaux américains sont brûlés, et le boulevard Saint-Michel est rebaptisé « boulevard du Viêtnam héroïque ». Et, le mois suivant, le Mouvement du 22 mars sera fondé à Nanterre en réaction contre l'arrestation de plusieurs militants ayant brisé deux jours plus tôt des vitrines d'établissements américains, notamment les locaux de l'American Express, rue Auber. Le processus conduisant aux événements de Mai était enclenché et le rôle de la guerre du Viêtnam dans la mise à feu du Mai français est ainsi symboliquement représenté.

# CHAPITRE IX

# Mai 68, Janus idéologique

Et mai 1968 vint... Rarement, dans l'histoire française, un événement est devenu à ce point identitaire pour une génération. Plus encore que classe d'âge du *baby-boom*, les enfants de l'après-guerre sont souvent, de fait, collectivement estampillés génération de « Mai 68 ». Les adolescents présumés politiquement assoupis au rythme du « yé-yé » se seraient alors soudain réveillés et auraient été révélés à eux-mêmes par les vertiges de la rupture révolutionnaire. Et une telle vision s'est cristallisée en une sorte de version épique où une jeunesse en révolte manqua de peu un coup d'État générationnel, mais réussit, sinon à changer le monde, tout au moins à promouvoir une révolution démocratique qui a modifié en quelques années de fond en comble la société française.

Si l'étude de cette révolution supposée relève largement de l'analyse de l'effet de souffle plus que l'explosion et donc de l'histoire des années qui suivirent, il faut, dans un premier temps, en revenir plus prosaïquement à la nature de cette explosion. Quels en furent les ingrédients et à la suite de quel enchaînement l'embrasement se propagea-t-il ? Ce n'est, en effet, qu'en reconstituant le processus que l'on peut répondre à cette autre question essentielle : la jeunesse du *baby-boom* n'en fut-elle que le détonateur ou, plus largement, l'artificier ?

On l'aura compris, on ne trouvera pas ici un récit détaillé de Mai 68. Tel n'est pas l'objet de ce livre, et à supposer qu'il l'ait été, un ouvrage entier n'y suffirait pas, tant le matériau accumulé a sédimenté depuis plus de trente ans[1], aussi bien sur la relation des événements que sur l'analyse de leur portée[2]. Essentielle, en revanche, pour notre propos est l'approche générationnelle. Quelle place, au bout du compte, tint cette jeunesse du *baby-boom* dans la succession des crises qui donna sa densité historique au mois de mai 1968?

## Une crise à trois temps

Cette densité est indéniable. Sans entrer ici dans le détail de journées agitées, il faut observer d'emblée que celles-ci acquirent rapidement une incontestable gravité, en donnant au mot sa double acception puisqu'elles pesèrent sur le régime au point de paraître le faire chanceler. Évoquer Mai 68 passe donc, avant toute tentative d'interprétation, par un bref rappel

---

1. Se fondant sur la consultation du logiciel OPALE de la Bibliothèque de France, Laurent Jalabert avançait déjà le nombre de plus de 1 000 publications en 1998, compte tenu des travaux universitaires non publiés (« Mai 1968, sujet d'histoire immédiate », *Cahier d'histoire immédiate*, université Toulouse-Le Mirail, n° 14, automne 1998, p. 74). La croissance a été exponentielle : Jacques Godechot recensait 120 ouvrages sur le sujet dans un article des *Annales du Midi* de juin 1978.

2. Portée sur laquelle nous reviendrons, bien sûr, dans un second volume consacré au rôle de la génération des *baby-boomers* au fil de la période qui court de 1969 au second versant des années 1970. Se posera, dès lors, notamment la question de la place de Mai 68 dans la mutation de la société française. Signalons d'emblée deux ouvrages qui, à dix ans de distance, ont posé une telle question : *Mai 1968. L'entre-deux-modernités*, de Jacques Capdevielle et René Mouriaux, Paris, Presses de la FNSP, 1988, et *Mai 1968, l'héritage impossible*, de Jean-Pierre Le Goff, Paris, La Découverte, 1998.

du métabolisme de la crise, qui s'est développée sur un rythme à trois temps.

## Les ondes concentriques

L'image qui fut souvent utilisée, par la suite, pour rendre compte du déroulement du « Mai » français est celle d'une fusée à trois étages. Certes, il y a bien une part de pertinence dans une telle image : trois crises – universitaire, sociale, politique – se succédèrent alors, chacune servant d'allumage à la suivante. En même temps, cette image est trompeuse : si un étage de fusée, sa tâche effectuée, se détache de l'étage supérieur et se désintègre, aucune des trois crises ne disparut quand la suivante la relaya. Plus que de relais, en fait, il faut parler de stades d'amplification ou d'ondes concentriques : en bout du processus, la crise était devenue globale ou, pour le moins, elle fut perçue comme telle par les contemporains.

Au début de ce processus était l'Université française. Ou plutôt la faculté des lettres et la résidence universitaire de Nanterre. L'une et l'autre avaient connu, depuis la rentrée universitaire d'octobre 1967, une agitation endémique. Chaque soubresaut n'avait eu en lui-même qu'une faible importance, mais l'ensemble attestait un réel malaise. Ou, plus précisément, c'est ainsi que l'on peut, avec le recul, tenter de reconstituer sinon une véritable trame de causalité, en tout cas l'alourdissement d'un climat. Sur le moment, on le sait, aucun de ces soubresauts ne constitua, ni pour l'opinion ni pour les autorités de tutelle, le signe avant-coureur d'une crise brutale à venir : le règlement de la résidence universitaire contesté, les cours interrompus, les examens de février perturbés, les ministres en visite chahutés, les conférenciers communistes pris à partie, les bureaux administratifs occupés une nuit durant, tous ces épisodes ont été décortiqués depuis, mais, à chaud, les diagnostics les plus courants se recoupaient : de tels incidents relevaient de l'activisme de quelques groupes d'étudiants d'extrême gauche peu nombreux mais très actifs, sans rien qui paraisse présager le déclenchement prochain d'un processus en chaîne.

Or processus il y eut. S'il fallait absolument une borne de départ aux « événements », c'est bien la date du 3 mai qu'il conviendrait de retenir. Comme il n'est question ici que de décrire brièvement le métabolisme d'une crise avant de tenter à la fois de l'analyser et d'évaluer la place tenue par les *baby-boomers*, on rappellera seulement que, ce jour-là, après la fermeture de la faculté des lettres de Nanterre intervenue la veille en raison de la reprise d'incidents en son sein après les vacances de Pâques, un meeting de protestation se tint dans la cour de la Sorbonne. En fin de journée, de violents affrontements opposèrent les forces de l'ordre, dépêchées sur place, aux étudiants protestant contre les arrestations consécutives à ce meeting, jugées brutales et arbitraires. Des incidents encore plus graves s'étant déroulés à nouveau le lundi suivant, la crise s'étendit en quelques jours à l'ensemble de l'Université française, vite paralysée par des grèves avec occupation des locaux. Bien plus, dans ce climat déjà très tendu, le Quartier latin connaît, dans la nuit du 10 au 11 mai, une première « nuit des barricades » et, peu après, la Sorbonne, investie par les étudiants, devient le symbole d'une « commune étudiante ». Sur ces termes, assurément, il faudra revenir plus loin.

Entre-temps, les syndicats ouvriers, pour protester contre la « répression policière », ont appelé à une grève générale pour le lundi 13 mai. Initialement prévue pour rester cantonnée à une seule journée, cette grève fait au contraire tache d'huile : au bout d'une semaine, la plupart des entreprises sont touchées et, souvent, occupées. Si cette brusque pandémie rappelle à bien des égards – et notamment du fait des occupations d'usines – celle du printemps de 1936, elle la dépasse largement en ampleur : en 1936, la classe ouvrière était le principal acteur du mouvement social ; en 1968, ce sont tous les salariés, ou presque, qui cessent le travail, volontairement ou gênés par la paralysie croissante. Et Mai 68 reste bien, de ce fait, davantage que 1936 ou encore, par la suite, que novembre-décembre 1995, le mouvement le plus important de l'histoire sociale française du XXe siècle.

### La main passe

Cela étant, si la mémoire collective a parfois surtout retenu d'autres aspects de la crise au point de paraître occulter ou, en tout cas, minimiser l'épisode social, c'est que celui-ci n'apparut pas comme le point d'orgue du Mai français, la crise continuant encore ensuite à s'amplifier pour déboucher sur un ébranlement du régime. Durant la dernière décade de mai, en effet, le général de Gaulle paraît ne plus avoir prise sur les événements, devenus, il en fera l'aveu ensuite, « insaisissables ». Le vendredi 24, sa proposition d'un référendum sur la participation fait long feu, et, le soir même, Paris et plusieurs grandes villes françaises connaissent une seconde « nuit des barricades » beaucoup plus violente que la précédente : un commissaire de police trouve la mort à Lyon. Certes, au cours du week-end suivant, le Premier ministre Georges Pompidou parvient à la signature des « accords de Grenelle » entre les partenaires sociaux, mais, au matin du lundi 27, la base ouvrière les rejette d'abord sans appel. En ce début de la dernière semaine de mai, la situation semble encore plus « insaisissable » : le pays reste engourdi par une grève générale que n'ont pas débloquée les accords de Grenelle, les administrations et les ministères pâtissent, eux aussi, de cette grève et les autorités politiques donnent l'impression de ne plus avoir prise sur le processus en cours. Or c'est le plus souvent dans un tel contexte de vide politique apparent que surgissent, en France, les fractures, voire les morts de régimes.

Il n'en fut rien cette fois-là. Alors que, le 27 mai, Pierre Mendès France participe au meeting du stade Charléty qui paraît refléter un second souffle du mouvement et que François Mitterrand, le lendemain, déclare dans une conférence de presse qu'« il n'y a plus d'État » et qu'il sera candidat à la magistrature suprême en cas de démission du président de la République, ce dernier va prendre ses adversaires à contre-pied et renverser la conjoncture à son avantage en quarante-huit heures. Le mercredi 29 mai, après un voyage éclair à Baden-Baden – voyage théoriquement tenu secret et donc, par là même, dramatisé – où il confère avec le général Massu, il annonce une allocution radiodiffusée pour le lendemain. Ce jour-là, dans une intervention de quelques minutes à peine, il fait connaître qu'il demeure à son poste, qu'il conserve son Premier ministre et qu'il dissout l'Assemblée nationale. Le message est clair : le pouvoir n'est plus à prendre, à supposer qu'il l'ait jamais été, l'État reste ferme sur ses bases par le maintien des deux figures de la dyarchie républicaine, tandis qu'en même temps la parole est donnée au peuple souverain. La fermeté de ton du général de Gaulle galvanise ses partisans qui, peu après, remontent les Champs-Élysées en un défilé qui fut, au bout du compte, le plus important du mois de mai, avec peut-être un demi-million de personnes présentes.

Dès lors, dans un contexte où l'opinion publique, d'abord favorable au mouvement étudiant, est passée progressivement à la lassitude puis à l'inquiétude, la situation s'inverse et la main passe. Le pays, avec la dissolution de l'Assemblée natio-nale, est entré *de facto* en campagne électorale et aucune des grandes formations politiques en lice n'a intérêt à paraître prolonger la crise. Dans la première quinzaine de juin, la Sorbonne est évacuée et le mouvement étudiant se délite rapide-ment, tandis que le travail reprend progressivement dans les entreprises, les accords de Grenelle étant finalement acceptés et mis en œuvre. On connaît l'épilogue électoral de la crise : au terme d'une habile campagne du Premier ministre, la majorité sortante, portée par la peur du désordre, remporte un succès spectaculaire, les gaullistes enlevant à eux seuls 294 sièges sur 485. Inversement, la gauche, qui avait fortement progressé aux élections législatives de l'année précédente, connaît une forte érosion. Le régime en place, un moment ébranlé, sort de la crise nanti d'une véritable « Chambre introuvable » et donc apparemment renforcé.

Ainsi, la fusée à trois étages n'a pas, sur le moment, été porteuse d'une révolution. Pourquoi, dès lors, avoir fait, même brièvement, le récit d'un événement qui, tout compte fait, n'en serait pas un ? Plusieurs raisons y incitent, qui donnent au contraire une réelle densité au Mai français. Si celui-ci ne fut pas une révolution au sens historique du terme, il le fut encore moins au sens commun du terme, celui d'un tour complet qui fait revenir à la case de départ. Quelle que soit l'interprétation que l'on retient, il apparaît bien que, loin de déboucher sur un retour à la situation initiale, ces semaines étaient grosses de fortes évolutions, au demeurant diverses. Bien plus, l'événement, on l'a dit, devint identitaire pour une large part de la génération du *baby-boom*. Si les fleurs de Mai ont été ainsi multicolores, pourquoi sont-ce les *baby-boomers* qui se retrouvèrent, aux yeux de l'Histoire, ceints de couronnes tressées avec celles-ci ? Cette question est d'autant plus importante qu'elle débouche sur une autre, plus tardive et davantage polémique : y a-t-il vraiment matière à tresser des couronnes ou bien les fleurs de mai ont-elles été vénéneuses ?

## LA RÉVOLUTION DES *BABY-BOOMERS* ?

Une partie de la réponse, on l'a déjà souligné, réside dans l'analyse du rôle de cette génération au fil des années de l'après-mai et dans la question conjointe de l'existence ou non d'une sorte de révolution démocratique qui aurait bouleversé alors la société française en profondeur. Si l'on s'en tient plutôt d'abord ici à l'effet de souffle immédiat, du printemps 1968 à celui de l'année suivante qui vit partir le général de Gaulle, cette question est à reformuler autour de trois interrogations essentielles. Sommes-nous en face d'une révolte génération-nelle ? Et les *baby-boomers* ayant été, sinon les leaders les plus en vue du mouvement de Mai, en tout cas les « piétons » qui lui donnèrent sa consistance statistique et donc historique, à quelles sources d'inspiration puisèrent-ils ? Celles-ci, on le verra, furent diverses, à tel point que l'on doit parler, à ce propos, d'ambivalence. Ambivalence que l'on retrouve aussi dans cette troisième question : certains des *baby-boomers* ayant érigé des barricades, quelle fut la signification d'une telle érec-tion alors que le mouvement resta, au bout du compte, dénué de la violence politique aiguë dont ces barricades, dans le passé, avaient été le symbole ? En d'autres termes, plutôt que de revenir sur l'histoire de quelques groupuscules, dont le rôle fut au demeurant indéniable – sauf lorsque, pour certains d'entre eux, ils restèrent délibérément en marge des événe-ments –, il paraît légitime de réexaminer plutôt l'enchaîne-ment des faits à la lumière de ces trois questions concrètes qui, on le verra, permettent de replacer Mai 68 dans des temporali-tés beaucoup plus larges et significatives.

## *Un mouvement JEUNE ?*

Si bien des observateurs, une fois passée la secousse de mai, conclurent, de fait, à une « révolte des jeunes[1] », un premier constat s'impose : la diversité de cette jeunesse française ne disparaît pas subitement dans l'effervescence de cette fin de décennie. Certes, il faut le rappeler, un tiers des Français – 33,8 % exactement – a moins de 20 ans en 1968 et les 16-24 ans représentent à eux seuls 8 millions d'individus à cette date, soit 16,1 % de la population. Mais ce coup de jeune ne pouvait pas à lui tout seul déboucher sur une sorte de cheval de Troie introduit par l'ensemble d'une génération, tant la socialisation politique de la jeunesse demeure, même en ces années contestataires, multiforme. La vision d'une classe d'âge d'abord au bois dormant puis soudain réveillée par l'aiguillon révolutionnaire est assurément un cliché. L'homogénéisation socioculturelle croissante n'a pas induit un comportement politique unifié. D'autant que le fossé reste encore large à cette date entre une jeunesse rurale, dont l'univers demeure en partie cantonné, sur le plan culturel comme sur le plan conjugal, à l'horizon de la commune ou du canton, et des jeunesses urbaines certes diverses, mais bien davantage touchées et brassées par le bouillonnement en cours.

Mais les idées reçues ont la vie dure et parfois se cristallisent en véritables stéréotypes que l'historien, s'il n'y prend garde, contribue à son tour à perpétuer. De même que la jeunesse des années 1960 ne peut être réduite, sur le plan sociologique, aux jeunes citadins des lycées et des universités, de même, sur le plan politique, elle ne constitue pas un lieu de monoculture politique, de surcroît situé à l'extrême gauche. En d'autres termes, le jeune Français de cette décennie ne

---

1. Cf., par exemple, *Les Révoltes des jeunes*, Paris, Éditions ouvrières, 1968.

renvoie pas à une sorte de modèle JEUNE, le jeune étudiant urbain nécessairement engagé. Tout comme la population américaine n'est pas réductible au seul modèle WASP, qui ferait des États-Unis une serre où ne croîtraient que des individus *White, Anglo-Saxon and Protestant*, il faut imaginer cette génération du *baby-boom* politiquement polychrome. Le point est essentiel, même s'il conviendrait de s'interroger sur l'effet de mémoire collective qui a imposé par la suite l'assimilation *baby-boom* – modèle JEUNE et qui a fait de chacun des membres de cette génération un acteur de Mai 68. Mais constater l'existence d'un stéréotype ne suffit pas à en retracer la gestation. Pourquoi, dans cette génération politiquement polychrome et idéologiquement assez paisible, nombre d'observateurs crurent-ils diagnostiquer la naissance d'une « révolution juvénile » ? Et comment les intéressés eux-mêmes ont-ils globalement entériné, par la suite, cette perception passablement déformée ?

Entre la fin de la guerre d'Algérie et le milieu des années 1960, l'heure fut plutôt, pour les jeunes, à un reflux du politique. À tel point que, dans le premier numéro du *Nouvel Observateur*, le 19 novembre 1964, Jean-Paul Sartre, navré, constatait une « dépolitisation » de la jeunesse[1]. La teneur de son article, en fait, était beaucoup plus nuancée que ce seul constat, mais le terme s'y trouvait et, placé sous la plume la plus prestigieuse de l'époque, il prenait un relief particulier. D'autant qu'il semble bien qu'ait prévalu, à cette date, une réelle indifférence des jeunes Français pour la politique. En tout cas pour ce qui concerne le début des années 1960; quand Jacques Duquesne publie en 1963 *Les 16-24 ans*, il se fonde sur une enquête de l'IFOP de 1961 et en résume ainsi la teneur : « Le faible intérêt d'ensemble est donc évident[2]. »

---

1. Article repris dans Jean-Paul Sartre, *Situations VIII*, Paris, Gallimard, 1972, pp. 127-145, p. 134.
2. *Op. cit.*, Paris, Le Centurion, 1963, p. 133.

Et, de fait, l'enquête décèle alors une forte indifférence. Cela étant, ces « 16-24 ans » sont nés entre 1937 et 1945 et précèdent chronologiquement les *baby-boomers* qui, pour leur part, n'émergent à une éventuelle conscience politique que quelques années plus tard. À ce moment demeure encore une forte hétérogénéité de cette classe d'âge, aussi bien sur le plan culturel – malgré la scolarisation de masse – que social. En 1966, le constat d'une telle diversité restait essentiel dans les analyses sociologiques[1].

Si l'attrait de la contestation s'exerça, de ce fait, de façon différentielle, il est bien vrai que les embruns de celle-ci finirent, on l'a vu, par imprégner le verbe et le comportement d'une partie de la jeunesse et que l'ensemble fit statistiquement masse. Tout concourt, dès lors, à donner à Mai 68 les apparences d'une révolte des jeunes. Les « piétons de mai » qui fourniront le gros des troupes des grandes manifestations parisiennes ou provinciales appartiennent bien à la génération du *baby-boom*, tout comme les jeunes ouvriers qui, en maints endroits, agiront comme un levain sur les revendications et les luttes au sein des entreprises[2]. Du coup, ce sont donc des jeunes qui paraîtront mettre en péril la Ve République. Coup de jeune sur les plans démographique et culturel, coup de boutoir dans le domaine politique : la jeunesse, à travers ses rameaux les plus visibles, s'installe bien parmi les acteurs centraux sur la scène française de cette fin de décennie. Peut-on, pour autant, parler de l'existence d'une classe sociobiologique qui se serait alors trouvée en sécession ? La réponse, là encore, doit être nuancée, pour plusieurs raisons.

---

1. Cf., par exemple, Jean-Claude Chamboredon, « La société française et sa jeunesse », *in* Darras (pseud. coll.), *Le Partage des bénéfices*, Paris, Minuit, 1966, p. 155 *sqq.*

2. Cf., notamment, sur ce sujet, la quatrième partie, « Acteurs et mouvements sociaux », de *Les Années 68. Le temps de la contestation*, réf. cit., pp. 273-413.

Tout d'abord, un processus de sécession s'opère toujours *contre* ou, en tout cas, *par rapport* à un régime politique ou un ordre socio-économique. Or il n'en fut rien ici. Le régime politique a, en 1968, dix ans d'âge. Malgré une telle jeunesse, cette République cinquième du nom est déjà solidement enracinée. Dès l'automne 1958, elle avait doublement reçu l'onction du peuple souverain. Le 28 septembre, 79 % des électeurs s'étaient prononcés en sa faveur et cet assentiment était double en raison de la participation massive au référendum fondateur. Avec 84 % des inscrits qui s'étaient déplacés, on était loin du cas de la République précédente, portée sur les fonts baptismaux par deux tiers, pas davantage, de l'électorat et approuvée seulement, de surcroît, par une grosse moitié de ces votants : comme l'avait cruellement souligné à l'époque le général de Gaulle, un tiers seulement de l'électorat avait effectivement voté oui. Bien plus, quatre ans après sa naissance, la V$^e$ République connut une mue qui lui conféra ses traits durables, avec l'instauration de l'élection du président de la République au suffrage universel. Cette mue s'opéra au terme d'une grande bataille politique qui contribua, là encore, à affirmer les fondements de la jeune République. Malgré l'hostilité conjointe de tous les partis politiques – excepté l'UNR gaulliste et une fraction dissidente du CNI emmenée par le jeune ministre des Finances, Valéry Giscard d'Estaing – à la révision constitutionnelle proposée et leur appel, de ce fait, à voter non, ce « cartel des non » devint celui des vaincus : le oui l'emporta largement, avec 61,7 % des suffrages exprimés. Assurément, un tel score semble bien en deçà des 79 % de oui obtenus en 1958. Mais, compte tenu du rapport de forces défavorable, c'est un réel succès pour le général de Gaulle, également conforté par le succès de ses partisans aux élections législatives un mois plus tard : la V$^e$ République reçoit ainsi à nouveau l'adoubement du peuple souverain.

Tout comme son fondateur reçoit l'onction populaire aux présidentielles de 1965. Certes, le ballottage du 5 décembre fut, sur le moment, une surprise. Mais, somme toute, en même temps que la Ve République s'enracine – 85 % des inscrits se rendent dans les bureaux de vote –, son fondateur redescend presque mécaniquement des hauteurs où l'avaient placé les combats politiques et le lent dénouement algérien de la période 1958-1962. Plus que le symptôme d'un essoufflement, ce score de 1965 peut apparaître comme le signe d'un diagnostic exactement inverse : la France, désormais, est sortie de sa période de crises – politique et coloniale –, un jeu démocratique apaisé s'est mis en place, les temps héroïques sont terminés. Or la génération du *baby-boom* s'ébroue précisément en ce milieu de décennie. Elle est trop jeune, on l'a vu, pour avoir trempé dans la culture tertio ou quatro-républicaine, à la différence de ses parents et grands-parents. Ses sources de réticence ou d'hostilité à la Ve République, quand elles existeront, puiseront à d'autres fonds qu'à cette nappe phréatique. Les comptes historiques n'ont pas besoin d'être apurés entre le nouveau régime et les *baby-boomers* : ceux-ci n'ont pas repris en charge les éventuelles préventions contre la Ve République, préventions qui, du reste, on l'a vu, se sont vite dissipées chez la plupart des leurs aînés.

## Plusieurs « générations 68 »

À bien y regarder, en effet, la sécession politique s'opère sous l'influence d'autres motifs, exogènes à l'histoire propre de la Ve République. La guerre du Viêtnam, notamment, contribua, on l'a vu, à cristalliser cette sécession. Comme dans le domaine socioculturel, les années 1960 sont, en fait, sur le plan idéologique, une période de dilatation à l'échelle de la planète. La lutte de classes, devenue combat « anti-impérialiste », est désormais, elle aussi, perçue dans une dimension planétaire. En même temps, il serait faux de conclure que l'image d'une Amérique admirée par les « copains » dans la première partie des années 1960 a laissé la place à celle d'États-Unis désormais honnis par les « camarades » – les mêmes, en fait, qui auraient vieilli de quelques années. Au moment où le GI n'apparaît plus à certains d'entre eux comme le libérateur de 1944 mais comme l'oppresseur embourbé dans les rizières du Sud-Est asiatique et où le B-52 semble devenu un engin de terreur et de mort, la fascination exercée par l'outre-Atlantique n'a pas réellement décru. Certes, en ce début d'année 1968, quelques drapeaux américains sont brûlés dans les rues parisiennes, mais, sur les Champs-Élysées, *West Side Story* vient d'être projeté plusieurs années de suite au cinéma George-V.

Force est ainsi, et l'on y reviendra, de relativiser le poids de l'idéologie dans les représentations collectives, y compris en ces années 1960 où elle parut marquer d'une empreinte profonde la jeunesse. Si les avant-gardes politiques, fortement imprégnées d'idéologie, ont été alors les plus visibles et ont largement saturé, depuis, la mémoire collective issue de cette décennie, elles n'ont, au bout du compte, que partiellement influencé l'ensemble de la classe d'âge du *baby-boom*. Même si ce sont les parties politiquement les plus actives de ces *baby-boomers* qui ont peu à peu pris le relais de leurs aînés et constitué progressivement les troupes françaises du combat anti-impérialiste, ces troupes idéologiquement armées ont donc été, en fait, bien plus maigres que l'écho qui s'est alors propagé. D'autant que là n'est pas le seul facteur de minceur statistique des *baby-boomers* réellement touchés par les idéologies d'extrême gauche. Il faut aussi rappeler qu'il y eut en fait plusieurs « génération 68 »[1] et qu'en tout état de cause

---

1. Éric Vigne, « Des générations 68? », *Le Débat*, n° 51, septembre-octobre 1988. Cf. également Daniel Bertaux, Danièle Linhart, Beatrix Le Wita, « Mai 1968 et la formation de générations politiques en France », *Le Mouvement social*, 143, avril-juin 1988, pp. 75 *sqq*.

leur imprégnation idéologique n'était pas la même. La première, venue au monde vers 1940-1945, représente la queue de la génération née dans les années 1930 et pour laquelle, on l'a vu, le combat anticolonial fut souvent identitaire. Elle a fourni au mouvement de 1968 son encadrement et ses membres lui ont ainsi « greffé leurs héritages » mais aussi « leurs archaïsmes »[1].

En revanche, ce sont bien les *baby-boomers* qui, sans avoir été forcément marqués préalablement par les grandes idéologies d'extrême gauche, ont donné, comme « piétons de mai », sa consistance statistique et son importance historique au mouvement de 1968. La contradiction n'est qu'apparente avec le constat fait plus haut : sans avoir constitué auparavant des cohortes étoffées pour le combat anti-impérialiste fortement idéologisé, la génération du *baby-boom* a été la base – au sens où l'on utilise ce mot pour les mouvements sociaux – des événements de Mai 68. Bien plus, précisément parce qu'elle était, par beaucoup de ses membres, politiquement vierge au moment de ces événements et que ceux-ci, de ce fait, ont été pour elle l'événement fondateur alors que les aînés avaient déjà connu d'autres combats, il est possible de considérer que si ces deux « générations 68 » ont « fait » Mai 68, une seule, la seconde, « a été faite »[2] par lui. En d'autres termes, celle qui a été marquée d'une empreinte fondatrice, et par là même identitaire, était celle des cadets. Cadets qui eurent à leur tour des cadets : une autre cohorte démographique, plus jeune que celle du *baby-boom* – ou en constituant le plafond – et encore aux débuts de l'adolescence en Mai 68,

---

1. Hervé Hamon et Patrick Rotman, *Génération*, réf. cit., t. II, *Les Années de poudre*, citation p. 664.
2. Daniel Bertaux, Danièle Linhart, Beatrix Le Wita, « Mai 1968 et la formation des générations politiques en France », réf. cit.

sera touchée par rebond et contribuera, aux côtés des *baby-boomers*, à entretenir un effet de traîne au fil des années de l'après-mai.

Mais ni pour les uns ni pour les autres il n'est possible de parler d'une dissidence idéologique à l'échelle d'une classe d'âge tout entière. Ni avant ni après 1968, les jeunes nés dans l'après-guerre ou dans les années 1950 n'ont adhéré massivement aux idéologies d'extrême gauche fortement imprégnées de marxisme-léninisme. Si celles-ci ont largement coloré Mai 68, elles n'étaient donc pas profondément inséminées dans les consciences de ses acteurs principaux. Et l'on trouve dans ce constat des éléments de réponse à ce paradoxe apparent, sur lequel il faudra revenir : un mouvement au discours très fortement idéologisé comme le fut celui de Mai 68 a fait souche, mais, au bout du compte, sur un tout autre registre, moins politique que socioculturel.

## Mai 68 ou l'ambivalence

L'explication de ce paradoxe apparent tient en un mot : l'ambivalence. D'autant que celle-ci, à vrai dire, est double. D'une part, même si, globalement, les idées qui inspirèrent les acteurs de Mai 68 relèvent d'idéologies du changement, certains des thèmes qui fleurissent dans l'après-mai apparaissent bien, avec le recul, comme étymologiquement réactionnaires et porteurs d'un refus de la mutation alors en cours plus que d'un consentement à ce qu'elle s'opère : le retour à la terre, par exemple, même sous-tendu par une idéologie de rébellion politique, de rupture sociologique ou de sécession générationnelle, relève aussi du mythe de l'âge d'or pré-industriel et de la fuite loin de la ville qui corrompt. Si le mot aliénation et l'impératif proclamé de combat contre le capitalisme donnent des habits neufs à ces postures du refus, ils ne parviennent pas totalement à en dissimuler les fondements passéistes. Il faudra, pour le moins, analyser plus avant cette première forme d'ambivalence, qui débouchera sur le mouvement « hippie » puis « baba cool ». Mais celle-ci, on l'a dit, concerne davantage l'ombre portée des événements de Mai que leur dynamique même.

Plus importante est, sur le court terme – et également, du reste, par cette ombre portée –, la seconde ambivalence idéologique. Si l'analyse de Mai 68 mais aussi de ses retombées immédiates ou plus lointaines reste, un tiers de siècle après, aussi complexe, c'est en raison de son identité de Janus idéologique, tout à la fois libertaire et marxiste-léniniste. Par rapport à cette seconde souche, nombre de thèmes qui ont nourri le mouvement étaient, en effet, sous-tendus par des aspirations non dogmatiques et foisonnantes que l'on peut, de fait, qualifier, faute de mieux, de « libertaires ». Mais, parallèlement à cette effervescence contestataire multiforme, l'imprégnation du discours marxiste-léniniste restait très forte, héritage d'une durable acculturation relayée par les groupements d'extrême gauche apparus aux flancs du Parti communiste français et le plus souvent en partition ou en sécession par rapport à lui.

De fait, le coup de jeune des années 1960, qui toucha alors tant d'institutions, n'avait pas épargné le PCF. La crise de l'UEC durant l'hiver 1965, notamment, avait entraîné des réactions en chaîne et alimenté, au bout du compte, ces groupements. Et même si leur attrait resta limité, il est loin d'avoir été négligeable, à la fois parce qu'il reflétait un rapport de force idéologique où le marxisme restait alors globalement prédominant au sein de la gauche française et, surtout, parce que les mouvances de cette extrême gauche ont constitué autant de relais très actifs, voire activistes, pour la propagation des différentes formes acclimatées du marxisme. Sans compter que celles-ci ont servi de soubassements doctrinaux à une concurrence idéologique entre ces mouvances, qui prit parfois les apparences d'une fuite en avant. Et cette fermentation eut aussi des conséquences sur le reste de la gauche, parfois contrainte – ainsi au PSU – à une sorte de surenchère idéologique constante par rapport aux social-démocraties européennes. Et compte tenu de la faiblesse relative du socialisme français, mal remis des ébranlements de la guerre d'Algérie et affaibli en cette fin des années 1960 par ses hésitations tactiques, le phénomène prit probablement plus d'amplitude en France que dans d'autres pays riverains. D'autant que le PCF, même engagé dans un *aggiornamento* réformiste, plaçait encore – formellement – la rupture politique comme finalité de son action. Pour toutes ces raisons [1], l'idée de révolution se trouva sémantiquement réarmée dans la France de la fin des années 1960.

Cette ambivalence idéologique du Mai français est essentielle. Son constat aide à mieux comprendre la bigarrure des slogans sur le moment même mais aussi les effets contrastés à moyen terme. Avec, en toile de fond, cette belle question d'histoire intellectuelle, dont la réponse est déterminante pour la compréhension de la décennie suivante : dans l'acculturation du marxisme en terre française, cette fin des années 1960 constitue-t-elle un butoir où cette idéologie serait venue donner ses ultimes soubresauts – tout au moins comme idéologie dominante – au terme d'un lent déclin enclenché par les déceptions venues de l'est de l'Europe à partir de 1956, ou bien est-elle un tremplin sur lequel elle aurait alors rebondi ?

---

1. Et pour d'autres raisons également. Il conviendrait, à cet égard, d'analyser avec précision l'image des pays communistes reflétée par l'enseignement français au moment de la scolarité des *baby-boomers*. Si cette image est probablement morcelée, elle conserva longtemps des aspects largement positifs : cf., en tout cas, ce qu'il en fut dans l'enseignement supérieur en se reportant à Laurent Jalabert, *Le Grand Débat. Les universitaires français – historiens et géographes – et les pays communistes de 1945 à 1991*, Toulouse, Sources et travaux d'histoire immédiate, 9, 2001.

Ou, pour poser la même question en d'autres termes, Mai 68 a-t-il été pour le marxisme français une piqûre de rappel ou un choc aux effets fatals ? Là encore, il faudra y revenir, plus longuement, dans l'étude à venir sur les années 1970. Observons déjà que la réponse à une telle question impose de distinguer les slogans martelés à chaud, encore largement frappés au coin du marxisme, et les évolutions enclenchées et d'abord largement souterraines, qui furent bien peu imprégnées par lui. Certes, sur le moment même et durant les années d'effervescence contestataire qui suivirent, le marxisme continua à imprégner le vocabulaire militant, d'énonciation comme de dénonciation, ce qui conduirait, en première analyse, à accréditer la thèse du rebond.

Mais, sans pour l'instant les analyser en détail, l'examen même superficiel de ces évolutions ultérieures conduit à nuancer, pour le moins, une telle analyse. Non pas tant en observant qu'après tout Mai 1968 a été largement anticommuniste, la critique du régime capitaliste se doublant alors, le plus souvent, d'une critique de l'URSS ou du PCF : dans un premier temps, en effet, cette critique se faisait depuis la gauche, au nom des diverses appropriations idéologiques du marxisme. C'est bien plutôt sur le moyen terme que l'Histoire se faisant départage la souche marxiste-léniniste et la composante « libertaire » de « Mai 68 ». D'une part, dans la véritable mue des comportements et des valeurs qui emporte la société française au long des « années 68 »[1] – avant et après, donc –, cette composante sera bien davantage en phase avec l'évolution en cours que les anathèmes marxistes-léninistes. Non que cette évolution soit le pur produit d'une telle composante ni même qu'elle soit issue prioritairement du chaudron de Mai. Le processus, à bien l'analyser, est singulièrement plus

---

1. Cf. *Les Années 68. Le temps de la contestation,* réf. cit., *passim.*

complexe. Il demeure pourtant, répétons-le, que la tonalité
« libertaire », source d'inspiration ou musique d'accompagnement, peu importe ici, sera bien plus en consonance avec la
mutation française que l'incantation marxiste-léniniste.
D'autant que, d'autre part, cette incantation – le mot, on l'a
compris, n'est pas ici connoté et désigne prosaïquement un
discours largement déconnecté d'une réalité sociale sur
laquelle il aspire pourtant à avoir prise – sera certes celle de la
frange la plus idéologisée de la génération du *baby-boom*,
mais ce sera de son sein même que viendront ensuite certaines
des remises en cause les plus acérées du marxisme : la génération des « nouveaux philosophes », par exemple, sera parricide
en ce sens que, recrutée très largement dans le vivier des
anciens marxistes, elle portera, à partir de 1975, des coups
mortels au marxisme politique dont elle était issue.

## DES BARRICADES SANS LA VIOLENCE ?

Plus qu'à l'avant-garde d'une improbable révolution politique, les *baby-boomers* se retrouvèrent en fait à l'avant-scène
d'une mue socioculturelle en train de s'opérer. Et cette place
était presque consubstantielle, tant ceux-ci étaient déjà, à cette
date, le produit des prodromes de celle-là : mutants, ils étaient
*de facto* les acteurs désignés de la pièce en train de se jouer. Et
cette pièce, au bout du compte, n'a pas été placée sous le signe
de la violence extrême. La paix civile, globalement, ne fut pas
atteinte dans ses fondements.

## Des barricades hors du temps

La sauvegarde, tout au long de la crise comme au moment de son dénouement, d'une telle paix civile est du reste, pour l'historien, une question à nouveau très complexe. Et la réponse à une telle question concerne, là encore, au moins indirectement, la génération du *baby-boom* et son rôle dans le déroulement de Mai 68. Ce déroulement ne déboucha jamais vraiment sur la tragédie de la mort donnée ou reçue et l'issue fut, globalement, pacifique. Le bilan, en fait, varie d'un ouvrage à l'autre, l'un d'entre eux, publié à l'occasion du dixième anniversaire des événements, allant jusqu'à avancer le nombre de dix-neuf morts[1]. Le plus souvent, pourtant, c'est celui de cinq victimes décédées qui est retenu. Autant que ce bilan, ce sont les circonstances du dénouement qui frappent rétrospectivement. Celui-ci fut rapide, jalonné par deux dates : dès le 30 mai, le chef de l'État a repris l'initiative en procédant à la dissolution ; un mois plus tard, le second tour des élections législatives, le 30 juin, débouche sur une victoire massive des gaullistes. Mais, dans les deux cas, la paix civile a été préservée, malgré l'ampleur du dissensus initial et le caractère aigu de la crise. Un tel dénouement paisible, au sens étymologique du terme, suggère cette question essentielle : pour quelles raisons la violence politique est-elle restée canalisée, même lors des journées les plus rudes, alors que les institutions qui étaient ainsi confrontées à un brutal ébranlement et qui l'ont surmonté sans réelle effusion de sang étaient de jeunes institutions, nées dix ans à peine plus tôt ? Cette question est d'autant plus essentielle pour notre propos que, on l'a vu, les acteurs principaux de l'ébranlement se recrutèrent, au moins dans un premier temps, au sein des « générations 68 ».

---

1. Alain Delale et Gilles Ragache, *La France de 68*, Paris, Le Seuil, 1978.

Celles-ci, à ce stade de l'analyse, ne peuvent être dissociées des tendances de fond de la société qui les portent. Pour expliquer le contraste entre l'amplitude de l'onde de choc et sa résorption effectuée dans la légalité républicaine et la stabilité institutionnelle, il faut, en effet, étudier la crise française de mai-juin 1968 non seulement dans le temps court du déroulement de l'événement mais aussi en l'insérant dans une autre temporalité : le temps long, plus que séculaire, où l'on peut percevoir les mutations profondes de la démocratie française depuis le XIXᵉ siècle, et notamment l'évolution de son rapport avec la violence politique. En effet, non seulement, on l'a vu, la génération de l'après-guerre a été la première génération française de la non-guerre, mais, de surcroît, sa brusque irruption sur la scène politique a lieu dans une France où la violence politique se trouve alors dans une phase de reflux accéléré. Sur le long terme, en effet, deux processus convergents ont contribué à désacraliser l'affrontement violent comme fondement de la vie politique française.

Tout d'abord, dès la fin du XIXᵉ siècle, le tribunal de la rue a été discrédité comme lieu de légitimation politique. Cette mutation est capitale, car, après 1789 et au fil du siècle suivant, il paraissait aller de soi que l'émeute, voire le combat de rue, puisse abattre un régime et permettre l'avènement d'un autre. D'une certaine façon, la République s'était alors réclamée, à plusieurs reprises, d'un tel tribunal de la rue, ayant forgé une partie de son identité sur et par la barricade. Certes, rétrospectivement, il apparaît qu'une telle vision collective ne relevait qu'en partie de la réalité telle que l'historien peut la restituer[1], mais les phénomènes de représentation collective sont tout aussi importants, dans la vie des communautés nationales, que la réalité objective des événements. Le couple Répu-

---

1. Cf. Alain Corbin et Jean-Marie Mayeur (dir.), *La Barricade*, Paris, Publications de la Sorbonne, 1997.

blique-barricade a donc peuplé la culture politique de plusieurs générations de républicains. Cela étant, par une sorte de clin d'œil de l'Histoire, un tel couple commença à se briser au moment même où la République fut définitivement victorieuse, dans les années 1870. D'une part, ce régime s'installa en 1870 à la faveur d'une défaite militaire plus que d'une barricade victorieuse. D'autre part, et surtout, il s'enracinera alors très rapidement et démontra sa capacité à gérer ses dissensus et ses conflits par le seul jeu des institutions. Un événement fut, à cet égard, décisif : la crise du 16 mai 1877. Face à une menace de restauration monarchique, la République l'emporta par les urnes, dans la légalité. Bien plus, les travaux de Maurice Agulhon ont montré que, parallèlement à cette victoire politique, la République s'enracine à la même époque dans les cœurs et les esprits.

À la fois définitivement victorieuse et vite enracinée, la République va désormais être dépositaire de la règle et bénéficiaire du consentement : la règle, en d'autres termes les principes d'une démocratie parlementaire ; le consentement, par l'adhésion à ces principes d'une très grande partie de la classe politique et de l'opinion. Le régime bénéficie donc à la fois de la légalité – puisque toute atteinte contre lui apparaîtrait comme une transgression, mettant en cause les institutions démocratiques : la notion de légalité républicaine devient à cette date pléonastique – et de la légitimité qui découle du consentement. Et, dès lors, en France, la rue ne pourra plus jamais abattre un régime. Ainsi, la longévité de la IIIᵉ République – sept décennies d'existence – découle d'un tel consensus : même l'émeute sanglante du 6 février 1934 ne mettra pas vraiment en péril le régime, qui succombera non à une cause endogène mais à une défaite militaire face à l'Allemagne. Assurément la République suivante, quatrième du nom, est apparemment morte de la pression de la rue, après l'émeute algéroise du 13 mai 1958 – à tel point qu'un observateur aussi avisé qu'André Siegfried parlera à son sujet d'un 6 février qui « a réussi » –, mais le contexte était alors particulier : la France est engluée dans la guerre d'Algérie et c'est donc là encore un événement extérieur – même si, *stricto sensu*, l'Algérie est alors partie intégrante du territoire français – qui joue le rôle de catalyseur. Ce n'est pas la rue, au bout du compte, qui fait l'événement, d'autant que le processus qui conduisit à un changement de régime demeura formellement dans le cadre de la légalité républicaine.

En dépit des slogans révolutionnaires, la crise française de Mai 68 se développe donc dans un pays dont la vie politique, depuis près d'un siècle, n'est plus arbitrée par le tribunal de la rue et duquel a été expurgée une culture de la barricade initialement constitutive de cette vie politique. Certes, les combats de la libération de Paris durant l'été 1944 ont vu réapparaître des barricades, mais cette réapparition puisait à d'autres sources – le combat de rue contre des blindés, la tentative de contrôle des grands axes de la capitale au moment du repli allemand – et ne dura que quelques jours. En 1968, l'érection de barricades n'est donc pas la réactivation de pratiques récentes et n'obéit pas non plus à des impératifs tactiques. Loin d'être une arme politique, elle est plutôt alors une résurgence de mémoire, renvoyant aux grands combats révolutionnaires du XIXᵉ siècle. Et même si les forces de l'ordre peineront à plusieurs reprises pour reprendre ces barricades, celles-ci ne donneront pas le dernier mot à la rue.

*Une France apaisée*

De surcroît, ces événements surviennent dans un pays où une décrue de la violence politique avait accompagné l'instauration de la légalité républicaine. Telle est bien, en effet, la seconde tendance lourde à l'échelle du siècle tout entier qu'il convient de prendre ici en considération. Certes, au début de ce siècle, la Grande Guerre fut une flambée de violence sans précédent. Dans la foulée des travaux de George Mosse, les historiens ont mis en lumière l'indéniable « brutalisation » des sociétés européennes lors de ces années terribles. Cela étant, dans le cas français – car l'analyse de George Mosse[1] sur les retombées d'une telle « brutalisation » a davantage porté sur le cas allemand –, un tel ébranlement n'a pas enrayé le reflux de la violence politique enclenché dans les dernières décennies du XIXe siècle. Alain Corbin a bien montré comment un tel reflux s'est inséré dans un contexte d'affinage progressif de la sensibilité et sur l'évolution concomitante des seuils de tolérance de la douleur montrée, subie ou imposée. Un tel processus, assurément, fut complexe et variable et ses retombées sur la vie politique opérèrent par des canaux multiples et parfois indirects ou différés, mais le résultat est indéniable : dans l'expression des grandes « fièvres hexagonales[2] », la dernière grande violence collective endogène fut la Commune. Et, déjà, à la fin du XIXe siècle, le seuil de tolérance de la violence avait évolué : ainsi, l'émotion après la fusillade de Fourmies en 1891 montrait que, vingt ans après la répression de la Commune, la violence politique jugée supportable ou inévitable – en un mot, tolérée – avait déjà notablement baissé. La barricade elle-même, lieu auparavant de combats sanglants, rendus encore plus atroces par le corps-à-corps, si elle « hante plus que jamais le verbe[3] », disparaît le plus souvent du paysage des journées de tension ou d'affrontement au profit de la manifestation[4].

---

1. George L. Mosse, *De la Grande Guerre au totalitarisme. La brutalisation des sociétés européennes*, Paris, Hachette Littératures, 1999.
2. Michel Winock, *La Fièvre hexagonale. Les grandes crises politiques de 1871 à 1968*, Paris, Calmann-Lévy, 1986.
3. *La Barricade*, réf. cit, p. 27.
4. Danielle Tartakowsky, *Le pouvoir est dans la rue. Crises politiques et manifestations en France*, Paris, Aubier, 1998.

Certes, le 6 février 1934, avec ses 15 morts et ses 1 435 blessés, marque le retour du sang sur le pavé parisien. Mais son retentissement vint précisément du fait que, avec un tel bilan, il rompait avec les normes de l'époque et constituait, à cet égard, une transgression par le retour du refoulé, la violence politique. Bien plus, les horreurs de la Seconde Guerre mondiale n'ont pas non plus inversé la tendance : à la Libération, le consensus républicain se réactive d'autant plus aisément qu'il porte sur l'État-nation, qui a terminé la guerre dans le camp des vainqueurs, mais désormais aussi sur l'État-providence, greffé à cette date sur la IVe République naissante. Certes, celle-ci allait rapidement connaître une phase de fortes turbulences mais sans que jamais resurgisse le tribunal de la rue ou, plus précisément, sans que la rue ait jamais gain de cause, le cas du 13 mai 1958 étant, on l'a vu, singulièrement plus complexe. Et si, quelques années plus tard, la guerre d'Algérie teinta à nouveau de sang le pavé parisien – avec notamment les drames du 17 octobre 1961 et du métro Charonne quatre mois plus tard –, la tendance séculaire ne s'inversa pas pour autant. Au fil des années 1960, la démocratie française semblait avoir expurgé définitivement la violence politique.

Et, de ce fait, si la France a connu depuis la fin du XIXe siècle bien des « fièvres hexagonales », celles-ci ont perdu leur teneur violente. Devient dès lors moins surprenant le paradoxe apparent que constituait cette crise aiguë de mai 1968 sans mortelle effusion de sang : en fait, les affrontements ont été alors pour partie un simulacre[1]. Entendons par là que, de part et d'autre, on a souhaité de bout en bout éviter que ces affrontements, parfois très rudes, ne débouchent sur des

_____

1. Au sens où Serge Berstein l'entend pour la période de l'entre-deux-guerres (cf. « L'affrontement simulé des années 1930 », *Vingtième Siècle. Revue d'histoire*, n° 5, janvier-mars 1985, pp. 39-53).

pertes humaines. Et la violence, de ce fait, fut largement mimée : il ne fut pas sérieusement question, du côté des forces de l'ordre, de l'utilisation des armes à feu et, de l'autre côté, nul ne songeait à mourir ou à donner la mort.

Il n'y a également pas de doute que le fait que ces événements aient eu lieu au sein d'une société enrichie par les Trente Glorieuses a joué un rôle essentiel dans cette maîtrise de la violence : la secousse n'était ni une révolte de la misère ni un spasme social de désespoir. Bien plus, l'acteur principal de la secousse était la jeunesse du *baby-boom*, c'est-à-dire les enfants nés dans les années de l'après-Libération et qui n'avaient jamais connu la violence de guerre. Cette génération devenue adolescente au cœur de ces Trente Glorieuses fait son apprentissage politique au fil des années 1960 dans une France débarrassée des deux grands enjeux qui ont marqué les quinze années précédentes : les guerres de décolonisation et la guerre froide, qui a laissé la place à partir de 1962-1963 à la coexistence pacifique. Et, dans un tel contexte, ceux des membres de la génération du *baby-boom* qui tiennent un discours de rupture vis-à-vis de la société de leur temps aspirent en fait, on l'a vu, à une révolution qui est doublement déconnectée des réalités de l'époque. Par l'érection de barricades, ils agissent par réminiscence historique, retrouvant des poses issues d'un autre temps. Par les modèles mis en avant – Che Guevara, le Viêtcong –, ils pratiquent une sorte de mimétisme renvoyant à d'autres contextes que le contexte français. Réminiscence et mimétisme : le combat engagé est donc hors du temps des Trente Glorieuses et de l'espace des pays industrialisés de l'Europe occidentale, avec une révolution faite par procuration au nom des masses du tiers-monde.

Si la guerre ou la violence mimées en sont donc restées à ce statut de simulacre relevant de la virtualité plus que de la réalité, c'est bien, au bout du compte, parce qu'elles n'étaient pas en phase avec la réalité de leur temps, c'est-à-dire la France des années 1960, au sein de laquelle, malgré le discours de rupture d'une petite partie de la jeunesse, le *trend* belliqueux ne s'est jamais trouvé réamorcé. Non seulement ce pays avait depuis longtemps expurgé sa culture initiale de la barricade mais aussi, plus largement et plus profondément, la société française, y compris la classe ouvrière, était emportée à cette époque par la vague euphorisante des Trente Glorieuses, porteuse d'hédonisme et d'individualisme, vertus de temps de paix : des générations du feu, en quelque sorte, à celles du jeu et du je. Jusqu'à l'extrême gauche, du reste, qui, par rapport à celle d'autres pays européens, a résisté, à l'époque et surtout durant les années de désagrégation, à la tentation et à la spirale de la violence. À bien y regarder, la « révolution juvénile », même dans sa forme la plus radicale, était sous-tendue par un optimisme latent et, de ce fait, le contre-projet implicitement proposé, même s'il contestait le système socio-économique en place, en était largement le fils et était mû par un messianisme de lendemains qui chantent fondé sur la prospérité contestée, éclose dans une France apaisée. À cet égard aussi, on le voit, la génération du *baby-boom* différait radicalement des générations précédentes, tant il est vrai que l'insémination de l'idée de paix dans une classe d'âge n'est jamais dissociable des expériences préalablement subies – ou pas, dans ce cas précis – et des empreintes laissées – ou pas – par l'Histoire.

### Des gènes pacifiques

Ainsi replacés en perspective à l'échelle de plus d'un siècle d'histoire française, les événements de Mai 68 prennent une signification différente : ils constituèrent un ébranlement fort, assurément, mais porté sur une démocratie française capable d'absorber de telles ondes de choc, et avec comme acteur principal une jeunesse qui, par-delà l'emphase du discours militant et les postures de la transgression verbale, n'était ni en mesure de rompre l'État de droit républicain ni en recherche véritable d'une telle rupture. Pour autant, ce ne sont pas seulement de telles données structurelles héritées du long terme qui expliquent les modalités globalement pacifiques de la résolution de la crise. Entre le temps séculaire des lentes mutations de la démocratie française et le temps court de l'événement, existe un temps intermédiaire, ici de rythme décennal, où l'on peut percevoir d'autres éléments qui ont également contribué à une telle résolution. D'abord, on l'a déjà souligné, les institutions de la $V^e$ République, vieilles à peine d'une décennie au moment de la crise, ont connu un enracinement très rapide qui leur a conféré dans la tourmente une indéniable légitimité. À l'élection présidentielle de 1965, on l'a vu, ce sont 85 % des inscrits qui vont voter, sans états d'âme particulier. Dès ce milieu de décennie, le peuple français souverain, malgré la réticence initiale de la plus grande partie de la classe politique, est donc favorable au nouveau régime et ne le remettra pas en cause au moment où il paraîtra ébranlé par la secousse de mai 1968.

Du reste, d'autre part, pas plus que la jeunesse, les autres acteurs de ces semaines de mai n'ont pas véritablement tenté d'en découdre. Certes, la secousse fut très forte, à tel point que l'on peut parler, pour le Mai français, d'une crise de régime. Un tel constat découle notamment de la comparaison avec les autres pays de l'Occident industrialisé où, à la différence de la France, les ébranlements de l'année 1968 ne débouchèrent jamais sur une remise en cause des institutions. Mais, au bout du compte, sans nier la spécificité française en la matière, y eut-il réellement une telle remise en cause ? Mieux vaut ici introduire une distinction entre l'indéniable crise de régime – puisque celui-ci fut réellement et profondément ébranlé – et un rejet global de la $V^e$ République, qui ne fut jamais vraiment observé. Et si tout ce qui a été dit précédemment fournit probablement une série d'explications convergentes à ce paradoxe qui n'est, en fait, qu'apparent, il faut y ajouter ce constat : la classe ouvrière ne s'est jamais véritablement placée, au cours de ces semaines de fort tangage, en position d'affrontement direct avec la V<sup>e</sup> République. Certes, c'est bien la grève générale du 13 mai qui, en se prolongeant et en s'amplifiant au cours des jours suivants – alors qu'elle était initialement prévue pour une seule journée –, fait passer la crise de son caractère proprement étudiant à sa dimension d'ébranlement national. D'autant que, de surcroît, le mouvement social qui fait alors tache d'huile devient en quelques jours un phénomène historique sans précédent, bien plus important en ampleur que la crise du printemps 1936. Il n'empêche : ni le Parti communiste français ni son relais syndical, la CGT, ne veulent la révolution. Depuis plusieurs années, on l'a déjà souligné, le PCF, principale force politique de la gauche française de l'époque, est engagé dans un processus d'« *aggiornamento* »[1] et de réintégration de plain-pied dans le jeu politique. Et la CGT est la principale organisation syndicale d'une classe ouvrière française qui est alors en train de participer à l'enrichissement général de la société engendré par les Trente Glorieuses. Bien plus, dans l'autre camp, l'armée resta toujours sur une stricte attitude de légalité républicaine. La « grande muette » de la tradition politique française s'en tint à sa position bien enracinée de respect du pouvoir légalement installé. Même le voyage du général de Gaulle en Allemagne le 29 mai 1968 et sa visite au général Massu n'ont été, là encore, probablement, qu'un simulacre : au bout du compte, le chef de l'État a-t-il vraiment alors envisagé de faire sortir l'armée du rôle dévolu par l'esprit et la lettre des

---

1. Stéphane Courtois et Marc Lazar, *Histoire du Parti communiste français*, Paris, PUF, 2<sup>e</sup> édition remise à jour, 2000, p. 333.

institutions républicaines ? Rares, en tout cas, sont les témoignages qui vont en ce sens.

On saisit mieux, à la lueur de tout ce qui précède, pourquoi la crise de mai 1968, malgré sa gravité, n'a jamais mis en péril la démocratie française. Celle-ci, même ébranlée, resta de bout en bout en harmonie avec le corps social, qui se reconnaissait en elle, et avec les cultures politiques de l'époque, qui lui restaient attachées. Somme toute, cette idée qui hante le xxᵉ siècle européen, le rôle dévolu aux minorités agissantes, ne s'est jamais trouvée réellement mise en œuvre avec succès que lorsque ces minorités ont eu en face d'elles des démocraties encore jeunes ou momentanément affaiblies. Dans tous les autres cas, la démocratie a su, sans se renier, trouver en elle-même l'antidote à ses agents de désagrégation. Et les *baby-boomers*, dans tout cela ? Là encore, il faudra y revenir à propos des années 1970. Pour la décennie précédente, en tout cas, rien ne vient infirmer, après 1962, la vision d'un reflux de la violence au cœur des Trente Glorieuses. À défaut d'être les initiateurs d'un tel reflux, les *baby-boomers* en gardèrent la trace dans leurs gènes politiques. Plus encore que leurs proches aînés, dont l'apprentissage s'était fait aux dures heures de la guerre d'Algérie, ils conservèrent, par-delà l'incantation et l'anathème fortement lestés de violence verbale, un réel sang-froid collectif au fil des années de l'après-mai. Les brutalités policières ne furent certes pas absentes ni de Mai 68 ni de ces années suivantes[1], mais on fausserait à coup sûr la perspective historique en surdéterminant ces brutalités et cette répression dans une France pompidolienne assurément partagée entre la tentation de la conservation et de l'ordre à tout prix et un réel accompagnement par une par-

---

1. Cf. par exemple, Maurice Rajsfus, *Mai 68 : sous les pavés, la répression*, Paris, Le Cherche Midi, 1998, qui présente une image beaucoup plus négative de la violence d'État en France en cette fin des années 1960.

tie de la classe politique au pouvoir – on songe ici, bien sûr, aux réformes du gouvernement Chaban-Delmas – de la mutation en cours. Malgré les discours – isolés – de guerre civile[1], l'extrême gauche évita, de son côté, les pièges de la fuite en avant. Sur cela encore, il faudra revenir, mais il faut observer dès maintenant que cette inscription de données moins « pacifistes » que pacifiques dans les gènes de la fraction la plus politiquement avancée des *baby-boomers* l'a immunisée contre les dérives les plus radicales. La comparaison avec le cas italien est ici essentielle : dans ce pays, l'amont aussi bien que l'aval des secousses de 1968 furent bien davantage placés sous le signe de la violence politique[2].

---

1. Alain Geismar, Serge July, Erlyn Morane, *Vers la guerre civile*, Paris, Éditions et Publications premières, 1969. Cf., sur ce point, le chapitre 9, « Vers la guerre civile ? », de l'ouvrage de Jean-Pierre Le Goff, réf. cit.

2. Cf. Donatella Della Porta, « Le mouvement étudiant et l'État en Italie : l'escalade de la violence », dans *Les Années 68. Le temps de la contestation*, réf. cit., pp. 423 *sqq*.

# Un été 69

Été 1969. Plus d'un an a passé depuis la bourrasque du printemps 1968. Apparemment, les zéphyrs de l'année en cours sont bien plus paisibles : certes, au mois d'avril, le général de Gaulle est parti brusquement, au lendemain de son référendum perdu sur la régionalisation et la réforme du Sénat, mais les institutions démocratiques ont parfaitement fonctionné et, dès le 15 juin, la France a un nouveau président de la République en la personne de Georges Pompidou. Et pourtant, à bien y regarder et en déplaçant l'objectif vers l'ensemble de la planète, 1969 apparaît comme un millésime tout aussi important pour notre propos que celui qui précède.

## « Copains clopants »

Cette importance ne vient pas du versant proprement français. Les *baby-boomers,* de fait, n'ont guère contribué, au moins statistiquement, à l'échec du général de Gaulle : seuls ceux nés avant le 31 décembre 1947 ont pu s'inscrire sur les listes électorales, majorité à 21 ans oblige. Tout comme la plupart des jeunes « piétons de mai » n'avaient pas été les électeurs des 23 et 30 juin 1968 – seuls ceux nés avant le

31 décembre 1946 étaient alors éventuellement concernés –, ils ne furent pas, l'année suivante, les interrupteurs d'un second septennat qu'ils avaient pourtant contribué à ébranler. Au bout du compte, le général de Gaulle est-il parti un 28 avril à midi du fait de cet ébranlement un an plus tôt, dont la génération montante avait été le détonateur, ou bien la réponse négative au référendum préconisée par Valéry Giscard d'Estaing et le déficit de oui qui s'ensuivit ont-ils constitué la cause essentielle de ce départ ? Si l'historien a tendance à croiser ici plusieurs facteurs, dont les deux qui précèdent, force est pour lui de constater que la génération du *baby-boom* ne fut pas au cœur du processus. Pour autant, l'été 1969 est pour celle-ci le premier sans l'omniprésence de Charles de Gaulle : sauf pour les plus âgés nés en 1946 ou 1947, il n'y a pas chez eux un souvenir direct – comme au sein des autres générations – du président René Coty à l'Élysée et la fin de leur enfance puis leur adolescence baignèrent tout entières dans le cours de la République gaullienne. L'éveil de cette génération se fit donc, on l'a vu, sous de Gaulle, sans réelle référence à la IVe République. Celle qui suivit à partir de 1958 allait de soi, puisque les années d'apprentissage s'y inscrivirent déjà de plain-pied. Et feue « la IVe » apparaissait comme le régime déjà ancien d'un pays qui avait connu en quelques années une véritable métamorphose. Du coup, le crédit du général de Gaulle, auprès de ces jeunes gens, était, par essence, bien mince : il ne pouvait être tenu en mémoire directe ni pour l'homme du 18 Juin, comme par la génération des grands-parents, ni pour l'homme de la paix en Algérie et de l'*aggiornamento* institutionnel, comme par celle des parents des *baby-boomers*. Le général de Gaulle, aux yeux de ceux-ci, ne pouvait avoir que le poids de l'âge sans celui de l'Histoire. Les « beaux bébés » que le chef du Gouvernement provisoire de la République française avait appelés de ses vœux après la

Libération le virent donc partir un quart de siècle plus tard sans regret particulier.

Et sans hargne non plus. Le contentieux global, en cette fin des années 1960, entre un vieil homme recru d'épreuves et une jeunesse éclose dans le liquide amniotique de la société de consommation était avant tout celui qu'entretient forcément le fossé de près de deux tiers de siècle entre un homme né en 1890 et une génération apparue autour de 1948-1949. Quant au contentieux plus proprement politique que développa alors la frange la plus engagée de cette génération, il se nourrissait plus d'un conflit avec le régime dit « capitaliste » qu'avec celui de la Vᵉ République. Si les parents ou les grands-parents ont pu éventuellement défiler en mai 1968 dans les cortèges des syndicats ou des partis politiques en proclamant : « Dix ans, ça suffit », leurs enfants ou petits-enfants ignorèrent le plus souvent superbement l'Élysée et son occupant au cours des semaines de crise.

En cet été 1969, la relève de Gaulle-Pompidou qui vient de s'opérer le 15 juin précédent n'est donc probablement pas le point qui mobilise les conversations des jeunes gens de vingt ans. C'est, en fait, à bien d'autres titres que cet été-là compte pour eux : ils ont grandi et le monde autour d'eux a changé. Quoi de commun, tout d'abord, entre le jeune potache du début de la décennie, lycéen ou élève de CEG, qui entre en adolescence au moment où *Salut les copains* commence à rythmer les travaux et les jours de cette jeune classe, ainsi que de ses frères et sœurs un peu plus âgés, et l'étudiant ou le jeune ouvrier qu'ils sont devenus, personnages à part entière de cette France en pleine mue. Entre-temps l'environnement sonore un peu mièvre des années « yé-yé » a laissé progressivement la place à la culture *pop,* dans un pays qui vibre désormais plus aisément à l'unisson de la planète. Les responsables de la radio l'ont, du reste, bien senti : avant même

l'ébranlement de mai 1968, Europe n° 1, par exemple, a lancé
« Campus ».

« Salut les copains », en effet, s'en allait « copains clo-
pants[1] ». Lucien Morisse, qui a alors en charge les programmes d'Europe n° 1, prend acte de l'évolution en cours, et,
le 28 mars 1968, a lieu la première de « Campus ». Le titre est
significatif : non seulement les *baby-boomers* ont avancé en
âge et sortent progressivement de leur statut de *teenagers,*
mais, de surcroît, nombre d'entre eux deviennent étudiants.
En même temps, la connotation anglo-saxonne est révélatrice :
à cette date, les États-Unis, après la parenthèse anglaise,
incarnent la *pop music* et, par certains aspects de celle-ci, une
contre-culture. Cette évolution radiophonique épouse, du
reste, les contours de celle de la presse musicale, où *Rock and
Folk* a pris peu auparavant, à l'automne 1966, son envol.
L'horaire, de surcroît, a changé : c'est la tranche 20-22 h qui est
désormais concernée et l'évolution, là encore, est significative.
La télévision des adultes règne désormais sur cette tranche,
naguère encore familiale et fédératrice, et les jeunes, par une
sorte de mouvement en retour, se la sont appropriée à la radio.
Durant quelques semaines, c'est François Jouffa qui anime
« Campus » mais il est remplacé à la fin avril par Michel Lan-
celot, qui bientôt s'identifiera à l'émission.

Ces années « Campus » semblent donc reléguer à des
années-lumière les années SLC. L'été 1964, on l'a vu, vivait au
rythme de Sylvie Vartan, sur l'air de *La Plus Belle pour aller
danser* et l'année suivante encore, le sommaire de *Salut les
copains* de juillet 1965 déclinait, sur le thème « Tout, tout, tout
et le reste sur Sylvie », 58 pages sur la chanteuse. En 1969, en
revanche, les « idoles » ont vieilli. Si Johnny Hallyday tient,
avec « Que je t'aime », l'un des slows de l'été, ses mues succes-

---

1. Titre d'un article de François Caviglioli, *Le Nouvel Observateur,*
11 avril 1968.

sives depuis 1965 sont un bon indicateur de l'air du temps : alors qu'il anathémisait en 1966 le chanteur Antoine sur le thème de « cheveux longs, idées courtes », un an plus tard, on l'a vu, à l'automne 1967, il chantait « Si vous allez à San Francisco ». L'heure, en effet, n'était plus seulement à l'Angleterre des Beatles mais aussi, et surtout, aux groupes de la côte Ouest des États-Unis.

## La parenthèse anglaise

C'est pourtant sur leur versant Est qu'a lieu en cet été 1969 l'un des événements les plus significatifs de la décennie, le festival de Woodstock. L'usage du mot événement peut paraître ici d'autant plus incongru qu'en ce même été l'homme, pour la première fois, foule le sol lunaire. Mais outre qu'en histoire socioculturelle également, un tel usage peut se concevoir, l'écho rencontré en France, écho médiatique direct puis vibration différée par disque et film interposés – même s'il convient de ne pas en exagérer rétrospectivement l'importance –, est très éclairant. C'est l'insertion de la France dans une dilatation culturelle à l'échelle de la planète qui apparaît ici brusquement en pleine lumière. Quelques années plus tôt, jamais un festival musical tenu aux États-Unis n'aurait rencontré un tel écho sur le Vieux Continent. Même les concerts américains des Beatles, au milieu de la décennie, n'ont pas connu une semblable répercussion. Certes, les images de « fans » en transes ont alors fait le tour du monde, pour illustrer la *Beatlemania* alors grandissante, mais aucun de ces concerts, pris séparément, n'a constitué un événement juvénile quasi planétaire. Avec Woodstock, il y a bien changement d'échelle et deux processus au moins, enclenchés au fil de la décennie, se retrouvent associés, acquérant ainsi pour la première fois une réelle densité historique : la montée des cultures juvéniles dans les pays industrialisés et le brassage qu'opère entre elles une culture de masse en phase d'extension mondiale et qui, de surcroît, rajeunit au fur et à mesure qu'elle sert de creuset. Woodstock, au bout du compte, est une des premières manifestations de grande ampleur du « village planétaire » alors en voie de constitution, un village dont le prince consort est un adolescent.

Et nous touchons là à l'essentiel. Au début des années 1960, les cultures juvéniles alors en gestation étaient encore largement nationales. Pour la France, le mouvement « yé-yé » en était, du reste, on l'a vu, la preuve quasi sémantique : ainsi furent baptisés des chanteurs et des chanteuses reprenant maladroitement les « yeah-yeah » qui ponctuaient certaines des chansons américaines originales, hâtivement traduites au moment de la vague des « copains » entre 1959 et 1963. Dans un premier temps, l'acculturation fut donc plutôt une acclimatation : les jeunes « idoles » introduisent en France la musique américaine qu'ils vénèrent, mais sous une forme adaptée. Certes, les thèmes communs aux deux sociétés – et qui sont, du reste, des thèmes pérennes dans l'histoire de la chanson –, comme l'amour et l'amitié, maintiennent un lien entre les chansons originales et leurs versions françaises, mais il ne s'agit pas, le plus souvent, de traductions littérales. La culture musicale anglo-saxonne impose déjà ses airs mais pas encore réellement ses thèmes. Il y a donc eu d'abord davantage adaptation que pure adoption.

Paroles et musiques d'origine ne commenceront à être réunies en France que dans un second temps, au moment de l'engouement pour les Beatles. Non pas tant, du reste, qu'il y ait eu alors beaucoup plus de traductions littérales qu'auparavant. Mais cette culture juvénile de langue anglaise – même si elle apparaît maintenant, avec le recul des décennies, comme une parenthèse anglaise dans une immersion essentiellement américaine – commence à déferler au moment où les rouages de la culture de masse sont désormais bien rodés en direction des jeunes et où, de surcroît, la génération du *baby-boom* est maintenant de plain-pied à la fois dans l'adolescence et dans la sphère économique que celle-ci constitue. Or cette génération, plus densément et plus longuement scolarisée, possède davantage une teinture anglophone que précédemment, teinture encore renforcée par les voyages linguistiques outre-Manche l'été, qui commencent à se multiplier. Il y a bien là convergence de facteurs qui expliquent ces très riches heures anglaises de la culture juvénile française.

Là encore, d'ailleurs, culture de masse et représentations collectives vont s'interpénétrer, jusque dans le domaine des sensibilités partagées. Chez les plus jeunes, en effet, certains stéréotypes nationaux hérités des générations précédentes vont alors connaître une véritable métamorphose, et notamment ceux concernant l'image de l'Angleterre. La vogue de ces séjours linguistiques aidant, mais aussi, plus largement, en raison de l'effet de halo exercé par le Londres des Beatles, de Carnaby Street et de la mini-jupe[1], l'image de la « petite Anglaise », réputée peu farouche et de commerce plaisant, peuple bientôt l'imaginaire des adolescents français. On est loin désormais de la « perfide Albion », celle de Fachoda, ou, plus proche dans le temps, de l'alliée de 1940, incarnée par Churchill et son *blood, sweat and tears*.

## Le « Che » et Woodstock

L'évolution, cela étant, n'est pas seulement révélatrice d'un changement de l'air du temps. Elle marque aussi une accéléra-

---

1. Sur tous ces points, cf. la recherche pionnière de Bertrand Lemonnier, *L'Angleterre des Beatles. Une histoire culturelle des années soixante*, Paris, Kimé, 1995.

tion dans les phénomènes de transmission entre générations. Longtemps, en effet, les lieux communs et les images convenues ont été à combustion lente : enracinés dans une France restée tardivement à majorité rurale, portés par l'empreinte et le souvenir des guerres successives, ils se sont maintenus au fil des décennies sans altération majeure. En revanche, dans la France des années 1960, l'ampleur de la mutation sociologique et la prégnance croissante des cultures juvéniles donnent parfois naissance à des stéréotypes spécifiques à la génération cadette. Cette génération, au lieu de recevoir en l'état les représentations collectives de ses aînés, forge les siennes propres. Celles-ci, il est vrai, en deviennent, de ce fait, très volatiles, car tributaires de l'environnement socioculturel. Le phénomène est particulièrement manifeste pour cette prédominance britannique qui ne fut, on l'a dit, qu'une parenthèse entre 1963 et 1967.

Entre-temps, progressivement, la musique américaine avait commencé à reprendre ses droits. Surtout, ce n'est plus la même musique que dix ans plus tôt. Memphis est détrôné par San Francisco et, par capillarité, la côte Ouest des États-Unis imprègne les cultures occidentales au moment même où elle est le terreau d'une effervescence socioculturelle et où elle apparaît comme la terre promise des contre-cultures juvéniles. Woodstock n'est donc pas seulement un moment révélateur de ce recadrage géographique sur les États-Unis – et pas seulement sur son flanc Ouest, ainsi que l'indique, du reste, la localisation de Woodstock – ni de la montée en puissance d'une culture de masse juvénile. Il donne à l'historien une sorte d'arrêt sur image au terme d'une décennie de bouleversement culturel et permet de mesurer le chemin ainsi parcouru entre-temps. Alors qu'au début des années 1960 l'outre-Atlantique demeurait une sorte d'Eldorado que seules les « idoles » de la chanson partaient visiter en des pèlerinages que les photographies de Jean-Marie Périer immortalisaient pour *Salut les copains,* moins de dix ans plus tard les us et les sons venus du même continent s'inséminent et retentissent rapidement, en une effervescence contestatrice.

À tout prendre, du reste, cette insémination est globalement beaucoup plus profonde et surtout plus durable que celle des contestations politiques qui se sont développées à la même époque, aux États-Unis et en Europe occidentale. L'ambivalence posthume de l'image de Che Guevara est, à cet égard, significative. L'ange exterminateur du capitalisme, qu'avait popularisé la photographie d'Alexandre Korda prise en 1960, puis le gisant foudroyé en 1967 dans l'accomplissement de son combat deviennent l'une des figures de proue des mouvements étudiants dans le monde au fil de l'année 1968. Mais, en même temps, en cette fin de décennie, les posters psychédéliques, qui deviennent l'une des formes du *pop art*, s'emparent du personnage du « Che » et le représentent sous une forme quasi christique, à la fois idole *pop* et saint laïque, et par là même produit de synthèse de la culture de masse, de la vague contestatrice qui déferle sur les États-Unis et l'ouest de l'Europe dans la seconde partie des années 1960 et d'une sorte de romantisme juvénile qui nimbe l'ensemble. À bien y regarder, ce produit de synthèse est, sur le fond, aux antipodes du messianisme révolutionnaire qu'incarnait le « Che ». À Woodstock, en tout cas, moins de deux ans après la mort de ce dernier, les vibrations émises et l'écho mondial rencontré relèvent bien plus du mot d'ordre *Peace and love,* qui colore alors à son tour les musiques et l'air du temps, que de celui du soutien aux guerres exotiques de libération nationale qui n'aura mobilisé, au bout du compte, que des minorités. Même si – mais, précisément, ce n'est paradoxal qu'en apparence – certains *tee-shirts,* lors du festival, arborent la figure du « Che ».

Plus que la contestation politique, c'est bien, en fait, l'effervescence culturelle et la contestation rampante multiforme qui l'accompagne qui imprègnent beaucoup plus largement les jeunesses occidentales. Après cet été 1969, Woodstock, même s'il convient de ne pas en exagérer la résonance instantanée, connaîtra un fort écho grâce à l'enregistrement discographique qui en fut fait et au film qui en sera tiré. La confluence d'une culture juvénile dans une phase conquérante et d'une culture de masse en voie de mondialisation est manifeste dans cette sorte de pandémie. Et ce sont ces effets convergents qui vont tout à la fois amplifier, répercuter et vulgariser les thèmes du *Peace and love,* produit hybride de la lutte étudiante contre la guerre du Viêtnam et de la pépinière *hippie* de la côte Ouest, et donc dans un premier temps cantonné aux États-Unis avant de gagner l'Europe.

Ce passage au Vieux Continent est assurément multiforme, mais, dans la diversité même de ses modalités, il rend bien compte du changement de métabolisme de cette culture de masse juvénile, désormais dotée d'une capacité d'insémination inédite jusqu'ici.

### La fin de l'innocence

À bien y regarder, l'ambivalence marxisme-esprit « libertaire » de Mai 68 ne suffit donc pas à éclairer l'air du temps de cette fin de décennie. Le résultat de ce phénomène, bien plus large, d'imprégnation où la culture de masse se teinte de contestation sans se laisser subvertir par elle, tandis que la houle idéologique continue en France à agiter les mouvements « gauchistes », est bien la coexistence de deux sensibilités qui, certes, prennent toutes deux à contre-pied la société de l'époque, mais sur des registres et avec des comportements bien différents. À analyser attentivement Mai 68, il est vrai qu'on y observait déjà les germes d'une telle ambivalence, plus prégnante que l'effet Janus entre marxisme et esprit « libertaire ».

Certes, sur le moment, et dans le contexte de cette crise, ce sont souvent les mots d'ordre les plus politiques, marxistes ou « libertaires », qui ont envahi la rue. Mais déjà sur les murs fleurissaient d'autres slogans de teneur bien davantage socio-culturelle. C'est donc une palette très large d'attitudes de contestations, de refus ou de replis que pourront adopter les *baby-boomers* dans les années qui suivent mai 1968. Et qui, de ce fait, ne peuvent être aisément dissociés. C'est, du reste, la synergie entre les contestations radicales et les marginalités dépolitisées qui semble, un temps, ébranler le régime dit « capitaliste ». Avec, il est vrai, des rapports bien différents avec lui : abattre une société ou y faire son nid ne relevait pas de la même relation avec elle. Mais les deux attitudes des-sinaient un spectre suffisamment large pour que les *baby-boomers* puissent y trouver toute une gamme de postures de refus.

Il n'y eut pas, au bout du compte, une jeunesse biface, mais plusieurs façons pour des jeunes de s'inscrire dans cette phase de contestation multiforme qui toucha l'Occident en cette fin de décennie. Et, par-delà la crise de mai 1968, c'est donc bien plutôt cette période d'effervescence qui questionne rétrospec-tivement l'historien. Avec, au cœur du processus, la rencontre de la culture « jeune » et de la culture de masse. Au moment même où la première comptait de plus en plus au sein des sociétés industrialisées et pesait, de ce fait, de plus en plus sur la seconde, elle se teintait de l'air du temps, qui virait à une sorte de contestation polychrome. Si les échos de la littérature *beatnik,* quelques années plus tôt, étaient restés, somme toute, assez faibles, les thèmes du mouvement *hippie* se trouvèrent ainsi largement relayés auprès des jeunes du *baby-boom,* en une vulgate capable de sauter les frontières et de franchir les océans. Et nous retrouvons là l'été 1969 : quelques semaines à peine après Woodstock, le Vieux Continent est à son tour touché par la vague déferlante. Le 30 août, s'ouvre au large des côtes anglaises le premier festival de l'île de Wight, en présence de Bob Dylan. Et le phénomène d'acclimatation à la française opéra, cette fois, très rapidement : quelques mois plus tard, *Wight is Wight* de Michel Delpech devenait un succès national, fredonné par toutes les classes d'âge confondues. Bien des aînés des *baby-boomers* ne connurent les noms de Bob Dylan et de Donovan qu'à cette occasion, en chantonnant le refrain en forme de scie : « Wight is Wight, Dylan is Dylan, Wight is Wight, Viva Donovan ». Et c'est bien, en fait, par des succès populaires que les thèmes du *Peace and Love* firent ainsi progressivement souche. Déjà, en 1967, Johnny Hallyday avait adapté, on l'a vu, la chanson de Scott McKenzie sur San Francisco, qui quelques mois plus tôt, avait fait le tour du monde, et évoqué les fleurs dans les cheveux : « Si vous allez à San Francisco, vous y verrez des gens que j'aime bien. Vous les verrez des fleurs dans les cheveux... » La chanson évoquait aussi l'« amour brûlant dans leurs yeux ». Et la thématique *Peace and Love* fut ainsi d'autant mieux relayée qu'un jeune journaliste de talent passionné par les États-Unis, Philippe Labro, écrit alors des textes pour Johnny Hallyday et contribue à acculturer cette thématique : « Jésus-Christ est un *hippie* », fera-t-il chanter en 1970 à l'idole des jeunes, qui, quatre ans plus tôt, proclamait : « Cheveux longs, idées courtes ».

Ces idées venues d'outre-Atlantique auront, en fait, la vie longue. Si les obsèques de Pierre Overney, au début de mars 1972, apparurent aussi à bien des observateurs comme les funérailles du « gauchisme » fils de mai 1968 – le mouvement « autonome » qui se développera ensuite au fil des années 1970 étant déjà, en quelque sorte, un courant de deuxième génération –, la vogue *hippie* dans sa version médiatisée durera plus longtemps. En 1973 encore, Maxime Le Forestier évoquera « la maison bleue accrochée à la colline ». Les adolescents du *baby-boom,* insensiblement passés au début de l'âge adulte, glissaient alors, pour certains d'entre eux, vers leur moment *baba cool* : « Enlacés, roulant dans l'herbe, on écoutera Tom à la guitare, Phil à la quena, jusqu'à la nuit noire. »

Entre-temps, au cours des années qui suivirent mai 1968, les courants gauchiste et « libertaire » avaient, du reste, continué à être perméables l'un à l'autre : les tuniques à fleurs apparaissent sur bien des photographies de jeunes gauchistes européens, y compris parmi ceux qui, en Allemagne ou en Italie, sauteront parfois le pas vers l'action violente. S'il convient, assurément, de ne pas exagérer l'écho en France de ces *hippies days* et de ne pas surdéterminer l'insémination qui s'y fit des thèmes de la contre-culture, il y a tout de même là, somme toute, un moment qui, en profondeur, compta plus que le moment « SLC » du début de la décennie. Celui-ci a certes, par l'environnement sonore qu'il a laissé, gardé plus de réverbération et suscité plus de nostalgie générationnelle ; mais c'est le second versant des années 1960 et le seuil de la décennie suivante qui ont laissé le plus de traces dans les comportements collectifs. Il faudra, pour cette raison même, revenir dans un prochain volume sur ce moment tournant.

Cela étant, ce nouveau monde dont étaient grosses les années 1960 ne peut se résumer aux *hippies days,* à leurs tuniques fleuries et à leurs chevelures unisexuées. Certes, à travers leur propagation médiatique, il est possible, on l'a vu, d'y lire une partie de l'avenir car s'y reflètent, même déformés, certains thèmes de la contestation multiforme qui feront souche. Mais, à bien y regarder, l'été 1969 est assurément un été Janus – comme Mai 68 avait été un printemps Janus – tant chacun des épisodes évoqués a son envers, et tant cette ambivalence rend l'avenir des *baby-boomers* singulièrement plus complexe qu'il n'y paraît, au moment même où les relèves de générations commencent à s'opérer.

Si l'on élargit l'analyse à l'année 1969 tout entière, il y a, tout d'abord, le constat qu'une veine, parcourue tout au long de la décennie, est en train de s'épuiser. Symboliquement, du reste, bien des indices montrent que la grande aventure des Beatles, qui marqua tant cette décennie, est en passe de s'achever. Certes, l'année avait, à cet égard, bien commencé : le 30 janvier, le groupe avait donné une sorte de concert sur le toit de immeuble d'Apple, leur maison de production. La scène était destinée au film *Let it be.* Bien plus, en avril, était sorti leur 45 tours *Get Back/Don't Let me Down,* promis à un grand succès. Et pourtant, à la fin de l'été, le 13 septembre, John Lennon se produit sur scène à Toronto avec Yoko Ono et leur Plastic Ono Band. Et si, en ce même mois, sort le nouvel album des Beatles, *Abbey Road,* le processus de désintégration s'accélère : le mois suivant, le batteur du groupe, Ringo Starr, commence à enregistrer son premier album solo, *Sentimental Journey.* Et, aux États-Unis, si cette fin de décennie résonne encore des thèmes *Peace and Love* venus de l'épicentre San Francisco, l'essoufflement, à bien y regarder, est déjà là et ces mots d'ordre deviennent incantatoires plus que reliés à une réalité. Au moment même où une vulgate se constitue autour de l'idéal communautaire de Californie, les phalanstères commencent à y péricliter. La quête du bonheur y chavire souvent dans des naufrages sans retour et la béatitude se transforme parfois en hébétude[1].

En même temps, il est vrai, le phénomène *hippie* dissimule des mutations beaucoup plus considérables : bien avant l'avènement de la « Silicon Valley », la Californie apparaît à certains observateurs comme le laboratoire expérimental de la société post-industrielle. « Ni Marx ni Jésus », pourra pronos-

---

1. Voir, à ce propos, le passionnant *Oh, hippie days ! Carnets américains 1966-1969,* d'Alain Dister, réf. cit.

tiquer à chaud, dès 1970, Jean-François Revel, tandis qu'Edgar Morin cherchera lui aussi à la même époque à distinguer l'avenir à travers son *Journal de Californie.* Il n'empêche. Même sans anticiper, les productions les plus médiatiques du moment – et, par là, les plus datées – parlent d'elles-mêmes : en cette année 1969, l'air du temps, sans vraiment s'assombrir, n'a plus la limpidité des années précédentes. Ainsi, la violence, parfois, l'emporte sur le *Peace and Love.* Elle semble, du reste, gagner du terrain au cinéma. Alors qu'en mai 1967, au festival de Cannes, le film *Blow Up,* de Michelangelo Antonioni, recevait la palme d'or, et qu'avec lui se trouvait honorée l'évocation du *Swinging London,* deux ans plus tard la même distinction couronne *If* de Lindsay Anderson. Malcolm McDowell et ses amis étudiants d'un collège huppé s'y livrent à une fusillade générale le jour de la remise des prix : un tiers de siècle après *Zéro de conduite,* film auquel Lindsay Anderson adresse des clins d'œil explicites, l'heure est aux armes à feu chez certains créateurs.

L'arme blanche peut, du reste, elle aussi tuer. Y compris dans les festivals de musique *pop.* À Altamont, l'année 1969 finit tragiquement : le 6 décembre, lors d'un concert des Rolling Stones, le service d'ordre constitué de *Hell's Angels* assassine d'un coup de couteau un jeune Noir, Meredith Hunter[1]. Et la tragédie sera, d'une certaine façon, récupérée par la culture de masse : le film *Gimmie Shelter* des frères Maysles sera bientôt commercialisé, avec le concert des « Stones » mais aussi la mort du jeune Noir. En différé, donc, pour l'heure. Les grandes tueries en quasi instantané ne surviendront qu'au début de la décennie suivante, avec les Jeux olympiques de Munich de 1972 et l'assassinat des athlètes israéliens.

---

1. François Bon, *Rolling Stones. Une biographie,* Paris, Fayard, 2002, pp. 509 *sqq.*

## Un passé sans avenir

Au bout du compte, tout autant qu'à Ni Marx ni Jésus, il faut conclure à Ni Woodstock ni Altamont : l'avenir, en cette fin de décennie, n'est dessiné nulle part. Et bien d'autres faits culturels de l'année 1969, plus qu'une ambivalence, qui serait structurante, dessinent un avenir incertain, où le pire n'est pas sûr mais où les grandes utopies ont perdu leur flagrance et révèlent même parfois leur face noire. Ainsi en est-il pour la drogue : à Altamont, les Rolling Stones étaient en deuil de l'un des leurs, le guitariste Brian Jones, qui s'était noyé accidentellement dans sa piscine, le 3 juillet précédent, alors qu'il tentait une cure de désintoxication. Et l'ombre et la lumière sont également présentes dans le film de Barbet Schroeder, *More,* sorti en ce même été 1969 sur les écrans parisiens. L'éclat du soleil méditerranéen à Ibiza, la musique planante des Pink Floyd, tout pourrait apparaître comme un nouveau chant du monde, un hymne à la joie *hippie.* Mais la drogue débouche sur la déchéance, la fuite en avant et, bientôt, la destruction : le héros, Stefen, se suicide par overdose. Pour les descentes aux enfers, du reste, la réalité, parfois, est plus tragique encore que la fiction en ce même été 1969. Six jours avant Woodstock, l'actrice Sharon Tate, épouse de Roman Polanski, est assassinée dans sa villa de Bel-Air à Los Angeles par la bande du *hippie* Charles Manson.

À la même date, les *baby-boomers* français ne sont, à vrai dire, ni du côté de Woodstock ni de celui d'Altamont : la subvertion socioculturelle hexagonale de l'été 1969 s'exprime plus prosaïquement dans les provocations musicales de Serge Gainsbourg qui fait danser les campings autant que les boîtes de nuit tropéziennes au rythme des halètements syncopés de Jane Birkin dans *Je t'aime, moi non plus.* Pour autant, ni Woodstock ni Altamont ne paraissent des noms exotiques à ces jeunes gens, tant leur horizon, en une décennie, s'est dilaté

302

aux dimensions d'une partie de la planète. Cette génération du temps accéléré est aussi devenue, celle du monde « fini ».

L'été 1969 est là, à nouveau, pour en fournir la démonstration. Plus que Woodstock, assurément, le grand événement historique de cet été-là demeure, on l'a dit, les premiers pas de Neil Armstrong sur la Lune. L'observation, apparemment, ne concerne en aucun cas notre propos, le spectacle de ces premiers pas n'ayant revêtu aucun spécificité générationnelle : ce fut, au contraire, l'exemple type d'un événement fédérateur entre classes d'âge, laissant ensuite une empreinte mémorielle non différenciée, car dénuée de marqueur d'âge. En même temps, nous restons là au cœur de la culture de masse. Non seulement, en effet, l'alunissage fut retransmis à la télévision en direct, mais, de surcroît, cette instantanéité ne fédéra pas seulement des générations, mais aussi des nations. À cet égard, une telle retransmission apparaît, avec le recul, à l'échelle de l'histoire universelle, par-delà l'importance même de l'alunissage, comme un événement doté d'une réelle signification historique. C'est à dessein que l'on emploie ici le mot événement. Dans le domaine socioculturel, il est aussi des moments à forte densité qui sont au moins des scansions, et éventuellement des ruptures. Or, en cet été 1969, il y a bien là l'indice tangible d'une mondialisation en cours des pratiques culturelles de masse, et cette mondialisation, même si elle est bien sûr le produit d'un processus évolutif en amont et en aval, prend alors une réelle ampleur qui confère à ces années 1960 le statut de décennie charnière.

Encore faut-il préciser la signification, ici, du mot mondialisation, qui a revêtu plus récemment un sens connoté et daté. On a déjà cité cette formule de Paul Valéry, constatant dans les années 1930 qu'advenait « le temps du monde fini[1] ».

---

1. Paul Valéry, *Regards sur le monde actuel,* Paris, Stock, 1931, p. 35.

« Fini », sous sa plume, était entendu, on l'a vu, au sens d'achevé mais aussi de quadrillé, cadastré : plus de *terrae incognitae,* dorénavant, sur les cartes de géographie. Avec la Lune foulée, c'est moins d'une dilatation de cet espace « fini » qu'il s'agissait que d'une nouvelle étape de l'histoire de la Terre, planète d'autant plus « finie » désormais que pouvaient s'y donner les mêmes spectacles instantanés. À partir de 1969, un événement *pourra* être instantané pour le plus grand nombre. Viendra ensuite le temps où, pour être événement, un épisode *devra* être instantané, et donc télévisé. Le temps du véritable monde « fini » se profilait bien en cet été 1969, et la culture de masse en devenait l'élément consubstantiel.

On mesure mieux, ainsi replacée en perspective, à quel point la culture juvénile alors en pleine progression s'est trouvée insérée dans des mouvements de fond qui lui conféreront bientôt une énergie cinétique considérable. L'adolescent ne sera plus alors seulement prince consort du village planétaire : sa culture, de plus en plus, y régnera directement, au sein d'une communauté mondiale. À la fin des années 1960, le processus n'en est qu'à ses prémices mais il se situe bien à la confluence de deux phénomènes l'un et l'autre inédits dans l'histoire universelle : l'apparition progressive d'une communauté mondiale et l'irrésistible montée d'une culture juvénile. Et, de la culture de masse à la culture-monde, le passage est enclenché.

Mais le chassé-croisé entre jeunes et adultes ne concerne pas seulement les rapports de force culturels. Les phénomènes socioculturels observés au fil des années 1960 s'inscrivent aussi dans une autre mutation déterminante à l'échelle du siècle : sans qu'il soit possible ici de tenter de reconstituer les mécanismes précis à l'œuvre, force est d'observer que cette culture juvénile, par sa capacité de pénétration et sa force de résonance, va modifier les rapports plus globaux entre générations. Là encore, le phénomène s'amorce à peine à cette date, mais, remise en perspective, une telle modification est un fait historique majeur. À tel point, du reste, qu'il est possible de la replacer dans un contexte encore plus large que celui du xx<sup>e</sup> siècle ou des sociétés industrialisées.

L'anthropologie, en effet, peut aider à prendre la mesure de ce phénomène. On connaît la typologie proposée par Margaret Mead à la croisée de l'étude des « sociétés primitives »[1] et d'une réflexion plus générale sur les processus d'apprentissage culturel : l'anthropologue distingue « la culture *postfigurative* dans laquelle les enfants sont instruits avant tout par leurs parents, *cofigurative,* dans laquelle les enfants comme les adultes apprennent de leurs pairs, et *préfigurative*, dans laquelle les adultes tirent aussi les leçons de leurs enfants[2] ». Ce sont les sociétés dites « primitives » qui sont ainsi postfiguratives et l'autorité s'y enracine dans l'expérience du passé. Les grandes civilisations, fondées sur l'innovation technique, ont, au contraire, favorisé l'éducation cofigurative : le compagnon d'études ou d'apprentissage joue un rôle important, mais sans que les aînés perdent pour autant leur place dominante, dans la mesure où ils continuent à définir le cadre et les critères de ces études ou de cet apprentissage. Le troisième cas de figure, en revanche, est historiquement inédit en ce début des années 1960 et va donc constituer alors une nouveauté dans le métabolisme des civilisations en même temps qu'une manière de transgression : de même qu'après les guerres ce sont les pères qui enterrent les fils, de même les dernières décennies du xx<sup>e</sup> siècle vont voir, de plus en plus, les fils transmettre aux pères – ou être en mesure, en tout cas, de le faire – les mécanismes de la culture de masse ayant permis une telle inversion.

---

1. Margaret Mead, *Le Fossé des générations,* réf. cit., p. 24.
2. *Ibid.,* p. 27.

En toile de fond, on le voit, c'est à la fois le rapport au passé et à la vitesse d'écoulement du temps qui prévaut. Les cultures que Margaret Mead nomme « postfiguratives » sont figées dans une sorte de temps immobile où les grands-parents et les petits-enfants vivent le même temps suspendu et où le regard vers le passé, qui est en même temps le présent, peut faire fonction de viatique pour l'avenir. Ces sociétés sont enracinées, au sens littéral du mot : des dizaines de générations ont vécu sur les mêmes lieux et labouré – quand les civilisations qui les portent ont atteint ce stade de développement – les mêmes sols. La culture cofigurative se déploie, au contraire, à la suite d'un changement de rythme, quand le temps discontinu succède au temps immobile : innovation technique ou révolution politique, par exemple, rompent la continuité et l'expérience des cadets se façonne dans un contexte différent de celui des aînés. La chaîne des générations s'en trouve, de ce fait, forcément perturbée et le passé de ces aînés n'apparaît plus forcément comme le meilleur des mondes possibles pour les cadets. D'une certaine façon, les sociétés industrialisées de l'Occident étaient, au seuil des années 1960, des formes presque chimiquement pures de sociétés à culture cofigurative. Le temps accéléré qui les avait profondément remodelées au fil du XXᵉ siècle et plus encore depuis la fin de la Seconde Guerre mondiale y avait déjà mécaniquement creusé un fossé entre générations.

Mais, au fil de ces années 1960, le temps s'est plus encore accéléré, à tel point qu'il est devenu en lui-même un élément direct de différenciation sociale. Comme l'écrivait Margaret Mead, on l'a déjà souligné, au seuil des années 1970, « aujourd'hui, tout individu né et élevé avant la Seconde Guerre mondiale est un immigrant – un immigrant qui se déplace dans le temps comme ses ancêtres s'étaient déplacés dans l'espace ». Inversement, les membres de la génération apparue dans l'après-guerre « sont chez eux dans ce temps[1] ». Précisément parce qu'ils ont été des mutants – enfants issus de l'Atlantide mais qui s'ébrouèrent dans une France déjà en pleine métamorphose –, ces *baby-boomers* se retrouvèrent chez eux dans une société où le passé de leurs parents ne leur paraissait plus représenter pour eux un avenir. À la croisée du temps accéléré et du monde « fini », la première génération de l'après-guerre allait devenir, parvenue au début de l'âge adulte, la première génération à entrer de plain-pied dans l'ère post-industrielle. En cette fin des années 1960, au terme d'une décennie qui pesa lourd et modifia en profondeur les sensibilités collectives et la morphologie sociale, pour ces jeunes adultes, le futur reste donc à inventer dans un monde dans lequel l'aîné n'apparaît plus forcément comme dépositaire d'une expérience et d'un savoir susceptibles de tracer la voie.

---

1. *Ibid.,* p. 116 et 120.

# INDEX DES NOMS DE PERSONNES

311

# INDEX DES NOMS DE PERSONNES

# TABLE DES MATIÈRES

TABLE DES MATIÈRES

*Impression réalisée sur CAMERON par*
*BRODARD ET TAUPIN*
*La Flèche*

*pour le compte des Éditions Fayard*
*en septembre 2003*